よくばり雑記帖

「あとがき」のような「はじめに」

新聞への投稿文が多くを占めている本雑記帖です。

その理由やら、私が「書くこと」とどう出会って来たのかを、はじめに書いておきます。

私と「書くこと」の出会い

最近発見した小学校1年生の通信簿三学期の所見に「作文なども時折面白いものが書ける」とあり、驚いた。6、7歳の子どもの作文について言及してくれた担任のK先生に感謝したい。

読むこと書くことの好きだった自分は、きっと作文を書くことは幼少時から苦にならなかったろう。ただ、それが加速されるには、次の条件が必要だった。それは、「書く」という行為の向こうに「読み手」がいたことの発見だ。

投稿と私

投稿は、15歳ごろから始めたように思う。

当時は新聞を取っている家は今よりずっと多く、朝刊の読者欄に投稿が掲載されると、朝、家を出て学校の教室や、職業人になってからは職場に着くまでに、数人から声をかけられた。「出ちょったね」「読んだよ」それが晴れがましく嬉しかった。ここしばらくは、たえてそんなことはなくなった。新聞を取ってない家が増えたことと、読んだとしても書き手に駆け寄って伝えるほどのことはなくなったのだろう。

読者がいることは、やはり励みになる。「投稿を読みそこなったから、コピーしておいて」など言われると、思わず頬がゆるむ。このこともあって、年末に、その一年間掲載された投稿を一枚のペーパーにまとめてコピーし、友人知人に配ることを10年間ほどしていた。おしまいの方ではコピーでは間にあわず、印刷屋さんに頼んで200枚弱を刷っていた。それぐらい、読んでもらうことに喜びがあった。そのペーパーのタイトルは、文字どおり『そこに読んでくれる人がいるから』である。キャッチボールは一人ではできない。書きっぱなしではなく、向こう側に受け手がいることが、私が投稿にハマった大きな理由だろう。

なかには、未知の読者から連絡があって、交友が始まるという嬉しいサプライズもあり、私の人生での投稿数は伸びていった。

投稿の動機

どんなときに投稿を思いつくかと言えば、日常生活をおくるなかで、「このことを自分一人の胸にしまっておかず、だれかれに吹聴したい」と思うそのときである。こんなに素敵な人がいた。こんなに珍しい出来事に遭遇した。こんな本、劇、放送、展覧会、旅に感動した。自分の心が大きく動いた瞬間、気づいたらペンを執り、投函していた。

逆に、こんな理不尽な、けしからぬことが起きた、というのもあった。たとえばこんなことである。

母校で、在学中お世話になったU先生が、書いた本のために解雇されるという事件があった。新聞に連載された文章に加筆し、教育について自分が思うところを書いただけの本なのに、だ。当時の学校当局は、「学校を誹謗中傷した」との理由で、あろうことか、解雇に追い込んだ。いつの話かと言いたい時代錯誤な仕儀だし、解雇権の濫用にもあたる。卒業生と、心ある教職員は「U先生を守る会」を結成し、裁判に持ち込んだ。(数年後、和解が成り、先生は復職できた)。

この過程で、私も卒業生の一人として「守る会」会報に思いを載せた。『朝風のすがしき国』はいずこへ」(※本書307頁所収)という一文がそれである。

「朝風のすがしき国」というのは、母校の校歌の冒頭の歌詞である。「あ」という、口を大きく開ける母音で歌い始めたいという作詞者の意図を読んだことがある。そうなのだ。これはU先生の手になる校歌である。これほどの思いを持って創立した学校を追われる先生の心中を察するとき、この『朝風のすがしき国』はいずこへ」以外のタイトルは思い浮かばなかった。

人生には思いがけない展開がある。この投稿が私の「書くこと」に少なからぬ影響を与えたのだった。

小林一平さんとの出会い

「U先生を守る会」はボランタリーな組織であったが、もちろん組織であるからには会長というものが要る。その仕事を買って出たのが、須崎で英語塾をしながら小説を書いていた小林一平さんであった。

その一平さんから一日手紙をもらった。それには、「あなたの書くものにはフレキシビリティがあります」と書かれていた。慌てて字引を引くと、フレキシビリティとは、「柔軟性」とあった。自作について初めて言われた言葉だった。

その後一平さんは、「もっとお書きなさい」とばかり、私を書くことの世界に連れ出し、酒場の機関紙やラジオ放送などに紹介してくれた。「とんちゃん新聞」「のばのば」「手巾」「RKCラジオ展望台」などがそれだ。うち、「手巾」を読んだ「月刊土佐」のW編集長が新しくできた雑誌への連載エッセイを依頼してくれた。この本の冒頭、「でこぼこのある小テーブル」がそれである。

当時私は最初の結婚をしており、32歳だった。夫に読まれることから自由でいたいと思ったので、ペンネームを使った。「藁半紙」「藁伴子」などがそれである。

結婚について

ここで結婚についても触れずばなるまい。

私は二度結婚している。

最初のそれは東京での学生時代。「学生結婚」であった。1960年代後半は、フランスなど世界的にも学生運動の盛んな時期で、キャンパスは「大学解体」の立て看板が林立し、学生によるストライキ、大学側によるロックアウトなど、大嵐が吹いていた。大学で学ぶ意味を学生自らが問い、「何のために大学で学ぶのか」「人民のための学問となっているか」などが問われた。東大入試が紛争のため中止になるという、前代未聞の出来事が起きた、あの時代である。

同じ大学に通う北海道出身の男と一緒に住むようになり、やがて妊娠。籍を入れ、女児を出産。子育てをしながら卒業した。

卒業後、さてどこに住むかということになったが、彼は四男、私は一人子、私の母の強い要請もあり、彼が綱引きに負けて高知に来てくれた。だが、結果的に夫には高知の水が合わず、11年後に離婚に至る。

仕事と私

ここで、仕事についても触れる。

大学卒業時には私は子持ちだったので、新卒として普通の就職はしづらい状況にあった。夫は高知県庁に勤め、私は乳酸飲料の販売員として働いた。大学を出たばかりの夫の収入で親子三人暮らすのは難しかったので、何か仕事をしなければならなかった。

前の販売員が急に辞めたので代わりに配達してほしいと懇願され就いた仕事だったが、新製品の普及という営業の仕事もあって、面食らった。しかし、この仕事が自分を鍛えてくれた。気候や天候を選べない戸外の仕事の厳しさを知り、これに比べれば屋根のあるところの仕事は極楽、とさえ思えた。

33歳で離婚。二人の子どもを抱え、たちまち仕事を探さねばならない。職安に行っても、運転免許はおろか、およそ資格らしいものを持っていない自身の労働市場での非力さを思い知らされた。臨時の清掃員を紹介され応じたが、前述の、戸外でする仕事から見ればずっと楽だと思えた。

運よく34歳で、高知市の現業の仕事にもぐりこむことができた。「誠和園」という市立の施設の直接処遇職員として園に配属された。行ってみれば、そこには、高齢者・精神障碍者・知的障碍者とさまざまな人がいた。それらの人々の暮らしを支えていくのが仕事である。しばらく働くうちに、自分の職場について無知なことを残念に思うようになり、福祉全般から見て、この施設はいかなる施設なのか知りたいという動機から、通信制の大学に編入学し、卒業時には「社会福祉士」の資格を取得できた。

職種転換とその先にあった「書くこと」

早出、遅出、泊まりなどある誠和園の勤務にも慣れた8年目、右肩関節腱板断裂という怪我を負って手術。現場の仕事がしづらくなった。ちょうどその頃、職場の同僚と再婚することになり、同じ職場で働き続けることは適当でないこともあって、思い切って職種転換の試験を受けることになった。

運よく合格し、翌月の4月から事務職員となった。42歳であった。18歳や22歳で事務職に就いた人から見れば20年遅れの新人である。戸惑いも多かったが、社会福祉士という資格の生きる、生活保護のケースワーカーから始まって、主として福祉関係の職場で働くことができた。そうして無事定年を迎えることができた。

ここで特筆すべきは、ここで出会った私の「書くこと」の世界の広がりである。

「書き手」「読み手」の世界のほかに「聞き取り」の世界があることを知った。「語り手」の思いを「読み手」に届けるという内容の、それまで知らずにいた領域だった。

詳細は、本書に収めた市政論文「地域の高齢者からの『聞き取り』のすすめ―海老川市民会館編『次世代に伝える海老川の暮らし』作成の事例を通して―」（※２４４頁～）に譲るが、被差別地区の市民会館で仕事をするなかで、今まさに高齢で次々と亡くなろうとしている高齢者の話から、ただならぬものを聞いたのだ。それは、差別を受けながらも、賢く明るく前向きに生きる人々の姿だった。

その聞き取りを冊子にする事業のタイミングもちょうど潮が満ちていた。

私のささやかな「書くこと」がここで実用的に役立ったのだった。記憶は一代、記録は末代という。ここで文書化しておけば、歴史に埋もれることなく、未来の子どもたちも読める。

「投稿」から始まる私の「書くこと」の世界がここで「聞き取り」に導かれたことは幸運だった。

「よくばり」の言い訳

以上が、私と「書くこと」の幸せな道行きである。

寄り道として、手術して右手が使えなくなったとき、苦し紛れに短歌を作ったこと、母の追悼集を創ったことなど、そのじぐざぐな表現活動をここに拾いあげたため、雑多な内容の本となった。「よくばり」の所以である。現在75歳の私には、２冊目は考えにくいので、つい欲張ってしまったことを、どうかご理解いただきたい。

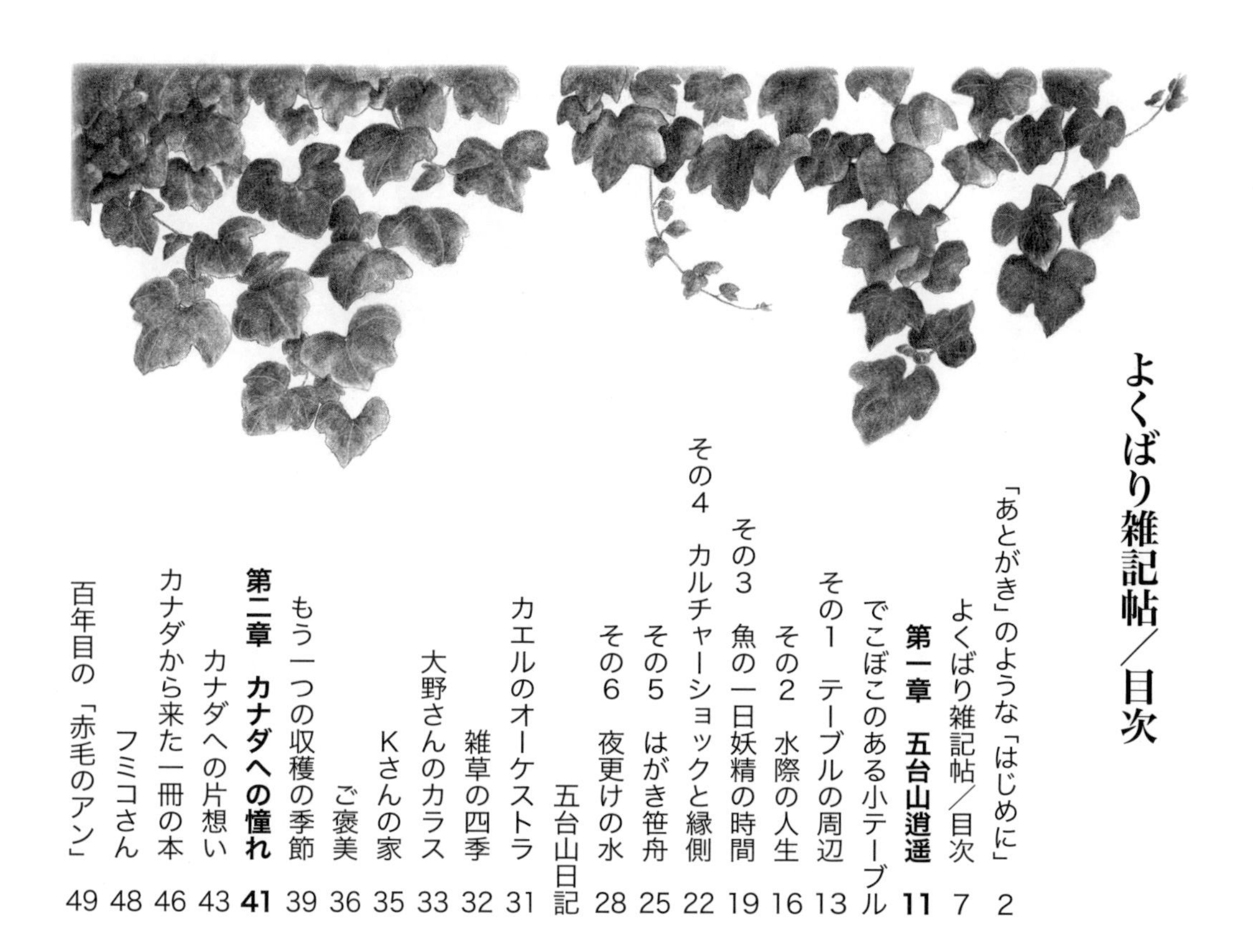

よくばり雑記帖／目次

イラスト　千光士可苗
表紙写真　小林勝利

第一章　五台山逍遥

でこぼこのある小テーブル　その1　テーブルの周辺

　私は現在のところ専業主婦である。ずっと以前からそうだったわけではなく、これから先もそうだとは限らない。正確にいうと、ここ3年ばかりのそれである。子どもが小さいから外に働きに出られないだけで、家計にゆとりがあってのことではない。それどころか、家計簿からは即刻の専業主婦罷免令(ひめんれい)が出て久しい。我が家計の両はじの相性の悪さたるや、この上なく、どう工夫してもうまいこと握手してはくれない。片方が長すぎるのだ。で、長さの足りぬ分は来月の分をかすめ取ってくる。頭の部分をチョン切られた瀕死(ひんし)の「来月」は「さ来月」の生血をすすって生き延びる。そうして「さ来月」は頭も胴体もない。尻尾だけの哀れな姿となって、笑いごとではなく一家心中の新聞記事がそぞろ身にしみる。

　正直なところ、こんな出たとこ勝負の危なっかしい「その月暮らし」がしんどくないわけはない。賃(ちん)仕事に出ればまたたく間に得られるであろう僅かな額を浮かせることに腐心し、その不足に心を痛め、たかだか風呂釜ひとつ壊れたといっては一大パニックに陥る。これすべて煩わしく厭(いと)わしい。恒(こう)心（平常心）欲しさに、いっそ子どもを預けて働きに出ようかと思うこともしばしばである。しかしそれをもう一月先に延ばしてみよう、と自らを励まし、さらに粗衣粗食に磨きをかけることを繰り返して今日に至った。

　そんなにしてまで何故(なにゆえ)家にいたいかといえば、ただ2歳になる次女と一緒に一日を過ごすことの面白さ故である。この子より七歳年長の長女のときには生活に追われ、ゼロ歳からずっと預けっぱなしでゆっくり子どもを見るゆとりがなかった。経済的ゆとりがないのはいまも同じだが、歳のせいか心のゆとりだけは人並みに備わったらしい。野菜や果物と同じように人生にも旬というものがあって、いま自分は子育ての旬なのだとそのゆとりは教える。親子の間柄で、いまが最も軟らかく美味しい食べ頃なのだ。食い意地の張った私としては、他のことを少々犠牲にしても、この旬の果実を腹いっぱい食べたい。あとで取り戻せることは人生に多いが、旬の食物に限って時期を逸すると一生食べそこなうからである。これは、子どものためというよりむしろ私自身のためである。

人類が、2歳の目の高さのときにしか持ち得ない鮮やかな発見と奇想天外ともいえる柔軟な世界観は、ぼつぼつ焼きの回った私にまたとない焼きを入れてくれる。日ごとに新しい言語を獲得しつつある彼女が、たったいま仕入れたばかりの湯気のたつ語彙をいかに強引に自分のものとして自己表現するか、それはスリリングな見ものでもある。

たとえばある朝、彼女がおまるの中に自分が排出したばかりの便をのぞきこんで、「おかあさん、うんこが笑いゆう」と報告に来るとき、私は百冊の書物からよりも多く養われる気がする。くさび型にぽっかり割れたうんこは、確かに笑っているとも見える。「目下育児中」は私が対外的な不義理を勘弁してもらう際の言い訳だが、養われているのはむしろ親の方だ。

かくして、私はただいま、家計の切りつめにより辛うじて執行猶予されている専業主婦ということになる。明日の我が身が分からないからなおのこと、せめて今日我が掌の中にある暮らしをいつくしむ。

さて、前置きが長くなったが、目下専業主婦の私は一日のほとんどを台所で過ごす。食費と調理時間はしばしば反比例の関係にあり、たとえばヒレ肉をステーキにすれば五分とかからないうちに食卓にのるが、ひじきと大豆の炊き合わせなどという廉価な惣菜は時間を食う。一本の大根も、皮はきんぴら、身はナマスとふろふき、葉は漬け物にすると、これだけで冷温四品できるが手間もそれだけかかる。そのうえ家族の健康も考えて、なるべく自然の恵みを生かしたおいしい調理法を安い材料で、などと欲張ると、けっこう朝から晩まで台所で過ごすことになったりするのだ。

この台所には小テーブルがあって、これは本来食卓なのだが、針仕事にアイロンかけ、小学生の子どもが宿題を広げる場にもなる。朝起きてそこで朝食をとることから始まって、夜更け、短い日記をその上で記し、一日をパタンと閉じて寝にゆくまで、私はこのおとなしい四本脚の生きものの背中で暮らしと出会い続ける。ここは、いわば暮らしの広場である。テーブルと椅子は人間の暮らしのいちばん近くにいて、人間と最も仲良しの家具のようだ。外国語を習うとき最初にやってくる言葉であることからもそれがわかる。

現在使っているテーブルは、その昔横浜に在住していた折、近所の家具屋で買ったもので、確かその店で最も安かった。しかしそれまでが古道具屋のセコハン（中古）に埋まった暮らしだったので新品というだけで何やら神々しく、家具屋が運んできたそれを乱雑な台所にすえるや、あら不思議、一瞬にしてそこにサロンが現出したのだった。そのテーブルで初めて夫婦してコーヒーをすすった折の晴れがましさは宮殿に住む王侯貴族以上だった。その後家族もふえ、このテーブルはいかにも手狭にすぎて早いとこ買い換えたいのだが、幸いにしてそのゆとりがない。

このテーブルは買ったときから水平ではなく、まん中へんが高くなった欠陥品で、端っこにビール瓶など置くときは今にもひっくり返りそうに危うい。そのうえ、ガクガクしだした脚を治したとき、止めてあるネジを貫通させて表面に醜いあばたを作ってしまった。その他、子どものつけたひっかき傷はじめ、よく見ると満身創痍(そうい)のていである。食卓がもしそれを所有する家族のもうひとつの姿とするなら、これはまた何と我が家族に似ていることだろう。この小さな頼りなさ、テーブルクロスでそっと隠してやりたい無数の傷とでこぼこ。それでもそれは陽気に台所の主役をつとめてくれている。

夜、家族が寝静まって無人の台所にあるテーブルをドアのすき間からのぞき見ると、それは肩を落とした厳粛さを四角い輪郭にひっそりとにじませていて、胸をつかれる。家族が置き忘れた玩具や眼鏡を遺品のように乗せ、まるで家庭というものの遺跡のようにそこに佇立(ちょりつ)している。

藁伴子(わらばんし)　主婦(月刊土佐2号より　1981年7月)

でこぼこのある小テーブル　その2　水際の人生

水際から十歩のところに住まっている。

十歩というのは平均値で、時刻と季節によって十五歩にも五歩にもなるのは、せせこましい世俗の事情を超えた、地球と月との大いなる引っ張り合いから来る、潮の干満のせいである。

この場には生まれてこのかた住んでいるが、あたりの面変わりのさまは激しく、以前と同じに見えるものといっては殆ど何もない有様なので、まるでこちらが動くことをしないで周りの景観が次々と変わる旅をしているようだ。

その旅はいま、田園風景をはるか後方に残して、工業地帯をつっ走っている。

住民の立場で具体的にいうと、空気は汚れ、騒音は耐えがたく、間断のない車の往来は地域の暮らしを落ち着かぬものとした。いつの間にか人間の住む場所でなくなってしまった。そんなところが、嘆かわしくも我が暮らしの場である。

ただ一つの慰めは、ここがかろうじて水に接しているということだけである。

水といってもそれは、埋め立てを免れた、猫の額ほどの狭い水域のことで、他人様(ひとさま)から見れば汚い河口の水にすぎない。しかし傍らに住む私にとっては、太平洋につながる生きた水、汐の干満で季節を教え、波という手紙に沖の風の気配をまめに書いて寄こす、仲良しの水なのだ。跳(は)ねたボラが光り、早春には青のりの緑が目を楽しませ、夕方になると鳥の一家がその上を渡ってゆく、暗灰色(あんかっしょく)のキャンバスなのだ。

『第七官界彷徨』という不思議に魅惑的な物語を書いた尾崎翠(みどり)という人の説によれば、対象を凝視するとき、人はいっときその対象と入れ換わるそうである。即ち、水槽の中のおたまじゃくしをじっと見るその間、人はおたまじゃくしそのものになっているそうだ。なるほど。ここに私が朝夕水を見るたび身体中に水分が満ちわたる気がする理由があったのか。

朝晩私は河口に面した雨戸を繰りながら、すぐ眼の下にある水を見る。小鼻をふくらませて汐の香をかぐ。多分その時、私は水になってそこいらを一泳ぎし、ついでに汐風になって沖の方まで低空飛行してくるのだろう。そのせいで細胞の隅々にまで水がいきわたり身体の風通しが良くなるのだ。

水際には、なぜか空きカンとヒマな人たちが吹き寄せられて来る。

休日の午下がり、テレビの前に坐るのも倦んだ年配の亭主族が、茶の間から追われるように一人二人と水際にやって来る。一昔前ならどこの町内にもあった空地の、梅檀の木の下なんかで将棋をさした種族である。行き場を探してタンポポの綿毛のように頼りなく水際に吹き寄せられてくる彼らは、隣家の御隠居相手にのんびりと駄ボラ（くだらぬホラ）を吹く。

普段は床の下にでも隠れていたような、かなり時代がかった正統土佐弁がこの井戸端ならぬ水際会議での公用語である。これは音便変化に特徴を有し、「飛んで」は「飛うで」になる。後者は前者よりフィルム送りのスピードが少しばかり遅い。ほんのわずかなスローモーション。水際の時差、と名付けている。

家の中は散らかり放題、「いつでもタレもつうちゅう」と、母は私の家事をこなす手際の悪さのろさを来るごとに土佐弁で嘆くが、それはきっと時差ボケのせいである。本当の時間と水際のそれとの間で私は日に何度も迷子になる。もし水際に住んでなかったら、私は実際的世界にのみ住んで、抜群の家事能力を発揮するはずである。

我が家は極めて狭い。

殊に階下は台所・浴室・便所と食物が口から入って排出されるまでのプログラム消化のための設備がきっちききちに詰まっている。つまり暮らしに必要なものがお義理に備わっているというだけでゆとりもヘチマもない。「こんにちは」と入って来た人は好むと好まざるとにかかわらず流し元の散らかり具合から、ときによったら今夜のお菜まで見てとれる塩梅で、家庭の事情丸出しである。

こんな様子だから応接間・居間の類はむろんなく、食事をする空間から食べ殻を取り去ったらそこが居間になり、たまたまそこに客がいれば客間とせざるを得ない、うむをいわさぬ狭さである。きちんと片付いているときはこの宿命的な狭さもさほど苦にはならないが、幼児がいるのでその逆のことの方が多い。心が弱りかげんのときは、鼻先爪先にモノがある生活は発狂しそうになるほど厭わしい。発狂する代わりにいい考えを手に入れた。

それはこの部屋の狭さが船室を思わせることからひらめいた見方であるが、家全体を舟と考えてしまうやり方である。

家の裏口が浦戸湾の一部に面している我が家は、その立地条件からいっても河口に舫っている一艘の舟と考えることはさほど不自然ではないのだ。我ながらすばらしい考えだ。だいいち、その気になればいつでも艫綱をほどいて出発てるなんて、しゃれている。夜のうちに何かの拍子で艫綱が切れ、家は岸を離れ、朝起きてみたら太平洋のまんなかをぷかぷか流れていた。そんなことにならないかなぁと期待しつつ眠る楽しさも、この見方の得がたい副産物である。

眠っていても水音が聞こえる夜がたまにある。風のある夜で、ピチャッピチャッという波の音は、さながらその日したことを一つ一つ思い出して舌打ちを繰り返している人のようだ。夢のきれぎれに釣り舟の船外機ののどかな音をきく。祇園の吉井勇じみた感興にひたるのは、こんな夜だ。

水際の暮らしのあれこれを書いてきたが、一つつけ加えると、これはすべてここを引き払って静かな住宅地に移り住む甲斐性のない者の痩せ我慢が書かせたことである。正直なところ、叶うことならこの騒々しい住まいを捨てて、静かな地に引っ越したい。騒音は、とうに耐えられる限度を越えているのだから。しかし、自分がどれほど水に養われているのかを考えると、ここ以外での暮らしの想像がつかないのもまた事実である。

水際立った人生が無理なら、せめて水際の人生をこそ。

藁伴子　主婦（月刊土佐3号より　1981年8月）

でこぼこのある小テーブル

その3　魚の一日妖精の時間

新しい一日は朝食に乗ってやって来る。

好きな色の絵の具をチューブから出すように、私はテーブルのパレットに食べ物で色を並べる。つい先日この星から去っていってしまったサローヤン（米国の小説家、劇作家）が「この世で一番美しい、生き生きした色」といった赤は、食卓の上の小さな太陽のようなトマトに頼もう。この色は緑の傍でいちばん引き立つから。レタス、きゅうり、パセリにも来てもらおう。黄色は目玉焼きの目玉になってやって来る。トーストの四角、焦げ茶のコーヒーがつくる丸、チーズの三角。かように色と形がさまざま参集する朝の食卓で、私は名にし負う朝食貴族である。これ以上つけ加えるものが一つもない、そのシンプルな贅沢さ故に、三食の中で私は朝食を一とする。この朝食をゆっくりとれるなんて、ほんとに貴族だと思う。ボロは着てても朝食のニシキ、である。勤めをやめて一度このニシキを手に入れると、人はボロを着ようが飢えようが金輪際働きに出ようとはしなくなる。

昼食だって同じだろう、といわれるかもしれないが、まるきり違う。昼食は午前と午後の単なるつなぎ、朝ごはんと夕ごはんの間におなかがすいて困るからちょっと腹をふさぐという、到って散文的な食事である。多くの主婦が冷蔵庫から前の晩の残りを出してお昼のおかずにする。夕食はそれとは打って変わって家族を養う一大事業であるから、裏方を務める主婦には気骨のおれる食事である。従って、やはり主婦の三食の中では、朝食こそ、最も落ち着ける食事といえよう。私もその例外ではなく、ゆっくりしっかり朝食をとる。

食べ終えると五臓六腑に汐が満ち、はずみ車を回すようにきれいな血液がくるくると回り始めて、「今日もやるぞ」という気力がじわじわ湧いてくるのを感じる。朝食が私の身体の中に新しい環境を拓いてくれたのだ。朝食とはこのような健やかな霊験を持った、神聖な食事でもある。朝食を抜くとバチが当たるので御用心。

それからのことは、どこの家でも似たりよったり。

風呂場に束ねられた、脱皮した後の抜け殻のような汚れた衣類を水にくぐらせ風と日光にさらしたり、食器を洗い、ふとんを畳み、四角い部屋を丸く掃いたり、集金人にお金を払ったりしているうちにあっという間に午前が過ぎる。

一日を一匹の魚にたとえると、朝食は頭、午前は腑(はらわた)である。一日が必要とするこまごまとした、決して美しいばかりではない雑用が午前にはコンパクトに詰まっている。

魚の胴体は午後である。これは最も食べでがある部分であり、主婦にとって自由の利く時間帯でもある。買い物、友だちとのお茶、歯医者通い、あるいは昼寝さえもオフ・リミットという結構な時間である。これは各人好きずきに過ごしていただくとして、この稿は一挙に魚のしっぽに飛ぶ。一日のしっぽとは、家族が寝てしまった後の時間のことである。しっぽといえども、それがなかったら魚は舵がとれなくて方向を失うように、私にとっても日々の流れを客観化する、大切なたまゆらである。

この、一日の雑務から解放され寝にゆくまでのもう一つの一日を「妖精の時間」などと昔は呼んでいた。江藤淳氏ならばとっておきの茶器で夜の紅茶の用意をする時間だろうか。私は読み書きのほとんどをこの時間にする。読むことの好きな私は、実をいうと朝起きたときからこの時間を待ち焦がれているのである。このひとときの私は、あらゆる社会的な所属を離れた「全き私」である。私は集中して私になり、欠けることのない全き私が静寂のうちに宇宙と向かい合っている。妖精の時間とは、その時間が私にとってまるで妖精たちとの饗宴であるような現実離れした感興が得られることと、時間そのものに、ひょっとしたらあのピーターパンのティンカー・ベルのような繊(かそ)けき（幽き）羽がついていてやしないかと疑うほどの儚(はかな)さでそれが通り過ぎることの両方からの命名である。本当にその儚さといったら、いまさっきまで面白く読んでいた本がにわかに石に変わったり、あるいは同じ一行を何度も堂々めぐりするようになったら、その時間はすでに終わってしまっているのだ。妖精たちが私に術をかけっぱなしで立ち去った、その後なのだから。術を解く道は眠る以外にないのだ。

この「一日のしっぽ」は心への食事の時間でもあって、それは否応なく密着して生きている我が暮らしからちょっとの間離陸して、気根(きこん)から養分をとる時間でもある。この時間が全くとれない日はべたべたと甘えっ子のように暮らしが五体にまといつき、ややもすれば夢にまで貼りついて出て来そうな気配がある。とすれば、妖精の時間には、いい夢をみるための準備体操をしているのかもしれない。準備体操を終えた私は、ふとんのカヌーに乗りこんで、うまいこと明日の岸にたどりつきますように、と念じて目を閉じるだけでいいのだ。

ただ、惜しいことに、この大事な時間にも近頃ちょっとした重りがついて来た。

いままではこの時間に妖精たちと金星まで行って来ようと太古のシダの葉かげで憩おうと無限に自由であったのが、たとえばこの原稿を書くなんぞという野暮をしょい込むと、たちまち、空想といえどもまず戻って来れる範囲でしか動けない不自由ができ、さらに興ざめなことには来てくれる妖精たちが一挙に歳をとってしまう気がする。浮世のしがらみから自由なはずの時間にヒモがついたのだ。

とっておきのしっぽをかじった編集者の強引さを呪いながら、私はこのたび泣く泣くこの時間の名称変更を行なった。

新しい名称は、「山姥の時間」というのである。

藁伴子　主婦（月刊土佐４号より　１９８１年９月）

でこぼこのある小テーブル　その4　カルチャーショックと縁側

招かれて初訪問する家には、未知の星を尋ねるほどの楽しみがある。当の家目指して我が家を出たとたん、風景は訪問先を舞台とする芝居の花道のごときものへと引き緊(しま)り、初見世(はつみせ)のわくわくはいや増す。

ときとして人づきあいを持ち重りに感じる、社交性の乏しい自分なのだが、友人が自宅に招いてくれる折だけは例外で、喜び勇んで出かけるを常とする。といっても、その機会は年に何度もないのだが。

我が家に人を呼ぶことの方がむしろ多い。といってもこれはいわゆるお客様好きなどという殊勝なたちのものではなく、外でのつきあいにかかる費用を手間で浮かそうという涙ぐましいコンタンから来るものである。呼ぶのも、貧相な我が家を見られても恥ずかしくないごく親しい仲間で、つたない出来の手料理も、皆であぁだこうだといいながら一緒につっつくと、けっこう美味しいものである。一度その愉しさを知ると、外でプロの作ったお料理に大枚をはたくのはもっと歳をとってからの愉しみにとっておこうという気になる。

とはいうものの、お客を呼ぶというのは招く側にすれば一大事業で、というのも、ひとえにその主催者たる者が日頃掃除などを怠っているせいであるが、すべてに先行して、まずあたりを片付けることから始めなければならない。これは考えるだにうんざりすることである。その次にはもてなしの献立を考える。前日は下ごしらえの一部をすませておき、やがて当日になればガバとはね起きたその日のお天気の様子によって献立の詰めをなし、あとは市場への買い出し、掃除、そして料理。掃除をすませたばかりの部屋をはや散らかす子どもをどなりつける一方、トイレットペーパーの補給をし、手洗いのタオルを取り換え、おしぼりの準備をし、いよいよ時間が迫れば鏡台に向かって服装を整え、客によってはおしろいのひとつもはたき、玄関の履物を揃え、と目の回る忙しさ。この渦中にあるときは毎回、何が悲しゅうてこんなにゾウもまないかん、お客さんはもうこれっきり、とホゾを固めるのであるが喉元を過ぎてしまえば饗宴の愉しさばかり舌に残って、「ぼつぼつお招きのある頃だと心待ちにしていますが」と常連から声がかかればついその気になって、懲りもしないで同じことを繰り返す。

しかし人の家に招かれるとなると、右の、人を招くことにまつわる煩鎖なる雑用や心配りのいっさいから解放される。これは天国に等しい。人を呼んでぞ知る呼ばれる有難みよ。好きな服を着込んで玄関のベルを押せば開けゴマ、そこには未知の空間とお茶の時間が私を待っているのである。

呼ばれて一の愉しみは、何といってもそこでカルチャーショックに出会えることである。知らず知らず身辺の小世界を唯一普遍としてしまっている我が平べったい日常感覚が揺さぶられる快さ。

これで思い出すのが長女四歳のときのこと、知人宅を訪問した最初の感想として「おばちゃんところのお便所の紙、柔らかいねぇ」と感に耐えぬように言って一同を吹き出させた一件である。彼女にしてみれば、世の中のトイレットペーパーは一様に我が家のそれと同じ感触を尻に伝えると思っていたのが覆(くつがえ)された、画期的な経験だったのだろう。自慢ではないが、我が、他家での発見の鮮やかさはこの四歳児といい勝負である。めったによその家に行くことのない私にとって、それはいつも手の切れる新鮮さを保っている。鎖国を解いたばかりの初心な国のように。

さて、住まいというものは宝探しの砂場みたいなもので、住み主を理解するちょっとしたヒントが思いがけずいくつも埋もれている。外で会っていただけでは分からなかったその人の彫りが住まいのなかで明らかになり、それまで平面の上にいた人が、しかるべき奥行きを得て納まる所に納まったような感慨がある。

かようなカルチャーショックをくぐりぬけると、開国したばかりの私としては啓蒙されざるを得ず、帰宅すると自然にその文化をなぞっている。たとえば、ごく最近きれい好きの友人の新居から帰っての数日は、日頃乱雑を極めている我が家も、これが我が家かと驚くほどきれいに片付いていた。どうやらその友人のきれい好き菌に感染していたらしい。

我が多年にわたる観察によれば、住まいとは単に暮らしをたたえた容(い)れ物にとどまらず、もっと神秘的な洞窟であるようだ。そこは住み主の世界観が跳梁跋扈(ちょうりょうばっこ)しているまがまがしい現場である。それらは周りの壁からレーザー光線のように鋭く放たれ、雑菌になって空中を漂い、あるいは隅っこの空気のよどみの中にうずくまり、訪れる人の目や口や毛穴から、その体内に入りこんで住み主の世界観を感染す。きれい好き菌なら何度でも感染したいが、その素地のない者が金持ち菌なんぞ感染されると大事である。じんましんが出て寝こまねばならなくなるから、できれば当世長者番付の開業医宅に招かれることなどは避けた方が賢明だ。

それにしても、昔の家には縁側というゆかしい空間があって、他家のバイキンに対する免疫がそこで養われていたと思うのである。おつかいに行った先で半紙にくるんだお菓子がふるまわれ、縁側と座敷を区切るすだれ越しに中の様子がチラチラ見えたりして、いわばカルチャーショックを小出しに受けていた。そして世の中にはさまざまな暮らし方があることを知らされた。いまの住宅からは縁側のようなゆるやかな他者許容空間は追い払われ、客は厳しくふるいわけられる。ちょっとした用向きで足を運んだ人を引き止めてお茶をふるまい鈍角な世間話をするゆとりは地域の都市化が進めば進むほど失われ、人は目的によってしか結びつかない。

風が吹いて桶屋がもうかる。縁側すたれてテレビドラマ隆盛す。縁側からご近所のお茶の間をのぞけなくなったと入れ代わりに、テレビのホームドラマが各戸に配達されるようになった。カルチャーショックの出前である。しかしブラウン管の向こうでいくらすばらしい縁側が演出されようと、その風景に自分が参加していないという致命的な欠陥はどうしようもない。

ある日再び本物の縁側の客となりたい。頭の上には風鈴と軒しのぶ、そこへ夕涼みにやって来たるは近所に住む碁敵のハッつぁんと熊さん。なにやらカルチャーショックなつメロ版になってきた。

藁伴子　主婦（月刊土佐5号より　1981年12月）

でこぼこのある小テーブル　その5　はがき笹舟

はがきの軽さが好きである。

ぼてっと掌に重みを伝えてくるかさばった封書は、なんだかおっかない。舌切り雀の二人のおじいさんがもらったツヅラのように、ひょっとしたらその中は黄金がざっくざっくかもしれないが、もしかすると得体の知れぬ魑魅魍魎(ちみもうりょう)がぎっしり詰まっているかもしれない。どちらも私はあんまり欲しくない。相手からの心のこもったメッセージ、手紙に期待するのはそれだけである。

その点はがきは手紙の優等生である。その姿のすっきりしたところ、内容の軽さ。うっとうしいものは、はがきに入りたくとも入れない。淡白なその味はやや腹もちに欠ける気がしないでもないが、読み手を腹八分目の満腹にとどめる心憎い演出家でもある。吹けば飛んでしまう、搭載量文字にしてせいぜい三百ばかりの、紙ヒコーキ。

木の葉に手紙を書いたキツネがはがきの創始者だと信じている。はがきには端正な挨拶より眉にツバの茶目が似合うのも、多分この創始者が影響しているのだ。

こんど御札(おさつ)に登場することでマスコミの脚光を浴びている漱石大人も、はがきの愛好家であった。一般に、職業作家になると書くことが過酷な日常になるがあまり、私信をすることから遠ざかるらしい。しかし大人にとって私信をしたためることは息ぬきでもあり、且ついわゆる社交が嫌いな彼にとっての、とっておきの社交でもあったようなふしがある。筆まめな彼は礼状、不義理の詫び、相手へのちょっとした頼みごと、相手からの依頼への返答、対話で意を尽くせなかったことの補足等々大いにはがきを利用し、まるではがきに私設全権大使を任せ切った有様である。そのことは対人関係に律気だったという彼の一面をよく伝えるが、一読して感じるのは漱石という人はよくよく書くことが好きだったんだなぁ、ということである。ちょっとしたことを書く筆にも弾みがあり、愉しんで書いていることがありありと分かる。例の「猫」のモデルである飼い猫が死んだときは御丁寧にぐるりと墨でぬって黒枠にした自家製の死亡通知を親しい弟子に宛てて出している。と書くとヒマそうに見えるが、忙しい執筆の合間を縫ってのことであることは「但し主人『三四郎』執筆中につき、御会葬には及び不申候」と書き添えられているのを見ても分かる。また、引っ越しの手伝いを弟子に頼むときのはがきも面白い。「小生、駒込西片町十番地へ、来る二十七日晴天ならば転宅興行に付、何卒御来援の程偏に奉願上候　興行元　夏目漱石」という簡潔にしてユーモラスなものであるが、ユーモアのなかに、押しつけがましさを避けるための配慮がなされていて、さすがに漱石大人だなあと感心する。

さて、はがきの魅力とは、第一に右のようなさらりとした軽みにあるが、もう一つはそのまどろっこしさであろう。電話であれば五分とかからぬうちになし得る用件に倍以上の手間と時間をかける、ぜいたくな様式。言葉を選び、つたない筆跡につまずきつつ想いを紙の上に文字として滴らせてゆく。間に辞書や住所録、郵便番号簿まで動員してやっと完成。これだけでは、しかし、まだ足らず、ポストの口に食べさせることなくしては何年たっても相手の元に届きはしない。まことに手のかかる、厄介な代物である。さらにこれが郵便車で集められ、汽車や飛行機の旅をして遠方の町に運ばれ、それから路上の水すましのようなバイクの配達人の手で相手の家にまで届けられるプロセスを考えると、人が月に行くこの時代に、なんと時代離れした、じれったいコミュニケーションかといささかあきれる。木の枝にくくりつけた文（フミ）を召使いに持たせて消息をしあった王朝貴族の時代から、事情はほとんど変わらなく見える。

一方でファクシミリ等が登場し、情報を速やかに正確に送る手段はこの先も宇宙時代にふさわしい技術革新を遂げ続けるだろうが、どのようにそれがテクノ化されようと、ことプライベートなメッセージを送り届けるという、人間関係の最も軟らかい部分に関わるこの一件については、「まどろっこしさ」は克服されずに残るのではないかという気がする。

なぜなら、そのまどろっこしい手間と時間の彼方にこそ、相手と我との最良の距離があるように思えるのだ。電話を例にとって比べてみると分かる。電話とは思いたってすぐ相手の肉声が聞け、何かを即決することもできる便利な通信手段であることに異論はない。しかし、残念なことに、しばしば掛け手の自由が受け手に不自由を強いる。小さな体に不釣り合いなけたたましい声をあげてこちらの日常に闖入する黒い怪盗、それが電話である。入浴中でも躊躇なく裸で呼び出し、しばしばトイレにまで追っかけてくる、暴力的な御仁である。それに比べると我がはがき氏は、「おヒマなときにお読み下されば幸いです」と控えている殊勝者。三十秒の舞台のためにたとえ身支度に一時間かけたとしても、そんなことおくびにも出さぬ奥ゆかしさ。あくまでも受け手本位である点で、はがきは相手に親切なコミュニケーションである。

はがきには、しかし、あの小さな四角にすべてを盛らなければならないという重大な制約がある。だが、これとても必ずしもハンディではなく、もしかしたら余分なものをふるい落としてくれる特権といえるものかもしれない。限られた積載量の荷車に効率的に荷を積み込むために四苦八苦する、これもはがきの良さだろう。相手との距離をはかり、それを楽しみながら言葉の苗を一株一株手植えし陣を進める単独行はいいものだ。気分のいい、堂々の進軍を阻む伏兵は残りの余白にあって、言い残したことは山とあるのにこの伏兵に不覚をとり涙をのんでペンをおく。

はがきは、そうやっているうちに知らず知らず書く者を鍛える。そして、相手との間の、これ以上でも以下でもない絶妙な距離を教える。それはちょっと目には物足りぬ淡い君子の距離であり、他者に宛てて何かを表現してみせることの可能性と限界を知った賢者の知恵である。

とはいうものの、化かされてはいけない。いかほど賢さを装っていたとしても、もともとはたかがキツネの木の葉なのだ。御大層な理屈ははがきの方で御免蒙るというだろう。はがきは理屈抜きの、そう、そよ風みたいなものだろう。あるいはそよ風がそっと進ませる笹舟。あるときは大真面目に、あるときは茶目っ気たっぷりに、人と人との間の小さな川を流れてゆく、ノアの笹舟。

藁伴子　主婦（月刊土佐6号より　1984年3月）

でこぼこのある小テーブル　その6　夜更けの水

かんかん照りの真夏の午後は中島敦の『南島譚』を読むのにふさわしい。

家中で最も風通しのいい場所に腹ばいになってページを繰っていると、飛行機や船の御厄介にならずしていつの間にかこの身は南方にあり、椰子の葉を叩くスコールで涼をとり、麺麭（パン）の樹に鳴く蝉しぐれや環礁の外に荒れ狂う怒涛を聞いている。消し炭で描いた児童画のような単純な太い線で造型される南方の人物群は、奸計（かんけい）（悪巧み）にたけていたり感情に任せて逡巡（しゅんじゅん）というものがなかったりで、我々温帯人より神々に近い。奸悪な海蛇、腐木（ふぼく）に湧く毒茸、かわせみ、大とかげ、残忍なタマカイ魚。人と同じく南方の風物もまた文明のヤスリで角を取られていないので真夏の午後に読むと胸がすく。

本という九木舟を漕いでこの星のあちこちを旅する愉しさは、それが非凡な作家という水先案内人付きであるだけに、現実の旅に勝るとも劣らない。もし死ぬまで自国を一歩も出ることがないとしても、私は格段それを不足にも思わないだろう。本が私を見捨てない限り、私はどこへでも行けるのだから。

中島敦とは、ある日ラジオの朗読の時間に出会った。「おや」と家事の手を止めて耳をラッパ型に開かせるものが朗読の至る処にあった。「おや」は私が外界に張ったアンテナにエモノがひっかかったときの発信音である。物でも人でも、「おや」と思った先にそれに出会うまでそうとは知らなかった、未知の大切なものがある。で、その次の図書館行きの日に、中島敦なる作家の本を借りて来たのであった。果たして「おや」は大正解で、敦こそ私が出会いたいと思っていた作家であった。彼のおかげで私はこの夏、たっぷりと南の風に当たることができた。読むことの至福が季節の中に在ることのそれと重なるとき、旬の食べ物を口にしたときと同じ、この世に生きて在ることへの無条件な肯定と感謝を感じずにはいられない。

ひょっとすると私が現世的な幸福に無欲で無関心なのは、本の世界こそ我が終の住処であって、いま目に見えているこの世はパートタイムの仮の宿、と思っているせいなのかもしれない。物語を信じ、半分そのなかに棲（す）んでいる、いささかトウのたった夢見る女の子、それが我が正体であるのかもしれない。

私にとって本は宝島の海賊たちにとっての宝のようなものである。勤めていたときの昼休みは宝探しに出かけ、本屋を冷やかして歩いたものだった。だが容易ならざる家計をやりくりしている現在では逆さに振っても本を買うお金は出てこないので、もっぱら図書館のお世話になることになり、ほとんど切れ目なく貸し出しを受けている。

図書館を利用することのメリットの一つとしては、かなり年代ものの、絶版になったようなヨレヨレの本でもここでは現役として立派に御用をつとめていることで、それはともすれば新刊書や鳴り物入りのベストセラーにばかり目を向けがちな読書の嗜好を時間的に矯正してくれる。二つ目に、期間が一応二週間と定められている点で、この追い風あればこそ借り手はいそしんで読むのであり、片方で、私蔵している本というのは「いつでも読める」が仇となって死蔵しがちなのといい対象をなしている。

係の人が返却予定の日付スタンプを本の後に押してくれるのを見ると、新しい旅を前にした旅人のわくわくがこみ上げる。たったいま手にしたこの本たちが一体どんな旅に私を連れ出してくれるのだろう。旅を終えて二週間後に再びここに立つ私は今日の私よりどれほど見聞を広め成長を遂げているだろう。それを思うとぞくぞくする。

実際には一向に変わりばえしない自分がここに立つことになるのだが、新しい日付のスタンプを見ると性懲りもなく心ときめく。それは本と私とのハネムーンのパスポートなのだろう。散文的なゴム印の日付が華やかに見えるのはそのせいだ。自転車のかごに入れる本のかさばりの頼もしさ。風を切って進む自転車の人は、まるで戦利品を満載した馬上の凱旋将軍のよう。頭にあるのはただこれなる宝物の、さてどの一冊から手をつけようかということばかり。

さて、話が前後するが、本はいっときに四冊きり借りられない。これが問題で、初手からこの本をという胸算用あってのときを別とすると、書の海原からたったの四滴を選ぶのは極めて苦しい選択である。あたかも難病の診察を行なう医師のごときむつかしい顔をして事を行なうことになる。しかしそれが難しければ難しいだけ心は一つの事に捉われていることになり、つまり心に他の事が入って来ようがないという点でも自由な時間でもある。私は本を選ぶときの、かびくさい本の山脈の稜線と向かい合うひとりぼっちの俯角(ふかく)と仰角(ぎょう)(上下方向の角度)が好きだ。

本は、それを読む以前に私が世界に対して持っていたコチコチの先入観や無知に鍬を入れ、空気をたっぷり含んだ耕地に解放してくれる。「目に見える私」がゴハンを食べて生き永らえるように「夢をみる私」は本を食べて命脈を保っている。忙しくて本を読めない数日が続くと、身体中の細胞が干上がり、頭のお皿がカラカラに乾く気がする。本は私にとっての生理的食塩水、つまりその濃度が体液と同じ水である。

本はまた、食べ慣れた、舌にやさしい主食であれば、新しい好奇心と食欲に応える幾いろものおかずであり、人生を口直しするデザートでもある。もっともこのデザート、気楽な口直しのつもりがどっこい口中を火傷させたり、あるいは後から袈裟（けさ）がけの致命的な一刀を隠し持ったりしているから油断ならないけれども。

朝起きて植木鉢の花に水をやるように、夜更け私は自分の夢に水やりをする。薄暗い図書館の書庫に蛍のように灯っていた白っぽい装幀の本を今夜は引き寄せてみようか。その本は落ち着きのある穏やかな装幀で、まず私の足を止めさせた。ぱらりと開いたページの活字のすわり具合と文章の凛とした気品が私にダメ押しをさせた。あなたはこの本を借りるべきです、と。私は本に選ばれてしまった。その本、すなわち野上弥生子の『一隅の記』から今夜の夜更けの水を扱ませてもらおうと思う。

藁伴子　主婦（月刊土佐7号より　1984年4月）

五台山日記

カエルのオーケストラ

日本人は虫の音や風鈴の音を雑音としてではなく、言語として脳の言語野で聞くという興味深い話を聞いたことがある。私がカエルの鳴き声に執心しているのも、そんなことと関係があるのだろうか。多分、子どもの時分子守歌代わりに聞いていたので、その声を聞くと幼年期への郷愁を感じるというあたりが原因ではないかと思うのだが、心のメカニズムはしかとは分からない。長じるにつれ、近所の田んぼは宅地や道路にどんどん侵され、ふだんの暮らしではカエルの鳴き声をめったに聞かなくなった。

運動不足解消のため、去年の誕生日から「歩き」を始めた。自宅近くを小一時間歩くものだが、まだ農村ぽさがあちこちに残っているここ五台山は、格好の歩きの場である。家々の塀からのぞく花木も四季四季に姿を変えるし、風になびく道端の雑草も親しく季節を告げてくれる。

去年の夏から始めた歩きにこの春は新たな楽しみが加わった。大好きなカエルの合唱を、そのただ中で聴けることである。家々の間を抜けて水田が広がる区域に出ると、わっとばかりカエルが鳴いている。それまで聴いていたウォークマンをはずし、全身耳となってカエルのオーケストラをたのしみつつあぜ道を歩く。

空には一番星と半欠けのお月さま。文明を離れた縄文人のような心になって、日ごろの憂きことはみるみる飛んでいく。生きてかくある、そのことの喜ばしさ。人がいくつになろうと人生は思いがけないところに楽しみを置いてくれていることを知る。

（高知新聞「あけぼの」欄より　1996年5月8日）

五台山日記　雑草の四季

健康のために自宅近くの散歩を始めて一年が過ぎた。この三日坊主にしてはよく続く。秘密は、植物との出会いにある。うちは五台山にあるが、ここは住宅地と農地がほどよく交ざっていて、歩きには格好の場所である。植物も、家々の塀からのぞく花木、農家の作る作物、それから散歩道の両わきの雑草と、大きく分けて三種類ある。最も目を引くのは大きな花をつける花木であるが、私が近ごろ惹(ひ)かれるのは畑のハブ草や、道ばたの雑草である。ありふれた雑草が目につくというのも、歳のせいだろうか。

小学生のころの通学路で毎日のように見ていた顔見知りの雑草たちばかりなのだが、それだけに再会の喜びも大きい。彼らに目をとめることもせず、息せき切って走ってきた日々を問われている気がする。

当然のことながら雑草に四季があり、仕事で遅い日が続いて歩きに出られないまましばらくぶりに歩くときなど、予告もなくあぜ道の配役が総変わりしていて、びっくりさせられる。稲の収穫が終わるこの時期には、イネ科の雑草ネコジャラシ（本名はエノコログサ）やメヒシバ、オヒシバが初秋の風に吹かれている。ヤナギタデがいまの私のお気に入りで、この風姿をスケッチしたくなる。

名前がいろいろ出てきたが、ほかでもない、これらすべて散歩から帰って植物図鑑で調べたものである。名を尋ねたいほどとらわれている、ということだろう。そんなわけで、今日も夕方になるのを待ちかねていそいそと彼らに会いに行く。

（高知新聞「あけぼの」欄より　1996年9月6日）

五台山日記　大野さんのカラス

『この指とまれ』のタイトルで、自然保護という指に止まる人々や組織を集めた本が出ている。巻末資料に、傷ついた野生の生き物の救護施設が紹介されていた。

なるほど。生き物の救護施設という発想が面白かった。私は以前、人間の救護施設に勤めていたが、救護を必要とするのは人間ばかりではない。自然の生き物たちが、人間の活動が引き起こす影響でさまざまに被害をこうむり、救護を要しているのだ。

その欄に、傷ついた野生の生き物の看護里親として、大野貢さんの名が挙げられていた。おやっと思った。里親とは、児童福祉に登場する制度だが、自然界の生き物たちにも里親がいたとは。里親という名付け方がいかにもあたたかく、あの大野さんらしい。

大野さんを知ったのは、大野さんのカラスを通じてだった。

「おーのさん、おーのさん」と大声で呼ぶカラスが近所に出没していたのは、もう一年以上も前のことになる。大野さんの飼っていたカラスが網を破って外に逃げ、近所で悪さを繰り返していた。大野さんの表現によれば「カラスのなかの東大生」で、子どもが持っていたお菓子を奪おうとするに及んで被害届が出、県の担当課を中心に生け捕り作戦が練られた。獣医も連れて来て麻酔薬入りの生肉を食べさせるところまでいったが、さすがは東大生カラス、半分食べて吐き出し、お前たちの思うとおりに捕まってたまるもんかとばかり飛び去った。相手は羽があるので一枚上である。

私方でも、その捕り物騒ぎに網戸を破られた。夏が来て蚊が入るようになったので、大野さん方を訪ね、あらかじめ弁償するといってくれていた大野さんにわずかばかりのお金をもらいに出かけた。

近所で大野さん宅を聞くと、「入り口に猿のおる家」と教えられた。なるほど大きな猿が檻の中にいる。一歩門を入ると、ぴょこぴょこ飛び回っている子猿もいる。穴内の小学校で「悪さをする」と捕まったのを警察からもらい受けたばかりだそうだ。殺すのはかわいそうと。何の鳥か知らぬが、鳥も一羽いる。生き物に囲まれた大野さんは桃太郎の歳とった姿とも見える。

「あのカラスはどうなりました?」と聞くと大野さんは顔を曇らせた。「撃たれました。どうしても生け捕りができず、あまりに周りに迷惑をかけるので仕方なく。けれど、私が呼んだ声にやって来たところを撃たれたがですらぁ。その姿を、私しゃぁ、毎日よう忘れません。長いこと飼うたやつじゃったきねぇ」

聞けば、このカラスは前に潮江方面で悪さをするということで御用になったのを、大野さんが引き取って飼っていたのだという。集金人が呼ぶ「大野さん」の声をおぼえて「おーのさん、おーのさん」が十八番だった。

大野さんを見ていて思った。死んだカラスも決して大野さんをうらんだりしていない。天国でも「おーのさん」を繰り返し、大野さんに世話になった他の生き物と同じく、里親にありがとうといっている気がする。

生き物のために、大野さんがいてくれて、ほんとうに良かった。

(高知新聞社刊『続・心にひびくいい話』より　1997年10月)

五台山日記　Kさんの家

五台山に住まうようになって日課となった夕べの歩きの後半に、民家が山すそに十数軒かたまっている集落を通過する。

Kさんの家はそのなかの一軒である。この家と私は不思議な縁で結ばれている。

その前を毎夕通っていくこの家に、ずっと魅せられていた。

門構えの先に平屋が建ち、右手には納屋を兼ねた離れがある。ありふれた農家風な一軒がどうしてこうも私の心をとらえるのか、理由が分からないままその家をのぞき込みつつ前を通った。

そんなある日、そこの住人と顔を合わせることがあり、驚きの声をあげた。母の古い知人Kさんだったのだ。私には淡い知り合いでしかないが、子どものころから知っている。

Kさんの家に引きつけられた謎がそのときやっと解けた。小学校4年の夏休み、母と五台山に昆虫採集に行き、帰りに山裾のKさん宅に寄って冷たい飲みものをご馳走になったことを思い出したのだ。町育ちの私にはゆったりとした田舎風な家のたたずまいが珍しく、ここが親せきの家だったらな、と強く惹（ひ）かれた。

自分ではすっかり忘れ果てていたこの記憶が心のどこかに引っ掛かっていて、何十年ものちにKさんの家を見たとき、好ましい既視感（きしかん）を連れてよみがえったのだろう。それからというもの、その家を通るたびに記憶の井戸の不可思議な深さを覗き込む思いがするのだった。

最近ここを通るとき、別の思いが加わる。三月にKさんが急逝し、家から灯が消えたのだ。暗やみにくろぐろと立つ家の像は、私の今日一日のちっぽけな煩いや憂いを遠くへやってしまう。生と死。永遠の時間。そんなものに胸をつかまれる。

Kさんの家は、暗転したのちも私には縁のある家だ。

（高知新聞「あけぼの」欄より　２０００年４月28日）

五台山日記　ご褒美

五台山のふもとの団地に住み始めたのは、22年前に二度目の結婚をしてからだが、親しく五台山に交わるようになったのは去年からだ。

「親しく交わる」という表現は、相手が山という自然であることを思うと適当でないかもしれない。一方的に私の方が交わらせてもらっているのだ。でも、関わりが相互的でないかといえば、さにあらず。私の呼びかけに、きっと応えてくれる気がするのだ。

市内から青柳橋を渡り、くたびれて仕事から帰ってくるとき、橋の三分の二まで渡ったところで、ふわりと山の気が頭の上から降りてきて、私の疲れを払ってくれる。

眠れない夜、「ほら、五台山に抱かれて眠っているよ」と子守唄のように自分に言ってやる。そうすると、知らない間に眠りの世界にめくれ込んでいる。

住み始めて22年と書いたが、その間、休みの日などに牧野植物園に夫と行くことはあっても、五台山との付き合いが、他の場所の住民に比べて特に深いというわけでもなかった。強いて言えば、46歳の誕生日から、健康のために夕方の散歩を始め、五台山の山すそを三分の一周ほど往復するようになっていた。それでも、空の景色や、鳥の声とともに、四季折々の野の草花、家々の塀からこぼれる花木を通して季節の推移を五感で知る、私にとっては新鮮な場所だった。

「新鮮な」というのは、私は町生まれの町育ち、しかもごみごみと民家が建て込んだ、交通量の多い場所をふるさととしたので、自然の営みとふれあう経験など、五台山に来るまで皆無だった。

たとえば、「ほととぎす」の声も、五台山に来て初めて知ったものだ。初夏にこの声をきくと、ああ今年も夏が来た、と枕草子の作者のような気分になる。蛍も、ほんの少しだが、毎年発見することができる。カエルの大合唱は、私の最も好きな地球の音楽だ。水田の多い五台山では、毎年楽しむことができる。

最近になって、その楽しみに新しい味わいが加わった。これまでは、五台山の山すそ、つまり平地での発見しかなかった私の五台山目録に、「山の部」が加わったことである。

最初には星神社の階段の上り降りが来る。これにはこんないきさつがある。


知人の息子さん一家が、原発移住で、神奈川県から香美市の山の上に引っ越して来た。当時2歳と5歳の子どもさんの未来を考えてのことであった。その「谷相（たにあい）」という、棚田の美しい山の地を、去年の秋の一日訪ねた。車で出かけ、着いてから5歳の男の子の案内で山の道を上がり下がりした。どうということない運動量であったが、翌日の私の太ももはパンパンに張って、筋肉痛を訴えていた。これでも、自転車通勤と夕方のジョギングを欠かさず、同年の友よりは運動ができていると自負していたのにショックだった。平地を歩くのと、坂道を行くのとは、これほどの開きがあったのだ。箱根駅伝の東洋大の柏原くんが、山育ちだから平地育ちのライバルを楽々十人抜き出来たというのがこのとき実感できた。

これに動かされて、この日から、近くにある星神社の階段を毎朝上がることにしたのである。

階段は全部で五百段だが、最初は下から二百段まででとどめた。最初から無理をして自分がいやになるのを恐れ、だんだんと段数を伸ばしていった。いまは、時間のゆとりがある週末などには、一気に五百段を上がっても平気になっている。

この神社は江戸時代に出来たらしいから、階段もその頃につかれただろうか。かなりのゆがみや狂いが出ている箇所もある。でも、最初にこれをついてくれた人々の営みに感謝しつつ上がっている。

春はたけのこが階段の間にニョキニョキ生え出てくる。階段の両脇は竹やぶだから、無理もない。初めての春だった今年は、それを眺めるだけだったが、気がつけば、どんどん伸びるたけのこが、古びた階段を狂わせかねない。取り除く人は、見回しても自分以外にないのだと気づいたとき、折ることをし始めたが、一日ごとにぐんぐん育っている彼らは、一押ししたぐらいではびくともしない。悪戦苦闘しているうち、危うく階段から転げ落ちそうになり、冷や汗をかくこともあった。

来年こそ憶えていて、小さいうちに退治しようと肝に銘じている。

6月ともなると、たけのこ以外に雑草が繁茂し、階段が雑草にかくれて見えづらくなり、上り降りに難儀するようになった。おまけに蚊も出る。ここに代わる運動の場を確保する必要に駆られ、朝ごとに道を変えてあちこちを物色した。踏査の末、ここならというところを見つけ、やれやれとそこに落ち着いた。そんなある日、星神社の参道入り口に幟(のぼり)が上がったので行ってみると、階段の雑草はきれいに刈られ、お参りしやすいようになっていた。多分、氏子の衆が清めてくれたのだろう。感謝しつつ久々に星神社に上がることができた。


山のあちこちに、小さなお宮があることを知る。五台山全山に散らばるミニ八十八ヵ所の石仏は有名だが、小さなお宮さん達は無名である。私は毎度このなかの一つのお宮に参っている。運動の確保のために始めた山歩きだが、上り降りしながらあたりの自然にふれるうち、気持ちがなだらかになり、プリミティブ（根源的）な宗教心が自分のなかで目を覚ますのを感じ、気がついたら自然に手が合わさっている。

最初の頃は、朝ごとに具体的なことを祈っていた。いまはただ、ひとつ。「今朝も来させてもらってありがとうございます」

誰しも長く生きていれば多かれ少なかれ事があろうが、私の六十余年にも色々あった。殊にここに来だして間もない時期にあった、思いがけない出来事は私に手痛く、お宮の前の木にすがっておいおい泣いた朝もあった。

いまの自分はその頃とちょっと違う。来し方を振り返れば悔いも憂いも山ほどあるに変わりないが、「いまここにこうして来させてもらっている自分」が、選りすぐりの自分であるような感謝を抑えられないでいる。星野富広さん風に自分に言ってみる。


涙の目で見上げた空に、私の顔向けて藪椿が咲いていた。あ、これが答えだ、とすがすがしい気持ちで受け取った。

今朝ここに来られた。

人生が特別に用意してくれた、なんたるご褒美だろう。


やまぶき（同人誌『はまかぜ』より　2012年）

もう一つの収穫の季節

畦（あぜ）道を歩くのが好きだ。

田んぼを渡る緑色や黄金色の風に吹かれながら、頭の上いっぱいに広がる空を感じられるから。小学校への通学路は、やはり畦道だった。子どもの足で学校まで徒歩で半時間はかかったので、草を引いたり、草笛を吹いたりして、道草を食いながら通った。

その前の幼児期は、祖母と鶏のエサのスリコンボ（イタドリ）を取りに畦に行った。祖母は鶏を飼っていて、竹籠に入れて取ってきたスリコンボを、鶏用のまな板で刻んで、かなづちで細かく砕いた牡蠣ガラや糠を混ぜて鶏にやるのであった。

こうして、我が暮らしの傍らにずっと畦があったのだが、だんだん地域が都市化していくとともに、畦は少なくなっていった。それでも、高校に通う頃までは、狭い面積ながらもまだ近くに畦があって、電車の乗り場までの畦を朝夕通るのが、一日の安らいだひとときだった。この頃から家の周りの交通量がふえ、家は車の騒音に悩まされる、落ち着かない場所となっていったが、通学路の畦道にまでは、なんとか騒音は追いかけてこなかった。

田んぼの中ほどに、田の神様「まんど様」があって、大きな梅檀（せんだん）の木が植わっていた。その隣に一軒の農家があり、その前を通って通学するうちに、空想癖のある私は、いつの間にかそこが自分の親戚で、夏休みなどはそこの二階に寝転んで本を読むのだ、という空想にふけった。二階の窓はいつも開いていて、気持ちのいい風が吹き抜けているように見えたのが、私の空想を誘ったらしい。いつか、こんな家に住んでみたい、というのが、夢だった。

話は、それからぐーんと飛んで、私は大人になっている。大人どころか、少々くたびれたおばさんになっている。この間、都会で出会った男と結婚し、子どもを得、離婚し、二度目の結婚をした。二度目の結婚は、子どもを抱えての義理あるそれで、必ずしも順調とは言いかねた。学校に行かなくなった子どものことで、心に常にわだかまりを抱えていた。

しかし、そんな夏のこと。私の職場では、酷暑の間、土日以外に週一回休みがあった。その休みの日、近所に一軒しかないよろず屋に買い物に出た。真夏の日盛りのこととて、日傘をさし、買い物かごを提げての帰り道、「道」というのは五台山の麓をだらだらとたどる、車がやっと一台通るか通らないかの狭い道である。おそらく、明治以前からある道だろう。まっすぐでなく多少の曲がりくねりのある古い道は、風景に変化があり、たどっていても楽しい。足元に、真夏の太陽がつくる濃い自分の影を引きながら、日傘をくるくる回すと、なぜか子ども時代に好きだった畦道を思い出した。とたんに、故郷の原風景のなかに自分がいるような気がした。

あ、こんなところに自分はずっと住みたかったのだ。夢見ていた場所はここだったのだ、と不意に感じた。このとき、二度目の結婚がもたらした鬱屈が吹き飛んだ。いろいろあるさ。でも、いまここにいることを喜ぼうと。

あの夏の日盛りに感じた思いを忘れない。

それからさらに20年。職業生活がやっと終わりを告げ、私は名実ともに、日がなこの原風景の住人になった。朝な夕な、この曲がりくねった小径を歩き放題である。最近、道端に生えている草の名を知りたくて、図鑑で調べては、メモしている。そのなかの一つが、「すずめのやり」と「すずめのてっぽう」だ。田んぼの脇など水辺に生える、珍しくもなんともない平凡な植物である。でもまあ、なんとも可愛い命名ではないか。日本人がずっとすずめと親しんで来たことがわかる。そうして、私にとっても、幼児期以来の、畦での顔なじみの仲間であった。名前こそ、いままで知らずに来たが。

定年後の人生とは、落穂を拾うようなものだと思う。主たる収穫のように腹の足しになるわけではない。しかし、稲を収穫したあとに残る、心の養いを、落穂を拾うように、心おきなく拾える。来し方の人生で、気になっていた脇道に入り込み、脇役に、インタビューできる。そうすると、周囲への関心と愛着が深まる。好奇心のエサを得た心も喜ぶ。これをひとことでいえば、こんな言葉になる。ああ、生きることは悪くない。

いまこそ、もう一つの収穫の季節が来た。

やまぶき（『はまかぜ』より　２０１４年）

第二章　カナダへの憧れ

カナダへの片想い

カナダは私の故郷である。

といっても、私はカナダ生まれでもなければカナダで育ったわけでもなく、正直に言えば一歩もかの国に足を踏み入れたことがない。それでは故郷という言葉を使う資格がないといわれるかもしれないが、もし故郷というものが個人に養分を与え個人の心を培うものであるとするなら、ある時期の私にとって間違いなくカナダはそれであった。この世界にカナダという国があるということに慰め励まされ、いつかそこに行けるかもしれないという夢をみながら、私は大人になってきたのであった。

そうやって私を養い続けてくれた国を故郷という以外に何と呼ぶべきか。私は知らない。事実、あまりカナダのことを想い続けて来たので、いつの間にか自分がかつてそこに住んでいたことがあるような気もしてくるのである。

「ある時期の私にとって」と先に書いたが、それは正確にはいまをさかのぼる十数年前の、中学生時代の私のことである。それ以前にはカナダという国についていささかの関心もなかった私であったのだが、ある日モンゴメリの『赤毛のアン』を読むに至って、強くこの国に興味をもったのであった。

『赤毛のアン』は、御存知の方も多いと思うが、原題を『グリーン・ゲイブルズのアン』という、カナダはプリンス・エドワード島の架空の村アヴォンリーを舞台にして繰り広げられる、孤児アンの物語である。作者モンゴメリの育った環境とその人となりがアンのなかに大きく投影しているといわれる。

アンの数々の魅力、とりわけ感受性の豊かさ、ビビッドな生命力や想像力が読者を魅了してしまうのだが、この、アンの個性をきわ立たせ、物語をさらに生き生きさせているのが、背景に描かれるプリンス・エドワード島の四季である。モンゴメリはこの島の美しい風土を描きたいがあまり、アンという少女を創り上げたのではないかと疑うほど、地の文でも限なくそれを語り、それでも足りずにアンの口を通して何度となくこの風土と四季を讃えさせる。全篇これプリンス・エドワード島讃歌なのである。もともとここに生まれ住んでいる養い親のマシュウやマリラ、アンの親友のダイアナなどは、その美しさに慣れ切っていて盲目であり、異邦人たるアンによって初めてそれに目を開かされる仕掛けである。その意味で、この物語はアンという感激屋の少女を介在させて得たディスカバー故郷論でもあるといえる。モンゴメリはそれほど深く郷土を愛していた。

さて、アンの話に深入りしてしまったけれど、そのようにして私は、その物語のなかで初めてカナダという国と知己を得たのであった。そこで初めて地図を広げて新しい知己の顔をしげしげとながめてみた。

広い。アメリカ合衆国より北にあるから寒いかもしれない。アンの舞台であるプリンス・エドワード島は、この国の東岸にある小さい島だった。アンが著かれたのは五十年も前のことだけど、いまはどんな国になっているのかしらん。

地方に住む中学生は、早速カナダ大使館に問い合わせた。仕事をたくさん抱えているであろう大使館なのに、折り返し返事をくれた。届けられた『今日のカナダ』という題の印刷物には、日本語でカナダの歴史、経済、産業等この国の全般が解説されてあった。さらに私を喜ばせたのは、観光客向けの英語での観光案内パンフレットであった。そこにまぎれもなくグリーン・ゲイブルズの写真を見つけたからである。いままでの、頭の中での空想だけに存在したものが、生きてそこにある驚き。興奮の極に達した私は、せめて死ぬまでに一度はこの島を訪れてみたい、それも短い期間ではなくて、できればその四季全部を味わってみたい、と写真を眺めつつ日夜胸を焦がしたのであった。

さて、たかだかある物語の舞台であるに過ぎない場所が、なぜかくも一中学生を惹きつけたのだろうか。

私の中学生時代―それは我が日本経済の高度成長期と重なる。私の家は往来に面していてそれは騒々しいのであるが、この期はその騒々しさが昨日よりは今日、今日よりは明日という風に、加速度的に高まってゆくまっただなかの時期であった。かつて小学校への通学路であり、朝に夕にそれとなく季節の移り変わりを知らせてくれた畦の道は、田んぼや畑ごと大きな産業道路の下敷きとなって消えていった。家の裏を流れる川は、きれいな水をたたえ、子ども達が春には稚魚を追い、夏には水浴びの喚声をあげる場所だったのだが、埋め立てによって狭められ、工場排水によって汚され、もう昔のようにアオノリをつけることもなくなった。例をあげればきりがないが、こんな風にして私はいわば故郷を日々失っていったのであった。「それでも私にはカナダがあるじゃないか」と思い直すことで、故郷喪失という現実の苛酷さに、かろうじて耐えた。そのときの私のカナダへの想いは、「望郷」とでも表現するしかない、熱くなつかしいものであった。

その頃の私のイメージするカナダとは、旧大陸ほど格式ばってなく、さらに資本主義の到達点まで大急ぎでつっ走った感のある隣国アメリカ合衆国ほど文明化されておらず、両者のいいところだけを残したのびやかな国であった。経済の面では、合衆国が急行で行ってしまった国だとすると、カナダは鈍行。乗客（国民）は前者では速やかに目的地に着くかもしれない代わり、後者のようにゆっくり道中の景色を楽しむヒマがない。比較すると、後者はときとしてじれったいが、少くともしみじみと旅(人生)を愉しむことができるだろう。多少の不便はあるとしても。私はカナダに小型の合衆国となってほしくないと願った。カナダはあくまでもカナダペースで歩いてほしいと。

中学生の私は、そういうことをただぼんやり感じていただけで、右のような言葉で表現することはできなかった。いまにして思えば、カナダへの憧れとは、形に現れた私のなかの人間らしい生活への志向であった。

かくて幾星霜、その中学生も歳をとり、分別くさい大人になった。人並みの人生経験をなし、世のなかはそう理想的な話ばかりではないのだということを経験から教えられ、徒らに夢をみることをしなくなった大人がいる。かの憧れのカナダについても、世のなかにいいとこばかりの夢の国なんざないのさ、どこの国に行っても良いところがある代わりにちゃんと悪いところもある、それは母国日本も同じこと、というシビアな認識も一方では持つに至る。しかし、中学生時代にみた夢は、それがあまりに熱かったがあまり、この大人のなかに後遺症としてまだ残っている。カナダと聞くとやはり目の色を変え、どうしても他の国より「えこひいき」して見てしまうのが習性のようになってしまった。

今日もリンゴをかじりながらカナダのことを考えている。リンゴは我が高知では温暖すぎて生育しないので、リンゴの木もアンがこよなく愛したリンゴの花も私は見たことがない。貧乏な私は恐らく本物のカナダと相まみえることなく一生を終わることになろうが、せめて北海道あたりにでも行ってリンゴの花を見、そのにおいをかいでみたいと思っている。そしてアンにならって目をつむり「ここがカナダよ」と夢想してみることにしよう。我がカナダは、労を惜しまず空想の世界にやって来てくれるだろう。

（『日加修交50周年記念論文集』より　カナダ大使館　1980年）

カナダから来た一冊の本

ある日、カナダの住本明日子さんという女人から国際電話がかかってきた。明日子さんは、私の古くからの知人の従姉妹と名乗った。はるばる電話をかけてきた要件は、土佐にゆかりのある本を夫の友人が出したので、投稿好きのあなたにぜひ新聞に投稿して紹介してもらいたいというものであった。いい本ならば、と答えて本の到着を待ったところ、届いた本は『カナダに渡った侍の娘―ある日系一世の回想―』というものであった。

本を手にとってみて、不思議な既視感にとらえられた。どこかでこの本と出会っている。しばし思いをめぐらせて、見当がついた。前にこの本のことを新聞で読んだことがあったのだ。書き手に確かめてみると、やはりそうだった。本紙に「翻訳机の裏側」を連載している翻訳家の平岡護さんが書いていた。

訳したいと思ってある本の翻訳を始め、一年かけて五分の三ほど進んだところで別の人が訳してしまった。そのエピソードに出てきたのがこの本だったのだ。「高知出身女性の叙事詩」と平岡さんは表現している。

本書の著者、ロイ・キヨオカは、高知県出身の両親をもつ日系二世のカナダ人で、六〇年代に一世を風靡した前衛芸術家だという。このロイが母キヨシの語りをつづったのが本書である。といっても、母の英語は十分ではなく、かといって日本語の方はロイが十分ではない。ロイの友人でこのたび本書の訳者ともなった増谷氏がキヨシの語りを英語に訳し、ロイがそれをもとに英語で書き直す―なんとも歯がゆいようなプロセスを経て本書は執筆されたのだが、残念なことにロイはこの本の刊行を見ずに母より先に亡くなっている。

詩人であるロイの言語への感受性は鋭敏で、実用の言語である英語と、母の乳房をまさぐりながら聞いた土佐の方言とを行き戻りする。そんな母に寄せる思いが、本書を書かせた動機のひとつだろう。

母キヨシは6年前に百歳で亡くなっている。ロイの筆になるキヨシの語りはすばらしい。移民としての苦労は山ほどしているのに、生涯を貫く圧倒的なその資質の向日性は苦労を苦労としない。

キヨシは父に愛された娘だった。父はキヨシをありきたりの結婚には「あだたん」、と見抜いたのではなかろうか、自由な海外で一旗あげそうな男に託したのだった。果たして、キヨシが渡った海の向こうは楽園ではなかった。とびきり安い賃金で働かされるため、働いても働いても貧乏である。どうにかこうにか暮らしが安定しかけたと思ったら、パールハーバーから始まる戦争で憂き目をみる。

こんななかでキヨシはしんそこ故郷が好き、父が好きで、故郷が心の太陽。そちらを向くといつでも明るく照らされるのだ。

私は著者のロイに感謝しつつ本書を読んだ。この本のページには、古い土佐の景色が押し花のように挟(はさ)まれている。播磨屋橋の橋桁から下を見ると、金と緋の鯉が泳ぎ、澄んだ水の下から川底の石が輝いていたなどというところを読むとぞくぞくする。また、もののけや火の玉の話がリアルに描かれる。これは同時代の寺田寅彦の作品を思い出させもするのだ。

長屋に重兵衛さんという老人がいて、毎晩、晩酌の肴に近所の子どもらを膳の向かいに座らせて、生のにんにくをぼりかじりながらうまそうに熱い杯をなめては数限りない化け物の話をして聞かせた。そのことを、寅彦は若い頭に不思議な世界への憧憬を鼓吹した大事な体験として書いている。妖怪や火の玉と共に暮らしていた土佐人のロマンのルーツをキヨシの語りに見る気がする。

ちなみに、冒頭に書いた明日子さんとは、故細木秀雄さんが最初の結婚でもうけた一人娘である。夫の実氏とロイは、尺八とハープで自在な世界を逍遥する音楽仲間だったという。

（高知新聞「月曜随想」欄より　２００２年12月23日）

フミコさん

今年は映画監督、小津安二郎の生誕百年に当たるとかで、彼の仕事に光が当てられている。この5月、カナダのバンクーバーから高知にやって来た日系三世のフミコ清岡さんと、その連れでシナリオライターのタマイ小林さんの二人とも、小津作品の大ファンだといった。

二人は、フミコさんの祖母で、大正期にカナダまで嫁いだ土佐出身女性のドキュメンタリー映画を創りたいと、構想を得るために遠路高知までやって来たのだ。祖父の出身地である馬路村と、祖母のそれである高知市を一週間あちこちしたが、収穫は得られたろうか。

フミコさんの祖母の話は『カナダに渡った侍の娘―ある日系一世の回想―』という題の本になって去年出版された。フミコさんの父、故ロイ清岡さんが母の語りをもとに著いた『マザートーク（母の語り）』の日本語版である。映像作家であるフミコさんは、敬愛する祖母が大好きだった土佐について知りたい、祖母の百歳の生涯を映像でたどりたいと思った。

ほんのささやかな縁で、フミコさんの知己を得た私だが、今回会って、彼女の誠実な人柄と、自身のルーツでもある祖父母のまるごとを知りたいという作家としての意欲に打たれた。

小津作品群にある、こまやかな心のひだがよく分かる人であり、心遣いのできる人である。小津文化の継承者は、ドライな現代日本にはなくて、父祖の思いを大事にする日系移民のなかにむしろ在るのでは、とまで思わされた。

フミコさん、どうぞいい映画を創ってください。

（高知新聞「あけぼの」欄より　２００３年6月20日）

百年目の「赤毛のアン」

昨年、東京の大森に「赤毛のアン記念館・村岡花子文庫」を訪ねた。ここは『赤毛のアン』を翻訳し、わが国に紹介した村岡花子のお孫さんが運営している私設の記念室だ。自分たちの住まいの一部を村岡花子の書斎を再現した記念室として、年に何日かオープンハウスの日を設けて公開している。

ときとして生きる意味を考えて迷子になり、立ちすくむ、憂うつな思春期の自分を支えてくれたのがアンだった。物語の世界というもうひとつの世界に生きることをアンに教えてもらい、息苦しいあの時期をやり過ごせた。背景に描かれるカナダはプリンス・エドワード島の自然と人情も心の波を鎮め、ともしびを灯してくれた。

今年はアンが出版されて百年目とかで、あらためてアンの魅力が見直されている。日米の戦争が始まって日本を去ったカナダ宣教師から贈られた一冊を、空襲の間も防空壕に原稿用紙を持ち込んで翻訳に打ち込んだというその人に感謝したい。

（高知新聞「あけぼの」欄より　２００８年６月９日）

夢の島へ

50年間憧れ続けた夢の島に行ってきた。『赤毛のアン』の舞台、カナダにあるプリンス・エドワード島である。

中学生時代、孤児アンの物語に出会い、夢中になって読んだ。一行一行を暗記するほど。

そのころは海外渡航は庶民には夢の話だった。生きているうちに行けるとも思えない物語の舞台に、一歩でも近づきたい思いで英語を勉強した。

夢はその時々で淡くなったり濃くなったりしながら、ずっと私の人生の伴走をしてくれた。

一昨年、その島から来ている青年が英語を教えていると聞き及び、すぐ受講生となった。急にカナダが近くなった。

そしてこの6月、夢の島に行くツアーに加わり、夢を実現することができた。

自然が美しく、町並みも初めて見るのになつかしい所だった。

帰国すると、介護保険証が届いていた。いよいよ高齢者の仲間入りである。今度はもっとゆっくりあの地を旅したい。

次の夢に向けて、65歳は元年でもある。


（高知新聞「あけぼの」欄より　2013年7月15日）

カナダゆっくりシニア旅

Where are we?（私たちどこにいるんでしょう?）

今回のカナダ旅行で、最も頻繁に使った英語がこれだった。通行人をつかまえては地図を示し、この言葉を発する。聞かれた方は、地図の天地をひっくり返したりしながら、ここだと教えてくれる。すばやくそこに印をつけ、行き先の見当をつける。全く逆方向に歩いていたことが何回あったことか。

65歳過ぎたおばさん二人がこうやって、迷い迷いカナダ1カ月の旅をした。よく歩いたし、鉄道にも乗れば、グレイハウンドの長距離バスにも乗った。

私は、中学時代に『赤毛のアン』を読んで以来のカナダファンだ。死ぬまでにカナダに行きたいと思い続けてきた。その頃は外国に行くことは夢のまた夢だったのだ。

海外旅行が容易になって、私にもその夢を実現する日がやってきた。2年前のことである。赤毛のアンの舞台である、カナダはプリンス・エドワード島についに行けたのだ。しかし、残念ながら、パッケージツアーだったので、駆け足でポイントを巡る、慌ただしい旅だった。旅のあと、私はもう一度ゆっくりカナダを訪れたいと、夢を温めなおした。私も連れてってという友人も現れ、定年後のこの秋にカナダゆっくり旅に出ることができた。

友人とは、かなり前、東京での自治体中堅職員合宿研修で仲良しになった自治体職員ＯＢである。愛知県に住んでいながら、四国遍路も三巡目に入っている、旅慣れた人だ。彼女は特にカナダに行きたいというわけではなかったが、これまでのパッケージツアーに飽きたらず、柔軟な旅に憧れていた。あとで聞けば「カナダにお遍路に行く」というノリだったらしい。

彼女との旅が思わぬ珍道中になったのは、旅の少し前、彼女から「お米5キロと炊飯器を持っていく」というメールをもらったことから始まる。思ってもみないことだったので、驚いたが、ありがたいことでもあるので、自身でもゴマやワカメを荷物に入れて出発した。

長い道中の心配は、言葉、食べ物、健康、お金などであったが、彼女が持ってきたお米のおかげで言葉以外の心配が減った。ほぼ自炊できたので、食費が安く上がり、健康に役立った。おかずの方は、スーパーに行って地元の人と同じように野菜や肉を買って調理した。これも、一地元民になったような喜びをもたらしてくれた。

さて、今回の旅は、バンクーバー、トロント、ナイアガラ、プリンス・エドワード島、ハリファックスを巡るものだった。赤毛のアンのプリンス・エドワード島が目的地だったが、それ以外の地をなんで選んだかといえば、そこに知人がいたからである。知人といえば聞こえがいいが、いずれもメル友に毛が生えたような淡いご縁の人々だ。その証拠に今回会った四人のうち、二人が初対面、一人とは二度目の逢瀬である。でも、私は知人のいない景勝地より、知人のいる土地に行きたかった。そこで生活している人に会って、そこの土地にまつわる話を聞き、そこの土地のうまいものを教えてほしかった。そしてこの作戦は大成功だった
彼女たちは数時間ないし半日をつきあってくれたにすぎない。しかし、このことが旅をどれほど面白く印象深いものにしてくれたことか。おばさん二人の旅は、遍路がお接待を受けるがごとく、現地の人の優しさに助けられ、深められたのであった。

まこと、旅は景色でなく人である。カナダがまた好きになった。

（高知新聞「所感雑感」欄より　２０１５年12月28日）

第三章　オバマさんからのお菓子

第三コーナーにさしかかって

台所である日、手首に火傷をしたので、手当てを受けるべく、近所の外科医院に行った。診察室に入ると、頭髪の薄くなりかけた、人の良さそうなおんちゃん医師がいた。お金を払って帰りがけにふと受付の上を見ると、プレートに表示された医師のスタッフのなかに、小学校の同窓生の名を見つけた。あわてて曜日を繰ると、まさしく、先ほどの医師がその人であった。二十数年の歳月はイガ栗頭の少年を、アデランスのいる「おんちゃん」に変えたのである。浦島の玉手箱をあけたときと同じ現象が目の前で起こるのを目撃した劇的な日であった。

この夏、20年ぶりに小学校の同窓会を開いた。ベビーブームの生まれで、一学年10クラスもあったが、卒業時に同じクラスだったメンバーを招集した。

私は幹事だったので早目に会場に行った。一人の女性がはや到着していたが、穴のあくほど顔を見つめても、誰だったか思い出せないのだ。25年とは、それほど残酷な長さの時間だったのだ、と思い知らされる。そうこうしているうちに、もう一人、男性が現れた。これもお互い指さしあって、「だれ、だれ、だれ?」と顔のどの部品でも記憶にあるものはないかと三人でしげしげ見合ってもわからない。

しかし、ひとたび名を名乗ると何かの薬品を顔にかけたように幼な顔が浮かび上がって現在の目鼻と重なる。その謎めいた瞬時の化学変化は見ものであった。

それにしても、小学校を卒業したのはほんのこないだと思っていたのに、ときは経ちも経ったり、四半世紀とは。

それぞれの歳月を顔や身体つきに刻んで集まったその夜の興味は書いて余りある。喩えていえば、読みかけてそのままになっていた小説の続きを読んだような、懐しさと感慨があった。なるほど、とあっさり腑に落ちる素直な短編のような人もいれば、前半のどの伏線を読み落としていて、かくなる有様になったというのか、と頭をひねってしまうプロットの人もいた。どちらにしても読みごたえは充分である。25年がその人を彫琢（ちょうたく）した有様は、まさしく一編の読みものであったから。

ところで、この同窓会を思いついた動機は、告白すればいささか不純なものであった。というのは、初恋の人に逢いたいという下心があってのことだったから。

初恋のN君は関西方面に就職したという風聞を聞くだけで、それ以上の消息は誰に尋ねても不明だった。それがある日、あっと息をのんだ。我が家のわんぱく次女のクラス名簿の保護者欄にその名を見つけたのだ。灯台もと暗しとはこのことだ。N君はどんな男になっているのか好奇心をそそられる。そのときから同窓会は画策された。

働きつつ苦学した都会生活を経て故郷に戻り、家庭人としても職業人としてもかげりのない日々をおくっているN君の25年の物語は、喩えていえば東芝日曜劇場風—アクの強くない、後味の悪くない—な、自己完結性をもっていた。実をいうと、ちょっと意外であった。小学生時代のN君は、父親と二人暮らしで、身体が弱く学校も欠席がち、と女の子が気掛かりになるような脆い雰囲気をもっていた。早熟だった私はいち早くそれに感応したのであったが、彼が生活者としてこれほど骨太であったとは。反対に人一倍しっかり者と見られていた私は結婚に落ちこぼれ、「お前はもっと賢いと思いよったにねや」と彼に言われるテイタラクである。

同窓会を終えて、それぞれの場所へ皆帰ってゆく。次の25年、物語の完結編めざして。

信号待ちをして歩き出す町は、人生の第三コーナーに見えた。

高知市誠和園 生活指導員（高知市文化振興事業団『文化高知20号』より　1988・昭和63年11月1日）

伯父を見舞う

伯父はサラリーマンを定年退職して最後の任地の高松に住まっている。幼くして父を失い不遇だった彼は、不遇に挑むようにがむしゃらに働いた。人並みに子らを巣立たせ、定年を待っていたかのように大きな病を得、いっときは命の瀬戸際まで行った。幸い、伯母の懸命の看護もあって、いまは小康を得ている。

伯父は現在の小津高校、昔の海南中学の卒業生である。この夏、ここの校舎改築の記事が大きなカラー写真つきで新聞に載ったとき、なつかしいだろうと伯父あてに送ってやった。折り返し、追手門からお城を見る構図の手描きの絵を送ってきた。「毎日この門をくぐって学校へ通った。もう二度と帰ることもないと思うと、高知の青い空と海がなつかしくてならない」とも書かれていた。

その絵と文に心動かされるものがあって、彼の妹である母を伴い、過日伯父の見舞いに出かけた。かつてこの国の高度成長を支えた伯父は、役目を終えた老残の兵よろしく病み、痩せていた。いまは再発を抑える薬を飲みながら、一日一日大事に生きていることが見てとれる。

そんな伯父に楽しみがあった。絵を描くことである。壁にかけてある彼の絵の、桜の花びらの、えもいわれぬ着色をほめると、「無心に色を調合しているときが一番楽しい」と口元をほころばせる。

不意に晩年の子規が「神様が草花を染める時もやっぱりこんなに工夫して楽しんでいるのであろうか」と、描く喜びを書いていたことを思い出し、伯父にもやっと訪れたおだやかな日々を喜んだ。

（高知新聞「あけぼの」欄より　1996年11月2日）

満月

心に屈託を抱えたまま夕方の散歩に出た。自然とうつむきかげんに歩いている。角を曲がったとたん、あっと思った。真正面に、まんまるな月が待ちぶせしていたからだ。

いま、山の端から上がったばかり。もったいないような大きな月だった。

とたんに心はほくほくとなり、「生きている褒美のような満月が出た」と、山頭火の句のような言葉が飛び出す。

今日は建国記念日の祝日。歩きに出る夕方の寒さもゆるみ、日の暮れもゆっくりとなった。ビニールハウスの中を暖めるぼんぼりのような幻想的な灯は、畑中にまだともっているが、ちょっと畦の端を堀りかえしたところからは、土のにおいが立つ。春とは土がにおうことなんだなぁと新しい発見をしたように思う。

やがて田に水が入り、それまでどこに隠れていたのかと思う白サギが、田んぼのあちこちで虫をあさりに来るのも間近い。

やはり、歩きはいい。


（高知新聞「あけぼの」欄より　1998年2月24日）

ネムの木

皆さん、ネムの木をご存じでしょうか。

私が初めてその木を見たのは先年のことで、日課にしている散歩の途中でした。

田んぼをふちどる農道のはずれに、それはありました。

梅雨の晴れ間、遠目にはどこかから飛来した派手な鳥の一群が木の枝に止まっている、と見えたのが実はネムの木の花だったのです。家に帰って開けてみた植物図鑑で知りました。

綿状になった繊細な花びらをなんと表現すればいいのか。ススキの穂状に広がった軽やかな羽毛に、目もさめるような彩色が施されているのです。

そしてその香りのかぐわしさ。もし極楽のにおいというものがあるとしたら、きっとこれだと思わせる、えもいわれぬフルーティーな香り。小鼻をふくらませ、うっとりかいだことでした。

それがどうでしょう。こないだうち農道の拡幅工事をしていたと思っていたら、その完成後、魔法のようにこの木がかき消えていたのです。道の端にあって邪魔だったのでしょうか。

梅雨の晴れ間の花どきを心待ちする楽しみは、今年はもうないのです。


（高知新聞「あけぼの」欄より　1998年4月28日）

脳が若返る天体観測

歳をとると、その関心が動的なものから静的なそれへと移って行くとは、古来いわれることである。私の場合もその例にもれず、動物から植物、植物から鉱物へと関心が移っていっている。最近はまた、鉱物中の鉱物にはまっている。天体がそれである。

ことの起こりは、健康のために5年前から試みている《歩き》であった。夕方、てくてく1時間ばかり歩くだけのことなのだが、これが思いのほか収穫をもたらしてくれる。歩くことは足腰や心臓をきたえるだけでなく、なんと脳にもいいらしいのだ。歩きのなかで、これまでに何度ひらめきを得たことだろう。私は投稿が好きで地元の新聞にせっせと駄文を書き送るのだが、その着想は、ほとんどこの歩きのなかで得る。というより、無心に歩いているうちに内部から「これを書かずば」という思いがせりあがって来る。

そのメカニズムがどうなっているか、ずっと不思議でならなかったが、ちかごろ私の疑問に答えてくれる本に出合った。大島清という、脳を研究している科学者が出した『脳が若返る遊歩学』（講談社）という一書である。これによると、歩くことで限りなく脳が自由になり、忘れていた子どもの脳が帰ってくるのだという。「誰の脳にも眠っている子どもの心は今でも立ち上がって歩き始めたときの新鮮な感動を覚えている」。「一人で歩くことは本当の自分の脳に出会うこと。自分の中の《子ども》を信じ、自然と感応しあうことで生きる勇気や喜びをとりもどすこと」（同書から）。ひらめきとは子どもの脳にかえって事物を見ることだったのだ。

それで腑におちたことがあった。

日没が早い季節、歩きに出る時刻には日はとっぷりとくれている。道中輝きを増す星々や月のきれいなことといったらない。この歳になって遅ればせに知ったその美しさは、ゆっくり夜歩きをすることなどこれまでの息せき切った日々にはなかったから、これまで気づかずにきたのだろうと思っていた。だが、この本を読んだいま、思う。「歩き」によって、脳が子どもの脳となって、美しいもの、不思議なものに新鮮な感動をおぼえるようになったせいなのでは、と。オリオンの図形的な面白さ、すばるの神秘、シリウスの孤高など、心ときめく星々の姿。なかでも満ち欠けを繰返しては毎夜の夜歩きを彩ってくれる月のなつかしさは言いようがない。

双眼鏡で見る星や月の美しさに魅せられて、さらにもっと近々とそれらを見たいと、この歳になって天体望遠鏡を手に入れた。これで見る月はぞっとするほど神秘的で神々しい。恒星のはるけさは「二十億光年の孤独」とうたった谷川俊太郎のこころそのままである。星を見るとき、ちっぽけな日常から宇宙空間にさまよい出る私の脳はきっと大きく伸びをし、しわをひとつのばして子どもの脳に近づくにちがいない。まさしく、「脳が若返る天体観測」である。

「今夜も寒いのに観測ですか」。防寒着を来て物干しに出る私を、連れ合いはあきれて見ている。凍てつく夜は絶好の観測日和だから、家事などしていられないのである。

満月のこよいは影と二人連れ　　寿万子

（高知市役所女性職員自主研修グループ「十日会」通信《おんなの目》より　１９９９年）

「捨てられない」病

「もったいない」は当節死語と化しつつある言葉である。限りある資源のなかで暮らすいま、何をどうすることが本当はもったいないのか、よくよく考える必要がある。世の転変めまぐるしく、「昨日の是は今日の非」であったりするから油断できない。

しかし私にしみついた原始的「もったいない病」は世のなかが変わったといっても急には治りそうにない。なんでも取っておく習慣から抜け出せずにいるが、なかでもはた迷惑なのが「古新聞」である。新聞を読む時間は公私の忙しさにつれて減っていき、あれよあれよという間に「全部は読んでない新聞」が山をなす。二紙をとっているのでこのスピードは速い。

であるに、思い切ってそれらを捨てられないのである。「ひょっとすると自分に必要な情報がこのなかに入っているかもしれない」という強迫観念にとらわれ、しっかり全ページに目を通してからでないと処分できない。捨てる前に大あわてで拾い読みした記事のなかに、自分を励ます珠玉のコラムがあったりして、ギリギリ間に合った出会いに、胸をなでおろしたりすると、「捨てる」スピードはさらに鈍る。

不思議なことに、そんな「お宝」は来たばかりの新聞よりも「旧聞」と呼びたくなる古い新聞からひょっこり出てくることが多い。過ぎ去った「時」がそれらを「時のふるい」にかけ、押し花にして差し出すからだろうか。

今年もまた、何年も前の新聞に囲まれ、家人のひんしゅくを買いながら暮らすことになりそうだ。

（高知新聞「あけぼの」欄より　2000年1月28日）

「あるがままに現在を生きる」

次女が不登校だったせいで、その意味をつかみたいと、いろいろな機会をとらえて勉強した。関係する本を読み、講演も聴きに行った。そのなかで最も自身の蒙(もう)を啓(ひら)いてくれたのが、児童精神科医の渡辺位(たかし)さんの話であった。

この先生は落語の語り口のような独特の話芸を持っていて、「立て板に水」の逆、いわゆる「間」が長い話し方をする。その「間」に聴き手を引き込んでいく。ストレートに自説を展開していくというより、しばしば反語を弄(ろう)し、聴き手の心に大きな「?」を引き起こさせる。相手の心をいったん真空にさせ、空いた部分に本当に納得のいくことだけを運び込ませる。

先生にとって講演とは、一方的に自説を押しつけるものではない。先生の生き方と同じで、決して人に何かを強いることはない。先生のすることは人を縛っているものを解くだけである。解くときの先生の表現はたとえを多用し、平易である。

たとえば、嫌がる子どもを無理に学校に行かせる親について、先生はこう言う。

「隣の子に、学校に行ってもらいたいときには、みなさん、どうします?　礼を尽くして『すみませんが、学校に行ってもらえますか』と言うでしょう。なぜそれがうちの子だと、そう言わずに無理やり引っ張っていけるんですか。理不尽ですよね」。

ふーむ。思わずうなってしまう。親というだけで、子どもという別の人格に理不尽を押しつけるのは、確かにおかしい。

この調子で、先生は私たちの垢まみれの常識に目の粗いサンドペーパーをかけていく。

愉快なのは、先生の「学校＝牧場論」である。牧場の牛はいい肉となって売れるように飼育される。牛の幸せのために飼われているのではない。おいしい霜降り肉になることをめざして、牛は手厚く飼われる。

「そこで選ばれるのは、さまざまな価値基準でなく、『牧場主に役に立つ＝高く売れる』という市場的価値だけなのです。オレは霜降り肉になるのはごめんだと牧場を抜け出す牛がいて当然なんです。いや、その牛の方が生物としてはまともなんです」。

誰にでも分かるすっきりしたたとえ話で先生は語る。

人は労働市場で高く売れる商品になるために生まれて来たのじゃない。ただ「在る」ためにこの世に来たのだ。何のために「在る」のか、一生かけてそれぞれ考えればいいのだ。そして「在る」ことが終わったら消えてゆく。

同様に、子どもの「現在」は未来の価値のために在るのではなく、あくまで「現在」のためにある。立派な大人になるためにあるわけではないのだ。

渡辺さんのお話の先に、私の大好きな詩人まどみちおさんがいる。まどさんによれば、この世界にあるすべてのものは「あるがまま」存在し、「自分が自分であることの喜び」に満ちあふれているのだという。

うさぎ　　　　　　　　　　　　　まど　みちお

うさぎに　うまれて
うれしい　うさぎ
はねても
はねても
はねても
はねても
うさぎで　なくなりゃしない

うさぎに　うまれて
うれしい　うさぎ
とんでも
とんでも
とんでも
とんでも
くさはら　なくなりゃしない

このうさぎのように「人」と生まれた喜びにまみれ、あるがままの現在を生きたい。子ども達にも生きさせたい。

（『高知市立補導センター便り』より　2000年2月28日）

投稿のある暮らし

新聞に載った投稿文十本少々を、1枚か2枚のささやかな手製文集にまとめるようになって5年になる。一年分を正月休みに取り出して編集し、親しい人に配るのだ。固定客もついて、「今年はまだ出来てませんか。待ってます」と催促の声がかかると、産地直送の野菜を作っている農家の気分になる。年ごとの小さな愉しみだ。

いったいいつから投稿に手を染めたか、振り返ればずいぶんと昔のことだ。

高校1年のとき、自宅前の道路工事で砂ぼこりがもうもうと立つ耐え難さを、どこに訴えていいか分からぬまま、新聞の投稿欄に書き送ったところ、たちまち県の担当課から学校に連絡があり、帰りに県庁に寄ってほしいという。

こわごわ行ってみれば、その道路工事について何枚もの図面と、何年も先の計画まで示しての詳しい説明が得られた。情報公開という言葉などないころだ。高いと思っていた役所の壁を、一本のペンが軽々と越え、大の大人が十五、六の少女の訴えにきちんと応対してくれた。このすがすがしい初体験が私を楽天的書き手にしたのかもしれない。

同じころ、新聞社主催の映画感想文募集があった。私は最年少ながら三席に入り、1カ月分の小遣いに相当する賞金をもらうだけでなく、感想文が新聞に掲載される栄にも浴した。

翌日学校に行くと級友たちが「載っちょったね」と声をかけてくれた。その晴れがましさは、それまでの、特に取りえもなかった少女にとって、ちょっとした出来事だった。いま思えばこのとき私は「表現を通しての自己実現」という蜜(みつ)の味を知ったといえる。

蜜の味を知ってずっと投稿を続けたかといえば、さにあらず。高知を出て都会の大学に行き、一世を風靡(ふうび)した学園紛争に出会って世界観を揺さぶられたり、私生活でもさまざまな転変をくぐりぬけ、投稿を再開したのはそれから20年後、いまから9年ほど前のことである。

ある夕べ、勤め帰りのバスの中でびっくりするような体験をした。セットされたテープでなく地声で各停留所のアナウンスを丁寧にする運転手に出会った。乗客への優しさあふれるもてなし。この感激を他の人にも伝えたい、と投稿を思い立った。バス会社の担当者から社内の教材にした、と礼状が届き、嬉しかった。

それ以来、「こんなすてきなことがあったよ」と人に吹聴したいとき、投稿するようになった。「こんな残念なことがあった。何とかならないものか」という内容もないではないが、前者の方がだんぜん多い。その他、マスコミが取り上げにくいマイナーなことを知らせる伝言板としても活用する。昨年（１９９９年）の投稿の例でいえば「幸徳秋水」や「坂本昭」など、時間のなかで風化し、人々が忘れ去りそうなことをつづった。

投稿は小さな放送局でもある。そこから発信する情報を実にいろいろな人がキャッチしている。私自身も受信して教えられることが多い。マスコミによってもたらされる情報を補いただす力が投稿にはある。

それにしてもまぁなんと多彩な投稿欄であることよ。知識や経験の授受だけでない。悩み事相談、季節の便り。何十年か先の社会学者は新聞の投稿欄を読むことによって、この時代を知ることができるだろう。この欄は無名の市民の「万葉集」でもあるのだから。「一寸の虫にも五分の投稿」「人間は表現する葦（あし）」であるのだ。

90歳を越したいまも投稿を生きがいとして暮らしの中心にすえている土佐市のBさんいわく、「新聞に載った私の文章は図書館で永久に保存されるでしょう。私が死んで肉体が滅びても活字は後世まで私という人間を語り続けます」。

私はBさんほどの信念に基づいて投稿しているわけではない。ただ、書いてそれを人に読んでもらうのが好きなだけだ。表現することは、生きることを増幅することである。この増幅装置、いい塩梅（あんばい）にうれしいことを倍にし、辛いことを半分にする。だから、ひとたび表現することの味をしめた人間は、もうこれを手離せない。

そして投稿の場合、自分のささやかな文章が新聞という巨大な紙ヒコーキに載って、各戸に運ばれるだけでなく、いまやインターネットの網にのって世界中に行く。それに共感する人が便りをくれる。友だちがぐんぐんふえる。まったく、投稿とは「ここにいながら世界を拡げ、人生を十倍楽しむ」欲張りな方法でもある。

たった一つ、この方法に困ることがあるとしたら、「家が片付かない」ということである。「これを書かずば」というひらめきは突然やって来る。さっとつかまないと、すぐ立ち去って二度と再び姿を見せないから、それがやって来たら、時をあやまたず、皿洗いの途中でもペンをとる。家事をおろそかにする気持ちはさらさらないが、気がつけば散らかったままの部屋に、頭をかかえた私がいる。

（高知新聞「月曜随想」欄より　２０００年2月28日）

「おんぶ」で子育てしてみませんか

少し前、高知新聞「あけぼの」欄に「おんぶ」がすたれたことを残念だと書いておられた方があったが、私も同じことを思う。

子どもを背中にくくりつけるのはアジアのやり方らしく、ヨーロッパから来た宣教師が日本に来て当地の珍しい風習を本国に書き送った中にこれが出てくる。「われわれは赤ん坊を胸に抱くのに、こちらは逆で、背中に背負っている」と。だが最近は、おんぶされた赤ちゃんを見ることはめったになくなった。

3月28日付（2000年）の本紙「メロディーとともに」という記事の中に、若い母親が釜山港の市場で赤ちゃんを背負っている写真が出ていて、添えられた「母の背のぬくもり」という言葉にも惹きつけられ、見入ってしまった。写真記者は「ここには日本が置き忘れたものが何でもある」と書いている。人情も「おんぶ」も。

「おんぶ」は子育てに便利な方法だ。赤ちゃんを一人にしないで家事ができる。運搬方法としても安全で、冬は親子がぽかぽかと暖かい。赤ん坊もこのうえないスキンシップで安心するのか、すぐ気持ちよく寝入ってしまう。

未熟な若い親だった私は、都会での初めての子育ての勝手が分からず、子どもをしじゅう泣かせていた。毎日の銭湯通いにも、子は辺りをはばからぬ大声で泣いて親の身を縮ませた。しかし不思議だったのは、帰り支度をして「おぶいひも」で背負い上げたその瞬間、それまで火のついたように泣いていた赤ん坊がぴったり泣きやむことだった。まるで魔法にかかったように。

若いお母さん達も、アジアの子育てを試してみませんか。

（高知新聞「声ひろば」欄より　2000年4月2日）

おんぶで子育て共感どっさり

「おんぶで子育て」の投書になかなかの反響があり、あらためて「おんぶ」の力を思い知らされました。また、3月15日付の「あけぼの」欄には、私が見たのと同じ写真入りの記事を見ての胸の熱くなるような感想がつづられていました。その方は終戦時のことや、なくされた子どもさんのことをおんぶの写真記事で瞬時に思い出し、眠れなかったと書いています。なぜ「おんぶ」がこれほどに支持されるのでしょう。おんぶしている親子を見るとき、人々は自身のおんぶ体験をその映像に重ねてしまうからではないでしょうか。それは、おんぶにある比類ないイメージ喚起力がなせるわざなのでしょう。いただいたお便りを紹介してみます。「背の吾子の夢路灯せよ蛍籠」。すてきな句を披露してくださったのは高知市宝永町のYさん。子ども達はとっくに成人して孫もある方ですが、子育て時代を思い出して懐かしい句まで飛び出した、と。

土佐市のBさんは五人兄弟の長男で、弟をしょっちゅう背負わされ、背負い紐が肩に食い込むのがつらく、「早く日が暮れないか」と嘆いた少年時代の思い出を書き送ってくれました。しかし、いまではこのことがあったために下肢が強化され骨が丈夫になったと、おんぶのもう一つの効用を説いておられます。

九十を過ぎたいまも強健な人の感想には説得力があります。大方町のMさんは、子ども達を負ぶった「ねんねこ」を処分できずにいることを書いてくれました。「あれもこれも着物をつぶして縫った当時を思い浮かべて胸がいっぱいになります。肌のぬくもり、つながる愛情はおんぶすることにより、かけがえのないものになります。子どもに語ってやる日を楽しみにねんねこをとってあります」。昔を思い出させてくれてありがとうと、はがきは感謝で結ばれていました。そのほか、たくさんの方から「懐かしい」というお声をいただきました。

若い母だった自分が泣き叫ぶ長女をもてあましたとき、おんぶと同時に赤ん坊が泣きやんだときの驚きが、いまも鮮明に思い出されます。おんぶの魔法に魅せられたのは自分だけではないことを知ってうれしいことでした。

（高知新聞「声ひろば」欄より　2000年4月23日）

鉄道の旅

自動車専用道路がぐんぐん延び、日本国中どこへでも車で行けるようになった。車での移動の良いところは、一に出発の時間を選ばないこと。隣人が寝静まる真夜中だって構わない。二に、重たい荷物を自宅のドアから車に運び込んだら最後、あとは身軽に出歩けること。この自由は捨てがたい。

しかし、たまには鉄道の旅もいい。

まず、本が集中的に読める。本の世界に没頭している間に、はや目的地だ。日常生活にあっての何カ月分も、汽車の旅では読める。本を読む目が疲れたら、窓外に目と心を放てばよい。次々と通り過ぎる風景のパノラマがそこにある。何という贅沢だろう。何百年も前からそこにある山や川の懐を走る。

この間の大雪のあとの汽車の旅では、四国山地のあちこちにまだらに残る雪が風景に面白いアクセントを与えていて、絶景だった。

「人生とは一瞬の通過　鉄橋を渡る」

山頭火ふうな一句も浮かび、日常生活の垢(あか)が鉄道の振動に振り落とされる。

二十一世紀になってもたまには鉄道の旅がいい。ひとを緩ませ、かつ内省的にしてくれる。

（高知新聞「あけぼの」欄より　２００１年2月21日）

「さくら」たちに人間は負けた

4月7日付（2001年）の高知新聞夕刊に、桂浜水族館のスター鯨「さくら」の大きな写真と記事が出ていた。過日の新聞で「さくら」「ゴン」の二頭とも死んでしまったことを知ってがっかりしていたが、同日の夕刊にはコミカルな味付けながら、じんとくる詳報が出ている。飼育係の丸林友文さんの悔しさ、寂しさも行間からにじんでくる。

私は前に桂浜水族館の手作り説明文が、魚たちへの愛に満ちていることに感心してこの「声ひろば」欄にそのことを投稿したことがある。残念ながらそれは掲載にならなかったので原稿を桂浜水族館に送った。折り返し来た返事が、この夕刊の記事中にもある丸林さんの素晴らしい切り絵のはがきだった。魚たちを好きでたまらない人だと思った。

鯨に芸を仕込むのは、大変な手間と情熱がいる。いくら仕込んでも、ものにならない鯨もいるそうだが、「さくら」と「ゴン」は立派に芸をした。

私は生きものが芸をすると、そのけなげさが哀れで何だか泣きたくなるのだが、鯨たちは丸林さん達を喜ばせるために楽しく芸をしたのだろうと思う。頑張った「さくら」に負けまいと「ゴン」も芸に励んだ。

「さくら」の死を悲しんで「ゴン」の胃にストレス性の潰瘍（かいよう）ができ、「ゴン」もまた後を追って死んだという記事を読んだとき、「人間は負けた」と思った。いま、鯨の心に教えられる。

丸林さん、さくら達が心配します。一日も早く元気を出してくださいね。

（高知新聞「声ひろば」欄より　2001年4月11日）

蚊帳のあった懐かしい暮らし

7月14日付（2001年）高知新聞「声ひろば」欄に、蚊帳（かや）についての投稿があり、懐かしい気持ちで読んだ。

蚊帳を吊（つ）るすと、部屋のなかにもう一つの部屋ができた気分になり、子ども心にもわくわくする夏の光景だった。朝になって蚊帳の吊り手を外すと、一夜の空間はたちまち消滅する。子ども達は布団の上に広々と伸びた蚊帳を海に見立てて、布団海水浴とふざけた。

書家の篠田桃紅さんによると、関東大震災のとき、余震のため家の中では怖くて寝られなかったので、三晩ほど庭に蚊帳を吊ってそこで一家が寝たという。

また蚊帳といえば、吊り手のチャリンという音の響きが懐かしいが、高知県立文学館にも展示されている宿毛市出身の歌人・橋田東声にこんな歌がある。

男手にわがたたむ蚊帳の鐶（かん）のおと　畳にありてわれを泣かしむ

同じく文学館に展示コーナーを持つ妻の北見志保子に去られたかなしみを歌ったものだが、私には他の歌にも増して、主婦たる伴侶を失った男の慟哭と聞ける。

立方体である蚊帳の畳み方はけっこう難しく、吊り手を外す手順を誤ると収拾がつかなくなる。母の手際を朝ごとに感心して見たものだった。

家族みんなが一つ蚊帳で寝た、あの時代がたまらなく懐かしい。

（高知新聞「声ひろば」欄より　2001年7月21日）

みんなにあった蚊帳の思い出

過日、「蚊帳のあった懐かしい暮らし」を載せてもらったところ、たくさんのお便りを頂いた。昨年、「おんぶで子育てしてみませんか」のときの反響を想い出し、日本人が失った暮らしのかたちを改めて思う。寄せてもらった蚊帳についての思いを紹介しよう。

90年を超して生きて来られた土佐市のBさんは、吊り手の金具は真ちゅう製だったから、戦時中には「献納」させられた、と戦時の思い出をたぐり寄せる。また、皮肉屋でもあるBさんは、「今は下水道普及、農薬使用で蚊の姿は見かけにくくなった。今に蚊が絶滅危惧種として保護される日が来るかも」とユーモラスに便りを結んでいる。

高知市内のAさんは、子育て時代、やぶ蚊の襲来に音を上げ、蚊帳を吊ってその中で子ども達に食事をさせた思い出をつづってくれた。

いの町（伊野町）のYさんの思い出は幻想的だ。蚊帳の中にホタルを放って妹と追いかけたことを書いてくれた。そして続ける。

「親子五人でごろ寝の楽しかった思い出はあっても、不思議に五人も寝て、うっとうしかった記憶はありません」

移ろいやすい家族のかたちを束ねる魔法のテントが蚊帳だったのだろうか。

（高知新聞「声ひろば」欄より　2001年7月31日）

懐かしの映画館

私はどうやら映画運がいいらしい。

何年か前のこと、札幌の開拓記念村というところに初めて行った。ちょうどその日が村のイベント日に当たっていて、昭和８年（１９３３年）のサイレント映画を観ることができた。田中絹代主演「伊豆の踊り子」がそれで、なんと生演奏の楽士たちを率いる弁士までついていて、私を感激させた。

もう一回はつい先日のこと。中江兆民展を目あてに自由民権記念館に行ってみれば、龍馬祭りが企画する映画と出くわした。龍馬が出てくる映画ということで、美空ひばりの「女ざむらい只今参上」を上映中だった。これはよいところに来た、と途中からだったが十分楽しめた。いまから四十数年前の、昭和33年製作の松竹映画である。ストーリーの単純なチャンバラ映画であるが、さすが映画全盛期の作品だけあって撮影所の力量を感じさせる仕上がりとなっている。

シートに身を沈め、しばし映画の世界に浸るうち、身体は四十数年前にタイムスリップした。立ち見は当たり前の、観客であふれんばかりの映画館。二階席の最前列は畳敷きだった。売店からはスルメを焼くにおいが漂う。え？　ほんとにスルメを焼いたろうか。消防法はまだなかったのか？　突然頭は現実的になる。家に帰って母にスルメのことを聞いてみよう、と心は帰路を急ぐが、気がつけば、懐かしの映画館に私を連れて行ってくれた母はもうこの世にはいないのだった。

（高知新聞「あけぼの」欄より　２００１年11月25日）

アヒル捕獲大作戦…

「アヒラー」と自称する、アヒル好きな人達がいることを、私はついこないだまで知らずにいた。

4羽のアヒルが家の前の川に棲みついての、糞尿のにおいと早朝からのガアガア騒音に音を上げた娘が、いまは空き家になっている、亡き祖母宅に一時避難したのがこの7月。

娘宅は浦戸湾に面して建っている。対岸の弘化台の住人がアヒルにエサをやり続けていたようだが、4月に転居した。エサにあぶれた4羽は難民よろしく娘のところにやって来てエサをねだる。無視すると共食いせんばかりの狂暴さでケンカを始める。娘は見ていられなくて、エサをやるようになった。アヒルはだんだんそこに定住するようになった。

ところが梅雨時になると臭気と音による環境悪化で娘が家にいられなくなったというのがアヒル公害の顚末である。彼らがここに居る限りは娘は家に帰れないのだ。もはやアヒルのアの字も聞きたくないという被害者に代わって、対アヒル作戦を開始した。

まず、県や市に掛け合ったが、丁寧に断られた。行政がなんとかできる領分ではない、と。水族館・動物園に相談すると、幸い、桂浜水族館のMさんから、「捕まえて持ち込んだら飼ってもいい」という朗報をもらった。さすが「生きものの万華鏡」で生きものの側に立った文章を書く人だ。動物園からは、捕まえるやり方を伝授してもらったが、かなり難しそうだった。

考えの煮詰まった私に、ひらめいたことがあった。エサをやらなければいいんじゃないか。そうやって兵糧攻めにすれば、新天地を求めてどこかに転出してくれるのではないか、と。

言い忘れていたが、娘が避難した後もアヒルにエサをやってくれていた人がいた。娘のところに遊びにきていた友人のJちゃんとその母だった。勤め先が近くであることもあって朝夕にエサをやりに通ってくれていた。そのJちゃんに宣言した。「エサをしばらくやらないで様子をみてほしい」と。

後で聞くところによると、Jちゃんはこの申し出がよほどこたえたらしい。こっそり見に行くとエサ場のあたりでたたずんでいるアヒルがいて、胸がかきむしられるようだったという。そこでJちゃんは一計を案じた。

パソコン人間のJちゃんは、インターネットでアヒルのホームページを探し、そこの掲示板で窮状を訴えたらしい。エサをやらなかったらアヒルは立ち去るだろうか?という質問をすると、全国のアヒラーからたちまち応答があって、アヒルはカモのように移動できないので、早いとこ保護して水族館に連れてってあげた方がよろしい、というアドバイスを得た。

そうして、何日もしないうちに南国市に住むアヒラーが「捕まえてあげます」と名乗りをあげ、下見に来てくれた。ときをおかず、おとりのアヒル一羽を連れてやって来た母子アヒラーは、あれよあれよという間に難なく4羽を保護し、無事水族館に連れて行ってくれたのだった。お見事、という言葉では言い尽くせない感動があった。

私もそのネット掲示板を読むに至って、初めて知ったのだ。全国にアヒラーと呼ばれるアヒルを愛する人達がいて、一朝、アヒルに急あれば駆けつけて、困っているアヒルを救うボランティア活動をしていることを。

ぎすぎすした世の中に、生きものにこれほど心を寄せるアヒラー達がいることを知ったのは、この夏一番の収穫だった。

(高知新聞「所感雑感」欄より　2003年8月27日)

フットセラピー

ちょうど5年前のいまごろだ。母は術後の命を病院で養っていた。本人に病名は知らされてなかったが、発見の遅れた胆管がんだった。

すでに手術から一月が経過していたが、病状は日ごとに悪くなり、仕事帰りに寄る私の足どりも重かった。熱が高く、苦しそうに眉根(みけん)にしわを寄せ、目を閉じ、やっと息をしている様子で、会話も目を見交わすこともどんどん少なくなっていった。

そんなとき、ひょいと思いついたのが、母の足を洗うことだった。バケツにお湯をくんできて、ガーゼのハンカチを湯の中で泳がせ、指の間まできれいにする。最初のときは垢がびっくりするほど落ちた。母は「もう、何年分もきれいになった気がする」と、このときは、眉(まゆ)の間のしわも伸ばし、ほほ笑んだ。しばらくぶりに見る母のほほ笑みだった。

やがてもっと状態が悪くなって集中治療室に入れられるまで、親子の足浴コミュニケーションは続いた。母は秋を待たずに亡くなったが、足に触れながらの言葉のない会話がギリギリまで出来た。

かるぽーとで「福祉機器展」という催しをやっていた今年、「フットセラピー」のコーナーを見つけた。恐る恐る靴下を脱いでセラピストの前に裸の足を出して横たわると、温かいおしぼりが足の上に置かれ、そうっと足がぬぐわれた。そのとき不覚にも泣きそうになった。心におしぼりが置かれ、丁寧に温められ、清められた気がしたのだ。

こうしてフットセラピーに魅せられ、いま私はそのわざを習得している。足を通して何かが伝わる不思議に驚きながら。

（高知新聞「あけぼの」欄より　２００５年８月31日）

映画「はりまや橋」を観て

観た人が「よかった」という映画は一度観てみたい。やじ馬根性で一日観に行ってみた。ストーリーに唐突さが否めなく、創りが生硬ではあるが、それを忘れさせる初々しい映像に魅せられた。ちょうど去年のいまごろ撮影はされたようだが、土佐の自然の美しさ、そこに住む人の暮らしのいとしさを映像によって語らしめていて、そこを故郷とする自分たちにまず軽いショックを与える。「こんないいところに住んでいるんだ」と。青梅雨という季語にぴったりの初夏の土佐。ホトトギスが鳴きやまず、棚田の緑が美しい。

産業が振るわず、経済はジリ貧で、人口も先細りで過疎で…という悲しい県の現実を、たった1年ここに住んだ外国語指導助手（ＡＬＴ）のアメリカ青年がひっくり返してみせた。高知が好きというだけでは映画を創るという大事業は果たせなかったろう。

この監督の想いをしっかり受け止めずにわたし達は何を受け止めよう。

（高知新聞「声ひろば」欄より　２００７年6月29日）

楽しい「市民の大学」

中央公民館の高知市民の大学第六十四期が10月7日から始まった。火曜コースは「高知の生んだ偉大な科学者――寺田寅彦と牧野富太郎――」である。第一回目は「寅彦の生涯」と題する内容だったが、実に面白かった。

身の回りの出来事に好奇心を持ち、そのことがどのような理（ことわり）によって成り立っているか、寅彦はいつも観察し、実験し、思惟（しい）した。その論文の先駆性は、船便で論文が送られる時代でなければノーベル賞を間違いなく受賞していたとのことであった。

いまひとつ寅彦を親しく感じたのは、その叔父は龍馬とかかわりを持つ江戸時代の人でありながら、没年がわが母の幼年時代であるという意外性だ。古い時代と新しい時代を生きた寅彦の奥行き。

うすうす知っていた寅彦の魅力が、科学者でもある講師の話でさらにつまびらかにされた。あっという間に1時間半が過ぎた。資格を取るためでも、単位を取るためでもない学び――この自由な学びの喜びを何にたとえよう。「老いて学べば死して朽ちず」ともいうではないか。人として生きるための糧食たる学びをいくつになっても手離せない。

（高知新聞「声ひろば」欄より　２００８年10月11日）

熱気感じた各講座

「これほど若い人が高知のどこにいたのだろう」というほど若い人が受講生に目立った。エンジン01文化戦略会議・オープンカレッジin高知での光景である。

市民の大学や夏季大学などには高齢者が多いのだが、この講座では老若男女とりどり見かけた。オープニングシンポジウム「人生を明るくする方法」は特に若い人が多く、冒頭の感想となったのだが、これは「よさこい鳴子踊り」のときと同じ感想である。そう、オープンカレッジ全体が知の祭りだった。熱気がむんむんし、途中からクーラーの入る教室も珍しくなかった。

「鬼龍院花子に学ぶ高知任侠自慢」では山本一力さんのリードがうまく、それぞれの話者をうまくブレンドして楽しく濃い時間が持てたが、なかんずくゲストの安部譲二さんから引き出した話は圧巻だった。間の取り方が絶妙な安部さんの語りを、一同は一言も聞きもらすまいと心を一つにした。ときには大爆笑もあった。話し手と聞き手が一座となった。

神無月（旧暦10月）というのは出雲へ神々が集まり、各地で神が不在になる月ともされるが、これだけの著名人が高知に来ては、東京がカラにならないか、心配したほどだ。本企画に感謝。（高知新聞「声ひろば」欄より　２００９年12月2日）

オバマさんからのお菓子

仲良しが集まって忘年会をしようということになり、師走の土曜日、昼食をともにした。

宿を提供してくれたヒロミさんが、食後のお茶を出しながら、「オバマさんからお菓子が届いていますから、後でいただきましょうね」と、努めて平静を装った口調で言ったので、「ええっ」と一同色めき立った。何事も我慢のできないわたしはヒロミさんをせかして、お菓子を即刻テーブルに持ってきてもらった。

なんと、それは福井県の小浜市から来たオバマまんじゅう、愛称「おばまん」だったのだ！

この珍客にみんな笑い転げた。「おばまん」にはオバマ大統領の前から見た顔と後ろからの頭とが浮かび上がっていて、特に哀愁がにじんでいる後ろ姿には思わず「頑張ってね」と声を掛けたくなるほど特徴がとらえられている。

核のない世界を、世界に向けて訴えたオバマさん「イエス・ウィー・キャン（わたし達はできる）」と世界の民が同調する日がきっと来ると信じる。

（高知新聞「あけぼの」欄より　２００９年12月20日）

「おしん」に学ぶ

このあいだの夜、ＮＨＫ「ラジオ深夜便」でスリランカ出身の「にしゃんた」さんが話していた。流暢な日本語で、日本に来てからの26年を語っていた。日本に来たのは「おしん」のドラマに感銘を受け、「おしん」を探しに来たのだという。にしゃんたさんは43歳。「おしん」のドラマが放映されたのは彼の少年時代であろう。東南アジアで「おしん」の人気が絶大であったことは知っていた。数年前タイに行った時、タイ人の女性ガイドの日本語が素晴らしかったので、どうして日本語を学ぶようになったかと尋ねると、返ってきた答えは「おしん」だった。彼女をして大学の日本語学科に進ませたのも「おしん」だった。

にしゃんたさんは、いまの日本にもう「おしん」がいないことを残念がっていた。「おしん」の、逆境をはねのけて自立していく過程は、いままたＢＳで再放送されている。

アジアの人々に、日本という国を強く印象づけた「おしん」に最も学ぶべきは、いまの日本人なのかもしれないと、にしゃんたさんの話を聞きながら思った。

（高知新聞「声ひろば」欄より　２０１３年６月17日）

ジオラマの「昭和展」

ＮＨＫの朝の連続ドラマ「梅ちゃん先生」のオープニングで、〝むかし風景〟を立体的に表現するジオラマという世界を知った。

先ごろ、高知県立美術館で、その作者の山本高樹（たかき）さんの作品展「昭和幻風景ジオラマ展」が開かれた。すべて彼一人で作った、懐かしい「昭和」がそこにあった。

１９６４年、東京オリンピックの年に生まれた作者の実体験した世界ではない。いわば、彼の感性が寄せ集めた「昭和の風景」なのだ。

どの作品も心惹（ひ）かれるものばかりだが、私が最も心惹かれたのは「明神湯」という銭湯だ。客もいれば、釜焚きの従業員もいる。男湯、女湯、富士山の描かれた壁。見ていると、湯桶の「カラン、カラン」という音さえ聞こえてきそうだ。

建物の設計図も展示されていたが、建築の基礎を知っていないと、まず建物が作れない。そして、人物の服装から履き物、植栽まで、ありとあらゆるものを一人で手作りする。気が遠くなるような世界だ。

昭和を愛惜する気持ちがないと、ここまではやれない。しかし、作者は楽しみながら、それをやっている。作者が「大好きだ」という永井荷風がこうもり傘を携えて、いろんな場面に登場しているのを見ると、思わずほほ笑みがこぼれる。

（高知新聞「声ひろば」欄より　２０１４年５月11日）

映画「0.5ミリ」を観て

城西公園野外ステージで映画が観られるという。硬い座席を予想し、座布団持参で出かけたが、古い映画館の座席をそのまま使っているとかで、座りごこちは満点。３時間を超える上映を支えてくれた。

中身については、一言で言いにくい。とにかく長い。次々と高齢者が出てきて、さてどこまで行くんだろう、と不安になった最後に、あっというどんでん返しが起きる。

高知の町のなかでも、レトロな雰囲気の場がロケ地に選ばれていて、よくこんな所を探し当てたことと感心させられる。それだけでも高知の住民は楽しめる。

私は２日目に行ったのだが、帰りに出口のところで、観客一人ひとりに挨拶している人を見てびっくり。安藤桃子監督の母、安藤和津さんだったのだ。さらに、会場近くには小さなマルシェが作られていて、なんとそこには桃子監督の父親でエグゼクティブプロデューサーを務めた奥田瑛二さん、加えて桃子監督自身もいた。主演女優は監督の妹だし、一家のこの作への打ちこみようを知った。

映画そのものへの愛や、映画を通じての「町おこし」の思いもあると聞く。我々もこれに応えて、一人でも多く足を運びたい。

（高知新聞「声ひろば」欄より　２０１４年11月３日）

日曜喫茶室

ＮＨＫラジオで39年間続いている「日曜喫茶室」のマスター、はかま満緒さんが急逝した。

自宅で倒れているのを発見されたのだが、直前まで元気だったという。その証拠に、死の前日、最後の放送となる「日曜喫茶室」の録音取りを行なっている。本放送は亡くなられてから12日後にあったので、私たちリスナーは訃報を知ったのちに元気なマスターの最後の声を聞くことになった。

そう思って聞くと、さすがに声は不安定で、体が万全でなかったことがわかるが、マスターぶりはいつもと同様、なめらかで人をそらさない。

私はこの番組の古くからのファンで、家にいない時はタイマー録音して、ずっと聞いてきた。マスターとウエイトレスのいる喫茶室に数人の常連さんがいて、そこに毎回二人のお客さんが来てよもやまの話をするという設定の1時間45分があっという間に過ぎる。人と人が炉ばたで座談するような、あたたかみがあった。お客さんの中では小沢昭一が秀逸であった。戦前から戦後、そして高度成長を経た世の移り変わりを例の話術で聞かせて飽きさせなかった。

せわしない時代にあってゆったりとした時間の流れる稀有（けう）な喫茶室。長年勤めてくれたマスターにありがとうを言いたい。


（高知新聞「あけぼの」欄より　２０１６年3月17日）

多数の龍馬育てた高知工科大学の10年

高知工科大が開学十周年となったことを記念する報告会があり、学生が報告するプログラムに興をそそられ出かけてみた。実は一昨年、二女が入学した入学式の学生の発表も先生の発表も実に面白かったので、裏切られることはないという期待もあった。

果たして、裏切られるどころか、感動の連鎖であった。感動の一つは高知県民になじみの高校の卒業生たちが発表者であることで、進学校でもない普通の高校から来た普通の高校生たちが工科大に入って夢を紡ぎ、人に出会って成長していくそのドラマにあった。

実は私の二女も長い不登校の時間を経て26歳で工科大に入学したのだった。若い同級生に交じって充実したキャンパスライフを過ごしているし、去年の秋にはタイの姉妹校に留学することで世界はさらに広がった。

「こんな自分でも、こんなことがやれ、人の役に立った」「ひたむきに進んだら、必ず道は開ける」

前に司馬遼太郎さんが講演に来高したとき、「高知県は学力の偏差値が低い。だからこそ龍馬を輩出した」とズバリ言ったことを彼らの発表を聞きながら思った。たくさんの龍馬たちを育ててくれた工科大の10年に感謝する。

(高知新聞「声ひろば」欄より　2017年1月21日)

感動「オペラ　よさこい節」

文化庁などが主催の日本オペラ協会公演、オペラ「よさこい節」を3月11日、オレンジホールで観た。

とくにオペラが好きというわけではないが、原作者の故土佐文雄氏が、高知文学学校での授業の中で、自作がオペラになったことをさも嬉しそうに話していたことが思い出され、ぜひ一度見てみたいと思っていたのである。１９９１年に高知での初演があったそうなので、今回は実に25年ぶりの再演であった。

感想を言えば、予想をはるかに超えた舞台だった。感動を極め、心からの拍手を送った。

舞台が丁寧に作られており、はるかにそびえ立つ竹林がもう一つの主人公であった。衣装も暗い時代を表しながらも斬新、見る者を物語の世界に引きこむ。

音楽こそオペラの魅力だが、さすがに鍛え込まれた出演者たちは一様に感動的な声量と技量で、ああこれがオペラだと教えてくれた。地元の合唱団も見事に支えた。

台詞がすべて土佐弁であったことと、指揮者の女性が指揮台から落ちんばかりに激しく動きながら、熱く指揮する姿もまた見事だった。関係者に感動のお礼を言いたい。

（高知新聞「声ひろば」欄より　２０１７年3月25日）

キュー植物園展楽しみ

牧野植物園の開館60周年を記念して、英国キュー王立植物園収蔵画展が本日から開かれる。5月25日の高知新聞紙上に、送られてきた梱包（こんぽう）をほどくために同園の職員がはるばるやって来たことが報じられていた。

去る22日高知新聞夕刊には、キュー公認画家の山中麻須美さんが描いた、東日本大震災でたった一本生き残った「奇跡の一本松」のことが出ていた。いまはレプリカとなって復元されているこの一本松を、山中さんは生きている姿として描きたいと、同種の山の松を見て触って色味や質感などを確認して描いたという。

私は半年ほど前、ＮＨＫの「ラジオ深夜便」で山中さんの話を聴き、いたく感銘した。山中さん自身ステージの進んだ乳がん患者だったことがあり、それまでデザイナーとして華々しく仕事をしていた半生を省み、植物画家に転身、ボランティアとしてキューに入り込み、いまは公認画家となったのであった。その心は、「植物から生きる力をもらった」からだという。

世界遺産でもあるキューの収蔵品を見ることも、心浮きたつ楽しみであるが、山中さんの一本松をまず見たいと心は急ぐのである。

（高知新聞「声ひろば」欄より　２０１８年6月2日）

焼かれた本に悲鳴

古書店主でもあった、詩人の故片岡千歳さんは紙のリサイクル原料屋さんと仲良しで、紙になってしまう直前の本や雑誌を救っていた。「古本屋は文化財として残すに値する書物とそうでないものをふるいにかけていく役目を担っている」と自負していた。

あるとき旧家の倉を壊しに行った知人が、燃やされる運命にあった本を段ボールに入れてもらってきた。その中に、表紙もなく背文字も読めない薄い本があって、パラパラとめくったら「秋水」の文字が見えた。千歳さんの古本屋魂が動き、拾い上げて困難な補修を施した。

それを見つけて買って行ったのが先月亡くなった詩人の猪野睦さん。ちょうど持ってなかったシリーズを見つけたと喜んだという。「本が彼を選んだとしか思えない」と千歳さんは書いている（『古本屋タンポポのあけくれ』）。

そうなのだ。本と人はそのような関係なのだ。

私たちは図書館に対して素朴な信頼を寄せている。利用頻度の少ない古い本とも、そこへ行けば出合える知の蔵だ。押し寄せる膨大な量の情報処理は、一方でなされなければならないが、この度の本への仕打ち（※２０１８年8月、高知県立大学では新図書館の開設を機に蔵書3万8千冊が焼却処分された）には千歳さんならずとも悲鳴をあげる。

（高知新聞「声ひろば」欄より　２０１８年9月1日）

雲の上の図書館

数年前、退職を待ちかねて、友人と二人で一ヵ月のカナダ旅行をしたことがあった。

友人は図書館司書で、どこの土地に行ってもまず図書館を探して立ち寄る。目安にしたのは、彼女が愛読する上橋菜穂子の本があるかどうかだったが、なるほど国際アンデルセン賞受賞作家だけあって、もれなく所蔵されていた。同行者のおかげで「図書館」という切り口でカナダの土地土地を見ることができた。どの館も旅人を裏切らない、素晴らしさで迎えてくれ、カナダと図書館がますます好きになった。

さて、梼原町の「ゆすはら雲の上の図書館」には特別な思いがあった。

去年の8月、旅先の一夜の病で急逝した友の膨大な蔵書が、不思議なめぐり合わせを経て行きついた先がそこだったからである。折しも、高知県立大学の焚書事件などもあり、こんな時代に友の本たちが終の棲み家を梼原に得たことは、この上ない幸運だと思われた。

きっかけを作ったのは、友の高校の後輩U氏。彼に話を聞くと、まるで本が自ら行き場所を選んだとしか思えない、奇跡的な出会いがあったという。それは、「縁」としか呼べない、人と人、人と本を繋ぐ糸であった。

初めて行った雲の上の図書館。隈研吾氏が棚田をイメージして作ったという、ゆるやかで広々とした階段のあちこちに書架が置かれている。設置のコンセプト「森の中の丸ごと図書館」そのままだ。

「棟札」には、この地から脱藩した龍馬はじめ幕末の志士たちのことにも触れられており、「多くの方々に愛され、世の中を照らし続ける存在になってほしい」と結ばれていた。

さすが、重度の障がいを負いながらも施設長として生き生き活躍している上田真弓さんの故郷だけあるな、と思い思い帰ったことだった。

（未発表　2019年）

「高知短大」回想記

この2月で閉学となった高知短大に寄せた六十余人の回想記を読んだ。

この短大は昭和28（1953）年に開学している。当時の高知女子大学が開いた夜間公開講座を受講した学生たちによって、自主的に夜間の短大をつくろうという運動になり、誕生したのだという。

文章を寄せたのは主に初期の学生や教員であるが、どの文章を読んでも短大での日々がいかに自分にとって必要で、自分の今日をつくってくれたかが、具体的に語られている。

「学ぶとは心に誠実を刻むこと、教えるとは共に希望を語ること」ルイ・アラゴンのこの言葉を引用してその頃の教室の空気を語るのは一人だけではない。

いまの大学がともすれば資格を取るための場になりがちであるとき、この短大を経てきた人々が積んだ「宝」はすごいと思う。

どんな泥棒もこの宝は盗めない。学生同士、学生と教員が、この文集の言葉を借りると「日に日に新しい自分になっていく」場だったからだ。

年齢を問わない。学びたい人が学びたい時に学べる「学び直し」の場が失われたことは、残念という一言では尽くせない。

（高知新聞「声ひろば」欄より　2020年3月6日）

堺事件と西立石の人々

まだ新型コロナウイルスが高知にまで到達していなかった2月2日。南国市西立石の小さな公民館で、幕末に起きた堺事件の学習会が持たれた。公民館とはいうものの、元はキャベツの共同出荷場であった所で、住民が積立金を出して集会場にしたという、駐車場2台付きの小さな館である。日頃は高齢者が健康体操などを行なっているという。

学習会とは、地元出身で、堺事件で非業の死を遂げた西村佐平次について学ぼうというものであった。土佐史談会会長の宅間一之先生のお話とあって、遠方からも人々が聴きに駆けつけたので、いまなら「三密」としてご法度になるところだ。

2月の会のことをなぜいま投稿するかというと、このたび出た南国史談会の第43号会報に、史談会員であり地元民でもあり、このたびの学習会を企画した前田桂子さんが詳細な報告をしているのを読んだからだ。前田さんは堺での一五〇年記念式典にまで足を運び、堺での様子（過去から現在まで）を伝えてくれている。

昭和45（1970）年に事件の百年を顕彰する碑を地元西立石と南国市で建てている。しかしこの碑の意味を知らない住民がふえ、このたびの学習会となった。これで孫たちにも伝えられる、と会の参加者はアンケートに書いている。

私たち高知県民も、森鴎外や大岡昇平も書いたこの事件のことをもっと学びたい。

（高知新聞「声ひろば」欄より　2020年5月11日）

古い映画と心のよみがえり

アルツハイマーの進行を遅らせる薬が生まれたとニュースで大きく採り上げられている。

私はもう一つの薬を知っている。それは古い映画を見ることである。しかも、良質なそれを。

錆びようとする脳を活性化させる方法の一つに、「回想法」というものがある。昔のことを思い出し、その中にいっとき心身を解き放つというものである。

高知新聞「声ひろば」欄でもいつもいい映画を紹介してくれる堀内恭さんの熱いお誘いに乗って、あたご劇場に「トキワ荘の青春」を観に行った。バックに流れる霧島昇のゆるい歌声「胸の振子(ふりこ)」を聴くだけで、もうやられた。昭和30年代の、あの時空に心を持っていかれたのである。

「トキワ荘」というのは、手塚治虫、石ノ森章太郎、藤子不二雄、赤塚不二夫らその後の日本の漫画界で活躍していく漫画家の卵が集まった、東京都豊島区にある四畳半のアパートである。もちろん、いまはない。出版社もまだ脆弱で、漫画家を目指す青年たちも貧しい。

市川監督は「一瞬埋もれてしまいそうな小さなことにこだわる」創り手というが、まこと、実にリアルにあの時代を再現している。私の脳は、あの時代に完全に乗っ取られた。「回想法」が功を奏したのだ。

なんだか泣きたくなった。ほんのこの間まで私たちは皆こんなに貧しかったのだ、と。何を得て、何を失って、いまがあるのだろうと、子どものように泣きたくなった。


(高知新聞「声ひろば」欄より　2021年7月5日)

娘の母校

名前の由来から始まって、高知北高についての記事が最近の本紙に何度か出た。その度に、娘の母校なので関心を持って読んできた。

17日の田元由美さんの投稿「母の母校」は、中でも感慨深く読ませてもらった。お母さんが授業を受けている間、兄妹が映画を見に行き、学校へ兄妹が帰り着くまで気もそぞろだったお母さんのお姿が目に浮かぶ。

田元さんの投稿にならえば、私には「娘の母校」となる。次女は中学2年の14歳から7年間不登校だった。北高の夜間部定時制に通い始めたのは21歳のとき。若い同級生に交じってうまく通い続けられるか心配したが、担任の先生、クラブの美術部の先生のおかげもあって、順調に学校生活を全うできた。

入学式の日の思い出がある。夕刻学校に行って校舎の間に車を駐めた。車を降りた所に小さな庭があって、そこで一心に苗を植えている男性がいた。久々に娘が学校に通い出したうきうきした気分が私の口を軽くし、思わず男性に声をかけた。

「何を植えているんですか」「ケナフです。私は用務員で、この春着任したのですが、課題を抱えた生徒さんもいると聞いていたのに、緑がなくてびっくりしたのです。緑を増やします」。

この用務員さんをはじめ、生徒を温かく見守る学校スタッフのおかげで娘は無事卒業。希望の大学に行き、社会人となった。

後に分かったことだが、ケナフは極めて成長の速い植物だとか。学校の緑化に大いに貢献してくれただろう。

（高知新聞「声ひろば」欄より　2022年7月3日）

第四章　心に残る人々

すあるきの本――小林一平『七つの子』を読んで

「すあるき」とはロシア語ではない。小林一平の『七つの子』という本の印象を言葉の海に訪ねたとき、網にかかったのがこれである。果たしてそんな日本語があるかどうか、漢字で書けば「素歩き」となるが、この本から受ける、あえて乗り物に乗ることをせず飄々とひとり歩きする、とぼけた印象はひらがなの方がふさわしい。

小林一平の語り口は終始地味で、意表をついたり奇をてらったりして人の目を集める派手さはない。後者を走る人や踊る人になぞらえば、小林一平とはあくまで歩く人なのだろう。自分のペースを崩さず歩き続ける歩行者である。その足元を見れば運動靴とか下駄とかが多いだろう。時代にさからっているのではない。その方が歩きよいし、第一体にいい。ただし当節のようにどこもここもコンクリートやアスファルトで覆(おお)いをされてしまった日には、下駄は脳味噌や関節に響きすぎてかなわない。それならいっそ履物に合わせて道をつくったらどうだろう。歩きながら小林一平がそんなことを考えたかどうか筆者は知らない。しかし、今回の彼の本は、少なくとも彼の歩行の呼吸に合わせて作られた本だと思うのである。

まっ白な洋紙のページに活字が整然と前へならえしている書物に慣らされた目にはセピア色の藁半紙に作者手書きのガリ版刷りは必ずしも読み易いものではない。この人独特の、むしろ毛筆向きの文字は処々(ところどころ)かすれていたり遠慮がちに隣の文字の領域を侵したりで、文字の一つ一つが大小さまざまな小石とも見える。本を読むとはこの石ころ道を裸足で歩くことである。決して見かけほど愉快な本ではない。読み手もてくてく歩かざるを得ない。乗り物好きな人にはしんどい道行きであろう。しかしそうやって一歩一歩足を運んでゆくうち、私たちは作者が途方もない根気で一つづつ積んで道をつくっていった、その小石が足の裏にあたる痛さを通して何かを感じさせられる。

野暮を嫌う作者は、あえてガリ版刷りにした意図を問われて「金がないからです」と粋な一笑で答えていたが、それは嘘ではないにしろ、答の全部でもないだろう。作者は自分の歩幅、歩みのリズムにうんと近付きたかったにちがいない。そのことに少しばかり頑固になってみた結果がこの本でもある。

読み手にとってなまなかでない道中のところどころでほてった足をひたすべく用意されている泉が織田信生の版画である。これも小林の歩行がひとりでに呼び寄せた、あるいは必然的にかぎつけた素材であるといっていいほど、自然に寄り添っている。実像の特徴をデフォルメしつつ正確に浮かび上らせ、光線のぐあいでは実像へのつっかい棒とも見える、あの影帽子を連想させるものがある。

おしまいに、作品の内容だが、それぞれ彩りがちがっており「七つの子」としてまとめるにはやや統一性に欠けると思われた。著書覚書を読めば、それぞれが未完の別の連作中の一篇であるという説明がなされていて、なるほどと納得がいく。と同時に、ならばとその連作を見ていけば、筆者の知るだけでも、母へのレクイエムものや、作者の語学力と語り口を生かした独特の翻訳（舞台をカルフォルニアから土佐へ移したりする）などがあって、いまさらながらこの人の才の間口の広さに驚く。これら未完の連作の一日も早い完成を期待してやまぬ、と結びたいところだけれども、車に乗らぬ根っからの歩行者、何が悲しゅうて急がんならんという気もする。「すあるき」を多いに楽しみ、そのリズムの中でしか生まれない作品を頑固に書き続けていってほしい。

（季刊「手巾」9号より　1980年2月号）

物語の素晴らしさをありがとう——藤田加代著『「にほふ」と「かをる」』を読んで——

『「にほふ」と「かをる」』の作者である藤田加代さんのことを、未知の方にどんな風にお話すればいいのだろうか。私にとって加代さんとは、半身を人魚のように物語の中に住まわせている、魅惑と謎にみちた憧れの女人である。

まずそのお宅に伺えば、東山千栄子の柔和な風格と気品にいま少しの美貌を足した、見るからに家庭的な母上と、笠智衆の気骨ある威厳を幾分西欧風にした恰幅のいい紳士である父上と、その御両親に敬語を使って話す加代さんがいて、これはいずれも我が生活圏では全く見られない舞台立てであり、いつも加代さんのお宅に伺って玄関を開ける度に物語の中にめくれこむスリルを私は感じるのだ。

父上の外出用の帽子の掛かった、玄関にある古風なスタンド式の帽子掛けなども何やら物語めいて興をそそるが、さらに、私を見送るべく、豊かな身長の加代さんがきれいな素足に父上の男ものの大きな下駄を無雑作につっかけて出てくるところなど、もうこれはまぎれもない往年の原節子であるという按配で、加代さんとは、私にとって、小津安二郎の世界に現役で住まっている人である。

その加代さんが源氏物語の研究家であるという——これまたいまひとつの物語の世界の住人であるということだが——ことはうすうす知っていた。ある日曜日に、たまたま彼女の家に電話をすることがあって、わかったのである。現在この人は保育短大で教えているが、私が初めて彼女を知った五年ほど前は西高の国語の先生で、中でも忙しい進学指導室に机を持ち、山のような雑務から逃げようともせず悪戦苦斗する戦士のように見えた。そんな中、前述したごとく日曜日にお宅に電話を入れると、「研究会に行っております」という母上の意外なお返事。これが他ならぬ源氏物語の研究会であろうことは察しがついたが、それにしても、正規の授業の他に補習やら模試の採点やらに忙殺される彼女の週日を知っているだけに、あいた口がふさがらなかった。たとえば私なら、翌週のためにも自分にたっぷりした休息を与えることを第一義にする休日を、こともあろうにその名称を聞くだけでもくたびれる研究会とは。ここに来て初めて、彼女の源氏への打ち込みようが、通りいっぺんのものではないことを思い知らされたのであった。

　加代さんは、このように、忙しい日々の合間を縫って、実に根気よく源氏物語研究という偉業を続けていったのであった。彼女が、卒業後助手になるなどという、いわゆる大学に残る形で、つまりプロフェッショナルな学究として研究を続けていったのであったなら、私はこれほど彼女の意志の強さ、その並はずれた勤勉を強調しなくてもいいだろうが、この人のこれまでの研究のほとんどが高校教師という多忙な日々の傍らにあったことに瞠目するのだ。加うるに、今回知ったその仕事が極めた高さはその精進ぶりの内容を雄弁に語っていて、改めて私は敬服せざるを得なかった。


　さて、前置きが長くなったが、ここいらで本の内容に入ってゆくとしよう。

　この書物は、いわゆる「専門書」なのであろう。しかしそれらのパターンである「○○論」的な四角張ったタイトルを捨てて『「にほふ」と「かをる」』としたのは、さすが加代さんのすっきりした美意識がなした、あっぱれな選択である。これは専門外の読者の食欲をもそそる柔軟な題名であって、二つの語のダイナミズムは、ちょうど沖から来る波のように、波打際の読者をいつの間にか作品世界にさらってしまう。

　以下この書物を一読しての私見を記すつもりであるが、予めお断りしておくと、筆者には源氏物語に関する専門的な知識は皆無である。高校の古典の授業で、ほんのその香りだけかいだこと、五、六年前円地文子の現代語訳で全巻を初めて通読したこと、以上が我が源氏物語体験のすべてである。従って、本来私ごとき素人がこのように高度に専門的な書物を喋々する任にはないのだが、幸いにも加代さんの学問の広さと深さが、いわば万人を許容する普遍性を獲得していて、私のような門外漢もまた源氏物語の底の方まで降りてゆく僥倖に浴せたのである。そのことを私なりに語ってみたいとペンを執ったのであった。

　加代さんの著作を読む以前にも、私にとって源氏はやはり「物語中の物語」であった。かの物語は通俗に堕すギリギリの線のやみくもな面白さで読者を引きつけておいて、気がつけば果てのない無常観という高級な世界観の淵にまで読み手を追いこんでいる。これは油断ならない物語だ、というのが私の印象であった。この物語が、表面軟かそうに見えても、ある意味で近代小説を凌駕する小説作法を骨組として持っていることが油断ならなさの内容らしい、ということがぼんやりとは感じられた。しかし私はそれ以上考えることをせず、そこで箸を置いたのであった。思えば、この物語の最も滋味に富んだ部分を食べそこなっていたのであった。ここに登場したのが加代さんという名コックで、彼女は食べづらい部分を理知のナイフとフォークで細かくさばき、新たに供し直してくれたのであった。

たとえば、宇治十帖が紫式部以外の者の手になるなどという俗説を半ば信じるほどの迂闊な読者で私はあったのだが、加代さんの立証によって、宇治の物語は作者の人物造型のモティーフがさらに深化し具体化したものだということを思い知らされたのである。それを行なうに加代さんは、「にほふ」と「かをる」という二語をキーワードとして手に入れ、まさしく物語のあかずの間の鍵をあけたのであった。

「にほふ」「かをる」という語を、この無数の言葉によって織られた織物である物語の地の中に拾い、この物語に先行する書物を訪ね研究し、従来の曖昧な「にほふ」と「かをる」を排して新たに定義を与え、そうして改めて源氏に戻って来て「にほふ」と「かをる」に注目して物語を読むと、そこにはっきりと作者の人物造型の意図が浮かび上がるのであった。「そして、平安朝貴族たちが通過する末法の世に、その時代精神を呼吸して生きる二つの人間像を、仮に比喩的に命名するとすれば、それは確かに『にほふ』と『かをる』以外には考えられないと思うのである。それは『ひかり』『かかやく』壮麗な存在の生存をもはや許さなくなった末法の世の、美しいが矮小化された二つの典型であり、個性的な二つの生存の姿でもあったのである」。

同様に宇治の姉妹に関しても、「にほふ」と「かをる」を縦糸にして物語全体を概観しながら、登場人物群のどの系譜に彼女らが位置していて、その造型がどう深められ何を継承されているか、こまやかに考察される。

書くと簡単に聞こえるが、これはたいへん根気のいる、なまなかでない作業によって一つ一つが仮説され実証されてゆくわけで、例えていえば山に対しスコップ一つの非力な姿で向かいあうというほどのはかのいかない孤独な仕事でもある。

思い思いするのだが、もしこれが初めから学者的な野心によって構想され取り組まれていたとしたら、果たして我々はこの研究を今日見ることができたろうか。彼女のこの、超人的という言葉が決して大げさではない根気よさは、ただ単に「虚心に源氏を読む」といった無私なところから出ているのではないか、それが難儀を難儀でなくし、故にこの研究が今日途中で投げ出されることなくここにあるのではないかと私は独断する。

高知女子大の国文に進んで初めて専門的にそれを読んだとき、聡明な彼女には従来の学説の未熟さや誤りが見てとれ、「私ならこう読むのになあ」と、モジリアニ描くところの女人に似たあの長い首をかしげていぶかったにちがいない。そのとき山崎博士という源氏物語研究の第一人者が傍らにいたことが、彼女の研究を本格的なものにした。有能な師のもとで、知的な人がコツコツと虚心に源氏を読んだ—そんなさりげなさこそ、この研究を支えた秘密のような気がしてならないのである。

五つの柱で支えられているこの書物の中で最も大きいそれは〔一〕の『「にほふ」と「かをる」』〔五〕の『「世」意識と「身」意識からみた不幸観』であることに異論はないが、私が個人的にいちばん興味深く思ったのは〔三〕の『「まめだつ」考』であった。「まめだつ」という一語にとことんつきあうことで、加代さんの研究に、いわば臨床的に同行できたからである。この経過はちょっとした推理小説よりよほど面白く、これを読まされてさえこんなに面白いのなら、レポートした本人にそのスリルはいかばかりだったろうかと想像すると妬ましいほどだ。突飛な連想かもしれないが、来る日も来る日もくず鉱石を煮つめてある日やっとひとにぎりのラジウムを得たキュリー夫人を、私はつい思ってしまう。多分加代さんも、このラジウムの青い光を見ているはずである。

ラジウムの青い光とは、加代さんをして虚心に源氏に向かわせたその原動力であるが、一体それは何であろうか。私には、それは一言でいうと、「物語の魅力」であると思うのだ。他のすばらしい芸術表現と同様、物語だけが生きることの憂さに耐えさせる。並はずれた柔軟な感性と鋭い知性を備えた少女が、この物語中の物語にすばやく感応しないわけはなかった。

ラジウムの青い光からついでに連想を広げると、加代さんは自分だけの磁場を物語の中に持っている。物語を読む愉しさを糧としてそこで与えられ充電され続けてこそ長く苦しい研究が持続できたのだろう。

私の想像の中、古風な少女のように机の前に端座して、加代さんは源氏を読み続ける。その姿は、加代さんが十代の時初めて源氏を読んだ時そのままの至福にみちている。物語との間に交した電流は、いまも新鮮だ。

本の中にもその電流が流れていて、それはどうやら人が精神性と呼ぶものらしい。そういえば、書物全体に、単なる研究書というを越えた、秘やかな執着と渇仰がある。それがこの書に精神的な高みとでも表現したい普遍性を与えているように思う。

加代さんの本を旅して、私はいまさらながら物語というものの恐ろしいほどの底知れぬ魅力にしばしたたずんだ。昔、誰かがなにがしかの動機をはらんで物語をつくり、それから春秋を経たのちのある一人がその物語を再生させ、新しい輝きを与える。物語とは、いったい何であろう。そもそも誰が物語を招き寄せ、物語は一体どんな仕組みでこの世にやって来るのか。―私にとって物語とはいまなお謎であり、可能性にみちた小宇宙である。

それにしても人間が物語という得がたい道連れを待っていて、本当によかった。

加代さん、物語の素晴らしさを、ありがとう。


（季刊「手巾」13号より　1981年薫風号）

◎藤田加代著　「にほふ」と「かをる」―源氏物語における人物造型の手法とその表現
◎風間書房　1980年　四千八百円

水仙とりんどうのメッセージ―周さんの思い出―

生前、Kさんを周さんと呼んだことがない。職場の大先輩をつかまえてファーストネームでなぞ呼べはしない。だが、Kさんを知る多くの人が、「周さん」と親しみをこめて呼んでいた。いま、私も遅ればせに真似てみよう。

職場の大先輩と書いたが、正確にいうと、役所という広い場での先輩であって、我が誠和園では私の方が先輩だった。周さんは市役所本庁の第一線の職に在る時病を得、胃を全摘する手術を経てかろうじて小康を得、現職への復帰までの間、2年後に改築移転を控えた我が誠和園での改築に係る仕事をするために園にやって来た。

病との同行二人だから、月曜日は出勤はせず定期検診のための通院に充てていたし、昼休みは職場から近い自宅に帰って、無くなった胃のための食事をあつらえるらしかった。とは言え、それ以外は律儀な勤務ぶりで、朝は始業よりずいぶん早い時間に、きちんとネクタイを締め、一筋も乱れることなく髪をなでつけた銀行員のような姿で登園する。そのいでたちは何十年もの役所生活、しかもかなり若い時分から管理職にあったという、模範的な役人のそれを、言わずして物語っていた。

忘年会かなんかの時、たまたま隣に座った周さんに私は皮肉をこめて「Kさんの身だしなみは、非の打ちどころがないですね。特にその頭なんか―」と言いかけて、慌てて言葉を濁した。あまりにきちんと整髪されているのでそれまで気がつかなかったが、近くで見ると彼の髪の毛は癖っ毛、いわゆる天然パーマで、それもさざ波のように細かな縮緬ウエーブだったのだ。毎朝鏡の前で、多分お湯など使って、あっち向いたりこっち向いたりして言うことをきかない髪を整列させ、まっすぐに分け目をつけて整髪する彼の姿を私はリアルに思い浮かべてしまった。しかしそんな彼を一瞬でも想ったなんてことをけどらせてはスタイリストの周さんに致命的な傷を負わせることになる。この時も、いつも一言多いばかりに失敗する自分に舌打ちしながら、別の話題へと彼を誘導したことだった。

そう、周さんはスタイリストだった。それを示すこんなエピソードもある。仕事帰りにスーパーに寄って夕飯の食材を買って帰るのを日課にしていた私だが、或る時、周さんとそこで出くわしそうになった。いや、正確に言うと、出くわしそうになった私が、レジの前の行列に並んで自分に順番が来るのを待ちながら見るともなく入口付近に目を放っていた時、周さんが現れたのだ。周さんの自宅はスーパーと目と鼻の先だから、彼がスーパーに来るのは不思議でも何でもない。入ろうとした周さんと私の目が合った。その瞬間、周さんは、意外にも、回れ右して今来た道をとっとと引き返して行った。私はぽかんとしてしまった。私と会うのがそれほどイヤなのだろうか。ややあって、得心した。周さんは、スーパーなどという生活臭の漂う場で職場の人間と会うのが極り悪いのだ。カゴをさげて品物を物色する姿を人に見られるのは、スタイリストの沽券にかかわるのだ。そう思い至って先ほどの場面を頭の中に再生すると、周さんの顔に浮かんだ「しまった」という表情、そうして慌てふためいて逃げ帰る様子が「こけつまろびつ」とでも表現したいような切迫したそれで、レジの行列の中で、私はひとり笑ってしまった。

周さんはまた、完全主義者だった。なにごとも二流ではがまんできず、一流を目指した。しかしこの世の中、完全になるものの方が少ない。もしかすると、彼の病気とそのこととはどこかで関係があるのかもしれない。胃病はストレスから来ると言われる。完全を目指して成らぬ歯ぎしりが彼の胃を傷つけはしなかったか。完全主義者を別名凝り性という。仕事への完全主義から解き放たれ、芸術との道行きでそれがなされるときにおいては、周さんは幸せでなかったかと思う。もちろん芸術の世界も玉ネギの皮むきのように、ゴールのない世界だろうが、たつきの道たる職業生活でのそれとは全く違う、汲めども尽きぬ泉で周さんの魂は大いに遊び、大いに洗われたと思う。

そうなのだ。周さんは芸術家でもあった。彼が職場の人となって間もなく、園の運動会があった。彼は自身のカメラを駆使してパチリパチリやっていたが、後日それが一冊のアルバムとして編集され、我々の眼前に現れた時は驚いた。ワープロで打たれた文字も入った、見事な小世界だった。一つ一つの写真のアングルが素人離れしていて、キマっていた。へえ、Kさんは写真の特技もあるのか、と私は感心したが、後で考えると、それは周さん一流の、新しい職場への最初のラブレターだったのだ。照れ屋の周さんは、ラブレターを堂々と届けず、さりげなく置くやり方で渡すのであったが。

新しい職場といえば、周さんが縁あって共に働くことになった園の職員たちに示す、新入りの仲間としての態度は律儀だった。病後の身で飲み食いがままならぬのに、その頃立て続けにあった同僚の新築祝い、お節句、親族の葬式等に必ず顔を見せた。園の職場は異動が少なく、同じ釜の飯を食った者同士のくだけた、それだけに新入りにはちょっと入りにくい、独特の雰囲気があったが、そのなかで、周さんは決していやでもなさそうな様子で静かに隅っこにいた。退職後配られた挨拶状で初めて、周さんがかつて重度の心身障害児を自宅で育てていたことがあることを知るに及んだのだが、周さんは我々の仕事をどこか身内のそれのように感じていたらしい。それ故の批判的な目もなくはなかったろうが、外に出すことはなかった。

周さんのことを思い出すと、彼のいろんな面が次々と浮かんで来て、筆が追い付かない。

周さんの神経の細やかさの話をしようか。

周さんの神経は細やかで、感覚が繊細だった。役人というより、芸術家だった。役人になるには、少なくともそれを全うするには、もっと太い神経が配電されている肉体が必要だったのだ。周さんの目のつんだ神経ネットは、観察者として小さな情報をもキャッチせずにはいなかった。

周さんたち事務職員が私たち現場の者と顔を合わせるのは、朝のミーティング時を除いては、事務所に我々が出勤の判をつきにゆく時しかない。周さんは、数ある職員の中の、目立たぬタイプである私の微妙な変化を、判をつく数秒のうちに見てとったらしい。事務員のMさんに「ちかごろヤマキさんは恋でもしゆうろうか、化粧がきれいになった」と洩らしたそうである。それは図星であった。誰にでも物語の一つや二つはあるものだが、それは、大昔にはぐれていた恋が、ハレー彗星のような長い周期で再接近していた頃だった。—そんなことはどうでもいいことだが、私は周さんを見直した。お見それしました。ただのお役人じゃなかったのね、とシャッポを脱いだ。且つ、そんな風に見てくれている異性が身近にいることも嬉しくて、その日、久しぶりに詩が書けた。異性から気にかけてもらえるタイプでないだけに、嬉しさが気持ちの高揚を生んで表現に結実した。明くる日、事務所にハンコをつきに行った時、周さんに小さい声で伝えた。「Kさんのおかげで何年ぶりかで詩が書けたき、今度見せるね」。周さんは、私が何年も前に出した詩集のタイトルを口にした。

職場の誰もかれもが私が詩集を出していることを知っているわけではない。周さんは新入りなのに、早耳である。「もう！Kさんには、お尻の穴まで知られちゅうがやね」。私は蓮っ葉に言ったが、周さんのことをその時はまだよくは知らなかった。ただ、この小さなきっかけで、周さんとの間に個人的なチャンネルが開けたのだった。廊下ですれ違う時、ニコッと笑いあうというささやかなチャンネルでしかなかったが。

やがて、周さんの人となりをたっぷり知らされる機会がやってきた。

前述したように、周さんは園の改築の事務を専任していた。そのなかには、改築と同時に行なわれる五十周年記念誌発行の事業も入っていた。私は、数人の記念誌発行委員の一人として、何度か周さんを含めた会を持った。その時の周さんの仕事ぶりは無駄なく手際よく、こういう人をこそ能吏というんだろうなぁと思わせた。何もないところにプロジェクトを企画し、進めていくという風なことに、特に長けていた。

五十周年記念誌編集のなかに、座談会という企画があった。園の古い職員や歴代の園長が昔語りをするという内容だったが、どんなものになるか予測はつかないものの、とにかくやってみようということで、機会を持ったのだった。いざフタを開けてみると、語り手が単数である場合と異なり、数人の船頭の漕ぐ船は行方定まらないこと絶望的で、話題はあっちへ行き、こっちに飛び、煮詰まることもなければ盛り上がりもない。出し合い話の域を出ないのだ。記録係の私ともう一人は、会場で早くも首をひねっていた。しかし、とにもかくにもテープを起こし、テーマ毎に無理やりまとめて一応の体裁を整え、事務局長たる周さんの元に提出した。一連の作業はこれで終わり、と思っていたのだが、そうは問屋が卸さなかった。周さんが私のところに来て、「見せてもろうたけんど、果たしてあれでえいがかえ？」と、控えめな表現ながら、不興を隠し切れぬ顔つきで言うのだった。周さんの指摘はこうだった。司会者の発言が多すぎて目障りである。内容的にも重複があり、冗漫だ。そもそも読み物として全体に長すぎる。既に亡くなった人に対する厳しい表現はいかがなものか。さらに、あのような性質の出版物に業者名がいちいち登場するのは適当か、等々。

それならばと、私の仕事が許す時間に周さんに現場に来てもらって、二人で善後策を練ることにした。周さんは具体的にここ、あそこ、とすでにチェックしてくれていて、言われてみればその一つ一つが尤もであった。私は周さんの指摘にことごとく頷き、兜を脱いだ。

飛び損ねた模型ヒコーキのゴムを巻き直す作業がそれから始まった。時間は限られている。

私は文字通り鋏と糊を持ってきて、会話をばらばらにし、周さんを強引に道連れに座談会を構成し直した。全体に長すぎるということだったので、発言の多い人の会話を短くし、逆に極端に少ない人の登場場面を膨らませる。断っておくが、私たちは会話を捏造したわけではない。順序を組み替え、接続詞的な会話を挿入することで進行をなめらかにしただけである。それから、ここに発言したことで、困ったり不快になったりする人がないようにだけは配慮した。

その作業の過程で、周さんの人となりが初めて私に分かった。形の麗しさや内容に瑕疵のないことを願うのは、長年の役所生活で身についた役人気質であったろう。そのうえに、自分の手掛けたものはせめてましなものに仕上げたいという周さんの誠実さと凝り性も見てとれた。

「ちょっとこの表現、おかしいね。別の言い方ない?」表現の腰が定まらない箇所に、二人して首をひねり、同時に見つけ出す代わりの表現は、周さんのはあくまで役人風、私のそれは文学的に過ぎ、「二人合わせてぼっちりやね」と肩を叩きあって笑った。終わった時は、二人とも頭の中を短時間に総動員したせいで、脳がへとへとに疲れていた。が、あの集中した共同作業のみが持つ充実した達成感が、「これから一杯飲みに行こうか」とでも言いたい、愉快でリラックスした気分に二人をさせていた。

残念ながら、けれど、周さんと二人で飲む機会がないまま終わった。こんなに早く別れが来るなら、一夕無理をしてでも、止まり木の二羽となってビールで乾杯、ピーナツをつつきあうべきだった。

いま、私の勉強机の壁に、周さんからもらった絵が掛けてある。水仙の水彩画である。器用で凝り性の周さんは、木目込み細工の人形を作り、カメラを操り、尺八を吹き、日本画を描いた。

ひょっとして病勢が予想外に進んだからだろうか、周さんは園の改築を待つことなく、にわかに職を退いた。辞めて少しして電話がかかってきて、二つの絵を渡された。立派な額縁に入った、清楚な絵だった。額縁の選び方にも周さんの審美眼が光っていたが、それに囲まれた絵は、これまた玄人はだしの力作だった。私が彼に与えた小さな詩集への返礼だとでも言うのだろうか。文字どおり持ち重りのする二つの額を車に積み込んで、私は当惑した。いったいどうやってこのお返しをすべきだろう。こんな、貴重で高価なものに対して。考えた末、私は礼状を書いた。「芸術には芸術でしかお返しできないから、いつか作品集を出す時まで待ってください」。返礼の機会が来る前に周さんは逝ってしまった。周さんは、或いは形見分けのつもりで額を贈ってくれたのだろうか。

9月末、突然の訃報を聞いた。私とは、一回りしか年齢は離れてなかったのに。せっかちな周さん。

周さんからもらった一枚は水仙の花。もう一枚は竹でできた額に入ったりんどうだ。こちらは、畳に大の字になった時、まなざしが自然にゆく位置にかけてある。ヨーガでいう、「屍のポーズ」で深呼吸し、一度死んでゆっくりと目を開けるとりんどうの揺れる高原がある。

水仙とりんどう。どちらも風景の片隅にいて、濃い存在感を風の中に刻んでいる。周さんが選んでくれた二つの花は、周さんが私にくれたメッセージである。寂しいようで明るい、明るいようでいて寂しいメッセージである。

水仙の香の満つ邦に

棲まふらん

（高知市職員労働組合　福祉分会機関誌　Well Being 第6号より　1991年6月1日）

日野原重明先生のこと

あこがれの日野原重明先生が来高されると聞き及び、駆けつけた。この国の看護学の基礎を築き、84歳のいまも現役で教え、かつ医師として多くの患者を診察している、超多忙な方。そのうえ、ホスピス建設のために世界中を駆け回り、原稿を書くのはもっぱら飛行機の上という。話だけ聞けば壮年期のモーレツ社員のよう。

「強いられてやっていることだったら、とっくに過労死してますよ」と超のつく過密スケジュールを笑いとばす元気の素は、「ボランティアだから」と明かしてくれた。先生が二十年来院長を務める聖路加国際病院では、医師は65歳を過ぎると、みなボランティアだという。

聖路加といえば、去年の地下鉄サリン事件で大勢の患者を救急で受け入れたのをテレビニュースで見たが、これは先生が病院建設に当たって、ロビーや廊下でも酸素吸入や応急処置ができるように配慮してあったことが効を奏したそうだ。東京大空襲の経験が先生に災害と病院の関係を常に考えさせたという。

先生の教えの中核は「癒し(いや)」。

人間とは病む生きものであり、それを癒せるのもまた人間だという、癒しへの肯定的で熱い思い。先生は看護学生にいう。「薬を点滴するのではなく、人そのものを点滴するのです」テクノロジーに走る医学が積み残しがちな「こころ」を先生は今日も説いて回る。

（高知新聞「あけぼの」欄より　1996年3月9日）

情熱の人・山中三男先生を悼む

高知大理学部の教授で、分類生態学を専門とした山中三男先生が亡くなった。まだ信じられぬ思いだが、先生のことを書いてみたい。

私が先生を知ったとき、先生は学校を出たての中学教師だった。ニコニコと眼鏡の奥の目がいつも笑っており、私たちのだれもが先生が好きだった。

だが先生は何年も私たちと共にはいなかった。研究への夢を断ちがたく、教師を辞めて大学院に進んだという噂を聞いた。大学院修了後、もう一度別の高校で生活のため教えることを経て、先生はついに念願の研究者となる。

月日は流れ、先生とさる酒場でばったり再会した。一日まじめに働いた人々がいっときくつろいだ時間を楽しむためにある、家庭的な酒場である。

私はすでにおばさんになっていたが、先生の顔を見ると「リュウグウノオトヒメノモトユイノキリハズシ」と呪文のような言葉を吐いた。これは中学一年のときの教室で先生が最も長い名前を持つ植物として教えてくれたのを憶えていたものである。先生の理科の授業は、先生がその学問に対して持つ情熱の分だけ楽しかった。

先生は仁井田のお宅から職場の高知大まで自転車で通っていた。ある時路上でばったり会うことがあったが、自転車の荷台に植物を載せている。「近ごろの学生は本の中でしか植物を知らないから、できる限りこうして実物を見せるのだ」とのことだった。いかにも先生らしい。先生に教わる学生を羨ましく思った。

いまでもあの酒場のドアを開けると先生の温顔が、おいしそうにお酒を飲んでいる気がする。

（高知新聞「声ひろば」欄より　1996・平成8年7月14日）

新藤兼人監督・午後の遺言状

杉村春子の訃報を聞く。宇野千代の時もそうだったが、あるいは永遠に生き続けるかもしれない巨樹とも思わせた人だったから、年齢からいうと自然なことなのに、耳は意外な訃報を聞いたと感じた。

映画監督の新藤兼人は杉村ファンで、杉村が元気なうちに映画を撮りたいと「午後の遺言状」を企画・製作した。その作品を発想したときから完成に至るまでの一部始終を氏は「愛妻記」の中で描いている。この本は映画の製作記録であると当時に、妻・乙羽信子のがん闘病記でもある。

映画制作と妻の発病が同時に起きる。果たして、病勢は映画の完成まで待ってくれるか、おぼつかない。しかし夫は、杉村・乙羽の映画をこそ撮りたいのだ。夫は、ついに制作の方に賭ける。

問題はまだあった。老人の話などという地味なテーマにどこの配給会社も顔を背ける。制作協力をするスポンサーもいない中、新藤は身銭を切ってこの映画を作る。ずっと同志であった乙羽も財と残りの命を投げ打って協力する。

そんな幾重ものリスクを背負って、八十を越えた老監督が撮った、執念の映画だった。

映画のもくろみは、この際問わない。小津作品から見続けて来た杉村ファンにとって、氏が最晩年の輝きにあふれた杉村像を銀幕にとどめてくれた、ただそのことを讃えたい。（藁）

（高知新聞「閑人調」欄より　1997年4月10日）

横山隆一　みずみずしい心

高知市の名誉市民として敬愛する横山隆一さんの『鎌倉通信』を楽しみに読んでいる。これを読むと第一級の芸術家と凡人はどこが違うか、よく分かる。自然のリズム、地球のリズムに沿って生きる人は、ひとりでに芸術家と呼ばれる仕事をするのだ。

折しも、NHKラジオの「朗読の時間」で『ファーブル昆虫記』をやっている。ファーブルもまた、科学者であり芸術家であった人だが、アリやハチの観察と実験の記録は面白く、自然界への興味を誘われる。

その実験は凡人から見れば奇人のなすわざで、首をかしげて見られる。ファーブルの好奇心は、しかし、そんなことを意に介してはいられぬほど強い。二十六日の『鎌倉通信』にはアリのことが出ていて、その観察ぶりがファーブルそっくりなので、楽しくなってしまった。

大きな仕事をする人は、国や時代が違っていても共通するものを持っている。世界を不思議と感ずる子どものみずみずしい心を終生失わないことだ。そしてそれを読者に示してくれるとき、読者もまた、世界の興の尽きなさを、生きてあることの喜びに重ねる。

子ども達が横山さんにもファーブルにもなれる、観察の季節がやって来た。

（高知新聞「声ひろば」欄より　1997年8月2日）

永遠の子どもの魅力

「横山隆一生誕百年記念」の展示をみた。私の知るフクちゃんは、ラジオドラマになってのフクちゃんだった。なんでも、映画にもなっていて、その役を務めた子役が2歳の中村メイ子で、これがきっかけでメイ子さんは芸能界に入ったとのことだった。それほど古くからいたフクちゃんだったが、この度あらためて展示会場でフクちゃんの漫画に出合った。

フクちゃんは、はじめ端役で漫画に登場したのだが、だんだん自己主張をしだし、気がついたら主役になっていたのだという。それはそうだろう。フクちゃんは実に子どもらしい子どもで、誰にでもあった子ども時代を強烈に思い出させるキャラクターだ。

たとえばトレードマークになっている帽子だが、近所の子のそれがうらやましくてかぶったまま家に帰る。困った家族はフクちゃんが寝てから返却に及ぶのだ。似たような経験は誰の子ども時代にもあろう。

横山隆一さんには、子どもが八人もいたそうだから、子どもを観察する場に事欠かなかったろう。しかし、最も観察したのは「自分自身の中の子ども」ではなかったろうか。「横山隆一記念まんが館」に足を踏み入れると、死ぬまで「子ども」を失わなかったこの記念館のあるじに至るところで会える。

（高知新聞「声ひろば」欄より　２００９年6月24日）

教材に心血注ぐ大村はまさん

1月12日付の高知新聞「声ひろば」欄に、浜田繁喜さんが授業と教材のことを書いておられた。授業の成否は指導者の資料の収集にかかっている。その資料を選ぶのは、教える者の感性だと。

これを読んで思い出したのが、大村はまさんのこと。先生は90歳を過ぎたいまも「大村はま国語教室」を主宰し、自ら教えている。私は偶然、はま先生の座談をラジオで聴いたのだが、途中から家事の手を止めて聞き惚れてしまった。

この大ベテランが、毎年新しい教材を開拓するというのである。どれほどすばらしい効果を挙げた教材も、次の年再び使われることはない。その理由はこうだ。

今年傑出した教材でこのうえない教育効果を挙げたとする。同じ事を翌年試みて、前年ほど効果を得られなかったとき教師はつい思ってしまう。「今年の子どもは出来がわるい」と。それが嫌さに同じ教材は使わないのだという。

「比べるというのは教育の敵ですから」。はま先生はおっとりと笑う。いい教材に巡り合ったときのときめきが、先生に歳をとらせないものと見える。

それともう一つ。教師が教室に入る際、いちばんいい精神状態は「自分は果たしてこれでいいのだろうか」と自分に自信なげな状態だという。たっぷりの自信というのもまた、教育の敵なのかもしれない。

（高知新聞「声ひろば」欄より　１９９８年1月16日）

片岡千歳さんの楽しみな連載「タンポポのあけくれ」

片岡千歳さんの古書店主としての35年を語る連載「タンポポのあけくれ」がスタートしたその日、この連載の題字も書いている出久根達郎さんが25年続けた古書店を閉めたことを知った。不思議な符合であった。出久根さんの古書店を舞台にした新聞小説に、タンポポ書店と店主の片岡さんがモデルとなって登場したこともあった。

いまさら説明するまでもないが、出久根さんは古書店の店員から作家になった人である。中学校しか出ていないが、根っからの本の虫が本に親しむ環境を得て、ついに本を書く人にまでなってしまった。

作家になってからも古書店経営を奥さんと二人でやっていたが、ついに親の介護のこともあって店を閉じたと、今日、届いたばかりの『図書』9月号にあった。やめた理由が親の介護ばかりでないことは読むうちに分かってくる。古書を客に届けて喜ばれるという商売抜きの愉しみがなくなったという。文化の問題、時代の問題である。寂しい時代にわれわれは生きている。

片岡さんも同じ問題を抱えているはずだが、いまはただ、土佐の地に根づいた山形生まれのタンポポがどんな話を聞かせてくれるか、それが楽しみである。

（高知新聞「声ひろば」欄より　1998年9月2日）

一生懸命死んだ人

古書店「タンポポ書店」の店主だった片岡千歳さんが亡くなって4年が過ぎた。

私は千歳さんの亡くなる2年前に、Dセンターに職場の人事異動で転出した。千歳さんのお宅のすぐ傍だった。それまでも、知人の誰かれを通じて千歳さんとは面識があったが、勤務先が隣組になったこの2年の間は日常的な行き来ができた。歩行器で歩く姑さんに付き添って散歩する千歳さんを見かけたし、お住まいの2階に上がりこんで夕餉のお相伴にあずかったり、どっさり作っている保存食を分けてもらったりする幸運にも浴した。

最晩年となる一年は短い入院と在宅を繰り返していたが、在宅時には近所に散歩に出ていたし、入院中も高知新聞「閑人調」に書いたりして、突然の訃報を聞くまで、まさか深刻な病を抱えているとは、迂闊にも知らなかった。

東北は山形からふわりと飛んできて、一株のタンポポを高知に根づかせた人として、千歳さんは忘れられない人だ。千歳さんのことを語り伝えたい。

千歳さんは、あの「おしん」と同じ、最上川上流の生まれである。中学卒業前に父上を亡くし、高校進学を断念せざるを得なかった。未来を閉ざされた気がした千歳さんだったが、担任の先生が、岩波文庫のことを教えてくれ、「古典を全部読んだら、高卒にも大卒にも負けないぐらいの力がつく」と励ましてくれた。そのときから、千歳さんにとって、本は特別なものとなった。

よく勉強し、よく働き、よき詩を書く人だった。四十余年続いた古書の商いの基礎には、余人にはない、本への信仰・尊敬があったと思う。まさしく、「本に選ばれた」人生だった。この仕事を通じて地域に根を張り、全国と交信し、人を見る目を養った。「タンポポ書店」は千歳さんの学校でもあった。

千歳さんをわが高知に連れてきてくれた功労者は、夫の幹雄さんだ。幹雄さんも生まれついての詩人だが、この二人は剣山で出会っている。後年、二人の長男のKさんが剣山登頂記念の杖を持ち帰り「捨てんとってよ」と母に言っているのを隣室で聞いた幹雄さんは、すかさず言ったという。「Kは剣山で、あんな枯れ杖を拾って来たつか。お父さんは、剣山でお母さんを拾って来たというのに」

そう、幹雄さんが息子に誇るに足る、すばらしい女人だった。

知る人のない他郷で、小さな商いから始め、苦労の中で三人の子を育てあげた。夫亡き後も、商いと、表現者としての営為を怠らなかった。あの温顔の下に、彼女しか持てない生活者の哲学を養い、カイコが糸を吐くように、詩を吐き続けた。なかでも、椋庵文学賞を受賞した「最上川」は、自分を作った故郷の川を詠じた、千歳さんの表現の集大成のような詩集である。その一連にこんな言葉がある。

ああ
私は
こんなふうに
一生懸命死ぬこともできる
きっと

「日常」

さらに、幹雄さんの詩の中に、もうひとつ千歳さんの方言の肉声を発見した。

生涯がおわってからも
こうしてそばさいます

「カワヤナギ」

（高知新聞「所感雑感」欄より　２０１２年４月16日）

結核集団感染で坂本昭さん思う

「いまの日本で結核療養所のないのは高知県だけである。毎年結核で死ぬのはほとんど青少年で、県内三千人を下るまい。どうしても療養所を造らねばならぬ。たとえ苗を植えても私はそれを引き抜く。百姓さんにはすまんが、やむを得ん。叩かれても殺されても療養所は造らねばならない」

これは1947年（昭和22年）、高知市池地区に結核療養所を造ろうとした故坂本昭氏が反対派の農民を説得するために吐いた言葉である。

最近、高知市内の中学校で結核の集団感染があったというニュースがあり、世の人は久々に結核という病気について考える機会を持った。

この病気がそれほど恐ろしい病気でなくなったのは、4日付（高知新聞）「閑人調」氏も言う通り、結核予防法による予防・早期発見・治療の一貫した体制が整ったからである。それまでは、遺骨になっても家族が病院に引き取りに来ない、また患者が死ぬと、菌が家中に飛び散ると言って、死体ごと家を焼くという無知な迷信さえ残っていたと、坂本さんの著書にあるほど怖がられる病気だった。

坂本さんは、県議会で建設が決議され、国から十分な補償も取り付けた療養所建設が、地元の反対で実現できずにいることに、所長として苦しんでいた。医師としても、この国から結核を無くしたいという信念を持っていたので、実力行使で田植えをした反対派のお百姓さんの田をさらなる実力行使ですき返したりもし、冒頭の言葉になったのである。「おんしゃあ、ここなくに肺病の巣をつくるがか」と猛反対したお百姓さんも、やがて坂本さんの熱意に負ける。

「由緒ある池の土地十万坪は、結核だけでなく、いわば近代的福祉センターとしての価値も生まれてきたと思う」。いまや女子大の二学部も池に移り、坂本さんの予言は的中しつつある。中学校の結核集団感染のニュースに私たちが平常心で対せるのも、元高知市長の坂本さんの仕事のおかげである。

（高知新聞「声ひろば」欄より　1999年4月10日）

谷岡亜紀さん、連載ありがとう

恐れていた朝が遂にやってきた。高知新聞学芸面に連載されていた「歌の旅」が、六十回目の12月10日、「おわり」と結ばれていたのだ。

10月1日に連載が始まって以来、私は筆者谷岡亜紀との文字通りの「歌の旅」を楽しんだ。第一回は「運が良けりゃ」というタイトルで始まる。歌人として生き抜くことは、価値が相対化され文化があっという間に風化するいまの世にあっては、殊の外難儀だろうと思われるのに、この作者は「運が良けりゃ」と口笛を吹く軽さでそれをやってのけている。

しかし、その軽さが決して初めからの軽さではなく、重いアジアを這いずり回り、「現代」と肌で渡り合っての後のそれであることが、連載を読み進めるうちに分かる。命からがらのインド旅行のくだりでは、読者も一緒に腹を下した。

高校を出るや親元を離れ自活するという、激しく自立を願う魂をまぶしく見た。何事もしっかり自身の五感で確かめて進む。さまざまな事物と人に出会うなかで、知性と感性を発達させていく。だから大学もゆっくり入り、必要がないと認めればさっさとやめる。

まこと、さわやかな青春記だ。この青春記を通じて、知性とは世界に対峙する魂のたたずまいだと告げられた気がした。その報告が彼の場合、短歌という器を通じてなされる。普段接することのない短歌とも、おかげで今回たっぷり出合えた。

「信じ、愉しむ」「強く願えば願いは叶う」彼が自室に掲げているというモットーは、私のそれと相似していた。私はそれらにもう一つ加える。「出会いは人生のご褒美」と。

谷岡さん、出会いをまたひとつ、ありがとう。

（高知新聞「声ひろば欄」より　1999・平成11年12月19日）

細木秀雄さんの声

部屋の隅に、去年の新聞がまぎれこんでいた。処分する前にパラパラとめくると、亡くなった細木秀雄さんの文章があった。当時は読み捨てた記事だったが、あらためて細木さんの声に接する思いで読んでみた。

それは、昨年の3月に県短詩型文学賞の俳句の部の選考会報告と受賞作についての論評であった。選考委員会での委員間の厳しいやりとりが想像される内容だった。細木さんは自説を譲らず、結局は細木さんの推す作品が受賞するのだが、その一部始終を語る文章に並々ならぬ気迫がこもっている。こんな言葉もある。

「文学は言語という抽象的な手段で表現するものだから、解釈は多様である。むしろ多義的である作品ほどいいともいえる」

俳句を超えた、普遍的な芸術論となっている。

細木さんといえば、宮仕えを一切せず、常に野の人であった。宮仕えせぬ代わり、細木さんの仕えていた人が一人いた。ミューズの神である。その忠誠心はあっぱれであった。単に一地方の定例の文学賞といえども、細木さんは命がけでことに当たったのだ。私は思わず座り直して古い新聞を読んでいた。

（高知新聞「あけぼの」欄より　２０００年7月23日）

長寿を祈る万年筆診療所

母の遺品を整理していたら、ペン立てから壊れた万年筆やデスクペンが出てきた。かなり前から使うのをあきらめていたようで、インクが化石のようにペン先に干からびている。ごみに出すしかないのだろうが、私は筆記用具に愛着があるので捨てかねる。

昨今、万年筆の修理をしてくれる店は少なくなった。幸い私は一軒の店を見つけて、調子が悪くなると持ち込んで救ってもらっている。母のところにあった4本と、自分の1本の計5本をその店に持ち込んだ。

だめでもともと、けがの程度を万年筆診療所で見てもらい、修理不能という診断が下れば、その時点で処分すればよいのだ。

半月ほどたって、直ったとの知らせを受け、引き取りに行った。果たして、再起を危ぶんでいた重傷のものも含め、すべてが直っている。「ごみ箱に行く命を拾ったね」古びたペンのボディーをなでながら喜んだ。

少し前、柳町に小さなかばん修理の店があった。どこかが壊れたかばんを、いくつあの店で救ってもらったことだろう。残念ながら、その店はもうない。

私の心配は、低廉な料金で魔法のようにペンを修理してくれるこの店が、かばん屋と同じ運命をたどることである。女主人は年配で、後継者がいるようにも見えない。万年筆を使う人も、修理に出す人も年々少なくなっている。

気が滅入ることばかりだが、いまはただ、万年筆の名にあやかる長寿に、女主人が恵まれることを祈るのみである。

（高知新聞「声ひろば」欄より　２０００年12月17日）

幸徳秋水の心を語り伝えよう

「幸徳秋水生誕百三十周年、刑死九十周年記念行事」に参加した。中村市でのこの行事に、少なからぬ高知市民も駆けつけたようで、幾人もの見知った顔に出くわした。

当日券は既になく、大勢の人でごった返す会場。有料なのにこの人出はすごい。秋水の人気か、瀬戸内さんの人気かと考えているうちに、記念講演講師の瀬戸内寂聴さんが登壇。

開口一番、「中村市議会で秋水を正しく顕彰する決議を出したとか今ごろになって言っているけど、この中村に秋水をおいてほかに自慢するものがありますか?」と手厳しい。2時間近い時間が、瀬戸内さんの巧みな話術であっという間に過ぎていった。

この日は、漢詩の詩人でもあった秋水の詩を吟詠する催しもあったが、その詩の格調の高さ、殊に絶筆のそれは素晴らしかった。

瀬戸内さんの話のなかに、「そこの土地に立つと、土地が持っている記憶が足の裏から伝わってくる」とあったが、中村には秋水の記憶が生きている。私たちはその記憶に心を澄ませ、私たちより一歩先んじて平等な社会の実現を目指した道半ばで絞首台の露と消えた秋水の心を語り伝えたい。

(高知新聞「声ひろば」欄より　2001年3月9日)

中平成典さん、さようなら

一寸先が分からないのが人生であるが、このたびの中平成典さんの急逝ほど、そのことを思い知らされたことはない。

4月22日の日曜日、中平さんは仁淀川堤をバイクで走っていて交通事故に遭われ、帰らぬ人となった。ほんの少し前その元気な姿と接した身に、この知らせはこたえた。

中平さんとは淡く短いお付き合いしかないが、なぜかご縁があって、写真の焼き増しに訪れた店でバッタリ出会ったり、この春、新しい職場に異動になれば、そこへ中平さんの笑い声がついてきて、再会を喜んだばかりだった。

中平成典さんは、お寺の住職さんであると同時に、師範学校で学び、長く教職にあった経験を生かした、一種の社会事業家だった。社会に対して、何か貢献せずにはいられない意欲にあふれていた。「中平音楽教室」を主宰し、心身に障害のある子どもや高齢者のために、中平流音楽教室を施した。教室の使命は、生きていることの喜びを、音楽を通して発見させることだった。

生徒たちを集めて、年に一度の発表会を行い、重い障害のある子ども達も、発表者やお客さんとしてやって来る。それを中平さんは生きがいにしていて、今年はその会場のロビーに子ども達が口に筆をくわえて描いた絵を飾るのだと意気込んでいた。写真屋で会ったのは、その絵の引き伸ばしに訪れていた時だった。

中平さんがその絵たちに会ったのは、76歳という高齢で一級ヘルパー講習を受け、実習に訪れた土佐希望の家において、であった。「これは値打ちがありますよ。私はその尊さにびっくりしました。引き伸ばしに多少お金がかかってもいい」。特徴のある可愛らしい二重まぶたに、少年のような笑くぼを両頰に刻んで言った。

出会うものすべてから生きる喜びをもらい、それを伝えることがまた喜びだった中平さん。子ども達と共に、ありがとうを言いたい。

（高知新聞「声ひろば」欄より　2001年5月1日）

知的障害者を支え歩んだ岡崎節さん

「高知県知的障害者育成会」理事長で、「高知市手をつなぐ育成会」会長でもあった岡崎節さんが先月末、急逝された。自転車姿の似合う若々しい方だっただけに、いまでも信じられない。

岡崎さんとのご縁は、私が仕事で役所の障害者関係を所管する部署に移った去年の春に始まり、この春を待たずして終わってしまった。最初の出会いは、知的障害者の地域生活を支える支援センターが、高知市東部健康福祉センターに開所した昨年四月だった。

関係者の一人として挨拶した岡崎さんが引用したのは、知的障害者の父ともいわれた、近江学園の糸賀一雄園長の言葉「この子らを世の光に」だった。「この子らに世の光を」ではなく、「この子らを世の光に」が、いま地域社会で障害者を支える意味とぴったりと重なっていた。

夏に知的障害者通所授産施設「昭光園」の夏祭りに行くと、保護者の一人として汗だくになりながら、焼きそばを焼いている岡崎さんがいた。秋にはまた仙台で、全国障害者スポーツ大会に組織を率いて来ている岡崎さんを見かけた。

職業人でない日は、こうしてボランタリーな仕事をしている岡崎さんには、休日がなかった。それどころか、ボランタリーな組織の文書を送る郵送料の節約のため、雨の日はかっぱを着て就業前の時間も組織にささげた。

理想は高く、しかし行動は地道に着実に、いつも知的障害者とともにいた岡崎さんの微笑を、これからも忘れない。

（高知新聞「声ひろば」欄より　２００２年２月19日）

車掌さんの思い出

先日いつものように電車を待っていると、やって来たのが見慣れぬ車両のそれで、乗り込んでみればドイツの電車だった。乗り心地はすこぶる良く、降りるのが惜しかった。おまけに車掌さん付きだったので、心はタイムマシンに乗って車掌さんのいた時代のバスや電車にとんでいった。

中学生のころの英語の教科書に、一少年のアメリカ見聞録というのがあって、その中に「バスに車掌がいなかった」という表現があった。車掌がいなくて、どうやって入り口のドアを開けるのだろうと不思議に思ったことを憶えている。車掌さんがドアを開け閉めしてこそ乗客は乗降できたのだ。当時は乗客が多く、ドアが閉まらないほど乗ることも珍しくなかった。そんな時車掌さんはドアを閉めずに、自らを半身バスの外にはみ出させ、最後の乗客の後からバスにかきつくようにして「オーライ」と出発の合図を運転手におくったものだった。

バスの車掌さんの制服はのりの利いた白い襟にぴっちりとしたタイトスカートで、おしゃれ盛りの彼女たちは腰回りより数チセン細いスカートを息を詰めるようにしてはいていた。いまのような既製服の時代ではない。一人ひとり仕立てである。

亡母はいまの高知西武の前身「土電会館」の婦人服部で働いていたが、一般のお客さんの服の仕立てのほかに車掌さん達の制服の仕立てもしなければならなかった。毎年春になると新任の車掌さん達の制服の仮縫いに忙殺され、お昼も食べそこなうとこぼしていた。あの、たくさんいた車掌さん達はいまどうしているだろう。ドイツ電車を降りて考えた。

（高知新聞「あけぼの」欄より　2002年3月17日）

さようなら矢川澄子さん

昨年3月、県立文学館主催「アルプスの少女ハイジ写真展」記念講演に矢川澄子さんが、住まいの長野県・黒姫からはるばる来高した。私は長いことあこがれていた書き手に会える喜びで、文学館に駆けつけた。

初めて見る矢川さんは、書いてきたものとよく似た人だった。ひっそりと個性的で、押しつけがましさから無縁という以上に「私、いまここにいてもいいかしら」と遠慮がちに見えた。

作者がどんな人か知るはるか以前に、その文に魅せられていた。渋沢龍彦の夫人だったことがある、という経歴を知るに及んで、さもありなん、と納得した。どのような小文にも独特のにおいがあり、知的で、ほんのり〝飛んで〟いた。

その魅力は、「表現の国」にしか本当の古里を持たない魂の喜び、悲しみに彩られている文体にあったろうか。生きることを人一倍いつくしみ、それ故に傷つきやすく、時に生きていることに倦んだ。

訳書「ハイジ」に署名をしてもらった。いまあらためて見ると、字をやっと書きだした子どもの書きぶりのごとき線で、自分の名と彼女の名が並んでいる。あまり上手でなかった彼女の生きようそのままに。

カメラを持っていた文学館のスタッフにねだって、一つフレームに姿を収めてもらったが、写真を入手する前に訃報（ふほう）を聞くことになろうとは。

さようなら、矢川さん。あなたの訳した珠玉の小品「雪のひとひら」のように、いまは静かに天におかえりください。

（高知新聞「声ひろば」欄より　2002年6月8日）

西沢弘順先生の思い出

高知新聞「所感雑感」欄に五代目の高知大学長・西沢弘順先生のことが書かれてあり、懐かしく読んだ。

私の思い出も、高松さんのそれと同じく、酒にまつわるものだ。「三百六十五日　日々酔うて泥のごとし」詩仙李白は詠じたが、これは先生のことでもある。

学長という重責を負う先生は、昼間はきっちりとその務めを果たされた。一方、夜の街ではそれから解き放たれているようにかなりの酒をきこしめされた。

四半世紀前、「大学と地域の関わり」が言われだしたころだった。地元から高知大に進学する生徒がいかにも少なく、なんとか一人でも多く入学させたいというのが県内の高校進路担当者の悲願だった。

その課題を乗り越える手はじめに、大学と高校の関係者が情報交換し、どこに問題があるか探ろうということになった。その席に何人かの学部長とともに学長がじきじきに現れ、初めての会は、活発な意見交換がなされ、成功裏に終わった。

和やかに酒席に移った時、私は自己紹介し、学長の横から杯に酒をつごうとした。途端、「待った」がかかった。学長は九十度体の向きを変えて私に向き直り、言った。「学生にいつも言ってるんですよ。人に酒をつぐときは、真正面からするのが礼儀だと」

私は恐れ入って学長の正面から酒をついだ。席中最年少の私に先生の教育者魂が動いたらしい。人に酒をつぐたび、いまでもこの言葉がよみがえる。

先生は旧制高等学校の文化を伝える生き残りだったが、その教育者としてのあり方も、酒の美学も古きよき時代のかおりに包まれていた。

（高知新聞「声ひろば」欄より　2002年9月28日）

岡田美映さん、さようなら

高知新聞「あけぼの」欄への投稿が縁で相知り、仲良くしてもらっていた奈良市在住の岡田美映さんが、この月亡くなった。

美映さんの歯切れのいい文章は、以前から気になっていたのだが、ご縁を結べたのは、何年か前、当欄の「特集」のページに隣り合わせで文章が載ったときからだった。

「お隣に出ていたのは、実は妹の文章です」という思わぬハガキが、友人マコさんの父上から来た。

マコさん一家とは、仕事を介してまずマコさんと仲良しになり、次にそのご両親とも親しくなって、心の親戚のような打ち解けた付き合いをさせてもらっていたのだが、このときから美映さんも親戚の一員として加わった。

文通をへて、美映さんが墓参のため帰高した折、会うことになった。一目で美映さんを見分けることができた。その年齢の誰とも違っていた。おばさんらしくない服装と吉屋信子のような断髪に帽子が似合っていた。小柄なので、遅くやって来た妖精という感じだった。

何事も一刀両断。パシッと小気味よく己が美学を貫く美映さんは、私の母ががんの術後亡くなったとき、「私は注射も手術も嫌いだから、市役所から検診の案内が来ても破いて捨てるの。手遅れで死ぬと決めているから」と言っていた。

一昨年、おなかが痛くて入院したら結腸に大きながんが見つかった。手遅れにならず、手術をして元気になった。本欄への最後の投稿は、あの美映さんからすればこれまでとは色合いの違うものだった。

「せっかく助かったこの命を大切に生きて、お世話になった方たちにご恩の万分の一もお返しできるように頑張ろうと思っている」（昨年4月24日「がん病棟から生還して」）。

手遅れにならず生き延びた10カ月の日々を、美映さんはどんなにいとしんで生きただろう。

（高知新聞「あけぼの」欄より　2003年1月28日）

宮尾さんと或る出会い

宮尾版平家物語の完成を記念しての、宮尾登美子さんの講演と展覧会がこの月企画された。私も馳せ参じた読者の一人である。

宮尾さんは高知女子大学で特別講演を行ったこともあり、その折りもお話を拝聴したのだが、この度の講演は5年にわたって取り組んだ平家物語の完成という大きな荷降ろしをした背景もあってか、故郷の人にこれまでの苦労を聞いてもらいたいという率直さにあふれていて、私にはこれまでのどの話より感動的だった。

中でも胸打たれるのが、新人賞受賞後、文学を志して上京したものの、書いても書いても作品が陽の目を見ることにならず、ついに小説を書くことを諦めて私家版「櫂」を出すに至るくだりである。

諦めたはずの小説の世界。だが、この私家版の最後の小説が彼女を生き返らせた。はからずもこれによって世に認められ、公団のアパートで太宰治賞受賞の知らせに一人大泣きする。私も語りに引き込まれ、思わず鼻の奥がツンとなった。

さて、ここからが私ごとになるが、私の自慢は宮尾さんを或る人に引き合わせたことである。宮尾さんの生家は高知市緑町（現在の二葉町）にあったが、宮尾さんより3歳年少の私の母もここで生まれている。「櫂」に出て来る貧民窟がそこで、貧乏のどん底の中、母を出産したと、亡くなった祖母が「櫂」を読みながら述懐していた。

母は2000年夏、がんで他界するのだが、その悲しみのなかで小さな追悼集を編んだ。幸薄かった母の生涯をたどり、友人や家族の思い出を母に手向けた手作りの冊子だが、それを一面識もない宮尾さんに送ったのは、母にゆかりの「緑町」という、「櫂」の舞台でもある地名を、ひょっと宮尾さんが懐かしんでくれるかもしれないと思ってのことだった。果たして、宮尾さんは望外にも、多忙な中から、懐かしく読んだと、心のこもった便りをくれた。

さらに、ここにもう一人、追悼集を送った人がいる。

私にヨーガを教えてくれたYさんである。Yさんは、現在は地域の公民館で市民にヨーガを普及させている。私とは、二十数年前、私が臨時の清掃員として県の出先機関に2ヵ月だけ籍を置いたときに知り合った。慣れぬ職場と慣れぬ仕事に緊張していた私に、Yさんは気軽く声をかけてくれ、お昼休みにヨーガをするグループに誘ってくれたのだった。雇用期間の切れた2か月後、私はヨーガにも、人の輪づくりの上手いYさんにもハマっていた。そのYさんが私と同じ昭和小学校の出身と知って、縁を感じてもいた。

母が亡くなったのは、その時から20年以上たっていたが、Yさんもまた下知地区の出身であることを思い出し、同世代の母を懐かしんでくれるかも、と追悼集を送ったのだった。

思いがけず、冊子を受け取ったYさんは便箋何枚もの感想を書いて送ってくれた。感想にとどまらず、Yさんの半生にも筆は及んでいた。Yさんのお母さんは、なんと宮尾さんにお乳をあげたのだという。名前は「喜和」というのだと言う。ここまで読んで、私は興奮した。「櫂」は、宮尾作品の中でも私が最も愛するもので、主人公「喜和」は、忘れようにも忘れられない名前なのだった。

「櫂」の「喜和」は、夫がよそに産ませた女児を手元に引き取って育てる。もちろん喜和に母乳は出ないので、近所の女性にもらい乳する。これがYさんのお母さんなのだ。にわかに「櫂」が身近なドラマとなり、私はわくわくした。

宮尾さんに手紙を書いてそれを知らせると時をおかず返事が来て、「その人こそ、ずっと会いたいと思っていた乳兄弟です。彼と手をつないで田淵保育園に通いました。ぜひ会いたい」とのことで、二人の交遊はほぼ70年ぶりに復活したのだった。NHKテレビで宮尾さんの特集をしたとき、Yさんも一緒に田淵保育園に行き、園児と交流する二人の笑顔がテレビ画面にも、高知新聞にも紹介された。

もし私が母の追悼集を出さなかったら、いや、出しても宮尾さんとYさんに送ることをしなかったら、二人の再会はもっと先になっていたはずだ。悪くすると永遠になかったかもしれない。敬愛する二人を引き合わせた自分の手柄を、私はここに吹聴したい。

（未発表　２００４年）

宮尾さんのこと

いまから15年前のことになる。母が癌で他界し、その闘病記と追悼文を冊子にまとめて知人に配った。母の一代記も添えて。

その一冊を宮尾登美子さんに送ったのは、母の誕生地が「高知市緑町」で、宮尾さんの作品「櫂」の舞台だったからだ。ひょっとして関心を持ってもらえるかな、と思っての送付だったが、果たして、宮尾さんから折り返しはがきが届き、興味深く読んだと伝えてくれた。

別の一人にも送った。それは私にヨガの手ほどきをしてくれた安岡芳徳さんで、昭和小学校の大先輩に当たる人だ。安岡さんからは便箋三枚にわたる便りが来た。母の生地、緑町は安岡さんにとってもなつかしい場所で、ここで宮尾さんと乳姉弟として育った、とあった。安岡さんの母上が宮尾さんに乳を与えたのだった。

「櫂」にある通り、宮尾さんは生後すぐ生母から引き離され、父のもとに引き取られた。安岡さんの母上は「喜和」という名だったという。「櫂」の主人公の母の名だ。宮尾さんに安岡さんのことを伝えると、すぐ返事が来て「それは、長いこと会いたかった人」だという。次に宮尾さんが帰高の折、二人は再会し、一緒に通った田渕保育園での二人の写真が高知新聞にも載った。

奇しくも、昨年10月安岡さんは亡くなり、宮尾さんは2カ月後に後を追った。乳姉弟二人はいまごろあちらでの再々会を喜んでいることだろう。

（高知新聞「声ひろば」欄より　２０１５年１月24日）

倉橋由美子さんの思い出

夜ごと聞いている「ラジオ深夜便」の午前1時のニュースが、唐突に倉橋さんの訃報を告げた。

ああ、もう倉橋さんに会うことはないのだと思うと、昔の光景がほんの昨日のように甦った。

あれは東京で学生生活をおくっていた三十余年前のこと。ひと夏を倉橋さん宅にアルバイトに通った。

きっかけは、その前の年、土佐山田町に住む、高校時代の同級生が上京してきて、遠縁に当たる倉橋さんに会いに行くというのを聞いて、くっついて行ったのが始まりだった。当時から、倉橋さんはマスコミに自らを露出させない神秘的な作家だったので、「パルタイ」や「暗い旅」など斬新な作品を書くのはどんな人か、大いに興味があってのことだった。

神奈川県は伊勢原市のお宅に伺ってみれば、作家ぶったところの全くない、気さくで朗らかな女人がいた。

その次の年の夏休み、私は思うところがあって、「雑用係としてアルバイトをさせてもらえまいか」と手紙を書いて頼んでみた。ダメでもともと、と踏んでいたが、あっさり受け入れられた。面白いヤッチャ、とでも思われたのだろうか。

私の仕事として想定されていたのは、彼女の記事が載った新聞の切り抜きや、出版社からの原稿依頼の諾否など簡単なデスク仕事だったが、通い始めて何日もしないうちに彼女が第二子を妊娠していることが判り、この時から私の仕事は書斎から出て家事全般の手伝いということになった。いわゆる「お手伝い」のような人を置いてない家庭だったので、妊婦に負担のかかる家事を軽減するのにほんの少し役立つかも、と私は喜んだ。

この頃の倉橋さんは、自ら言うところの、「人より10年遅れての育児」中で、仕事をセーブして娘を普通に育てたいと願っていた。それもあってか、私の目に映る倉橋さんはごく普通の生活者であって、この夏の間、執筆する姿は一度も見ることがなかった。作家の暮らしというものを見たくて通い始めた私としては大いにあてがはずれたが、これはこれで楽しいものだった。

何事であれ手抜きというものを嫌う彼女は主婦としても有能で、労を惜しまずよく働く人だった。きれい好きで家中を清潔に保ち、料理も上手かった。なんのことはない、私はお金をもらって有能な主婦の家事見習いに行ったようなものである。

さて、ここからが大事なのだが、待ちに待った、作家としての彼女を目撃するチャンスが数ヵ月後に訪れた。無事に二女を出産して半年ばかりたった頃、お宅に泊まる機会を得た。倉橋さんの暮らしは、二人の子どもを抱え、前よりずっと忙しくなっていた。そんななか、月刊誌の連載締め切りが翌日というその日、3歳の長女Mちゃんが高熱を出し、倉橋さんはその世話で大わらわだった。泊めてもらった日の早暁、私は用足しに立って、母子の寝ている部屋の前を通りざま見るともなく部屋の様子を見た。

子どもの眠りを妨げないよう暗くした部屋のなかで、スタンドの明かりを頼りに作家倉橋由美子が原稿用紙に向かっていた。多分、一睡もせず、子どもを看病する合間に原稿の筆を進めていたのだろう。息をのむような厳粛な光景であった。が、同時に、見てはならないものを見てしまったような後ろめたさも感じた。作家が作品を生み出す現場とはここだったのだ。

連想したのは、「鶴の恩返し」のつうである。つうは、自らの羽を抜いて織物を織っていた。職業作家とは、自分の羽を抜いて自分しか織れない織物を織る人だったのだ。

つうの由美子は、最後の1枚を織り終えて天に帰って行ったのだろう。

（未発表　2005年6月）

大野一郎さんに会えた幸せ思う

小林一平氏による高知新聞朝刊学芸面連載の「残された花束―大野一郎研究ノート」が完結した。私も生前の一郎さんを知る一人として、思いをしながら読ませてもらった。

高知市朝倉支部の同和教育研究集会で、今年も一郎さんの名前を見た。朝倉中の植松先生のリポートの中で一郎さんが、南海中・城東中・介良中で作った修学旅行資料が、いまも現場で活用されていることを知った。

去年も、やはり同研究集会で、「進路について」という一郎さん作成の資料が、いまも用いられていることを知って驚いたものだった。

資料を一読して、まさしく古典になっていることを知った。これを超える資料を作ることは、難しい。何よりも、生徒を思う心において。社会を見る心において。

一郎さんと淡い付き合いしかなかった私にも、実は忘れられない思い出がある。ある酒席で一郎さんと隣り合わさったとき、一郎さんから聞いたエピソードである。

学校にほとんどいる一郎さんは、家族との時間がなかなか持てない。その申し訳なさと、奥さんの手助けの気持ちもあって、毎朝、家族の衣類を洗濯するそうである。子どもの下着の汚れぐあいを見て、きのうの子どもの一日を感じるのだという。

中でも忘れられない言葉は、「小さい娘のパンツに、肛門のかたちそのままのウンコがついているのは、花びらみたいに美しい。娘の一日がそこにあって」

私はもう、うっとりと聴きほれていた。

教育者・生活者・詩人・絵かき。そのどれでもあって、そのどれでもくくれない一郎さんに、生きている間に出会えたことは、私の幸せである。

（高知新聞「声ひろば」欄より　２００６年７月12日）

イチローの快挙に思う

ピート・ローズの持つ4256安打の大リーグ記録をイチローが日米通算で破った。大変な快挙だ。

6月初め、イチローの故郷・愛知県豊山町を訪ねた。父親の鈴木宣之さんが自宅の隣に建てたイチロー記念館を見学した。ここには〝イチロー物語〟の全てが展示されている。お宮参りで着た晴れ着をはじめ、小学校時代の勉強机、遊んだゲーム機、ゴールデングラブ賞など数々のトロフィーまで。どれもこれも〝チチロー〟こと宣之さんの愛そのものである。

宣之さんは、イチローが少年野球を始めると、自らも監督となり、一緒に野球を楽しんだ。毎夜、二人してバッティングセンターに通い、小さな足をマッサージしたそうだ。

しかし、私が驚いたのはこの先からだ。中学、高校生になってからも、宣之さんは毎日、校庭の外から、ただ息子の練習する姿を見るためだけに通った。野球部の監督らも最初はうさんくさい目で見たが、やがて根負けしたそうだ。自営業だからできたことだろうが、この父の姿は、このたびの「安打大記録」にも匹敵するものだ。

この父にして、この息子がいるのだ。父の愛はイチローに響き、イチローの奮闘は、また父に響く。チチローの著書『溺愛—我が子イチロー』を読み、イチローの奇跡の秘密がここにあることを知った。この父子と同時代にいることは、何とスリリングなことだろう。


（高知新聞「声ひろば」欄より　2016年6月23日）

清岡卓行をもっと知ろう

「日本全体の地理において、高知県が中央から隔絶された一つの位置にあることは、断るまでもない。実際にその土地を歩いてみると、心なしか、そうした辺陬性がひしひしと感じられる」

「彼（坂本龍馬）にしても、自由民権運動の板垣退助にしても、極端に在野的な環境、いわば日本全体をなかば超越しながら客観化できる、土佐のような疎外の環境からしか生まれることはできなかっただろうと、私はひそかに考えた」

これは県立文学館が開館十周年記念特別企画として現在開催している「清岡卓行追悼展」で見つけた、清岡卓行の、父祖の地土佐への思いの一文「隔絶の魅力」からの抜き書きである。

これに似たことを司馬遼太郎も言っていた。異なるのは、清岡氏の方に、初恋の人に寄せるのに似た、初々しく甘やかなものがある点である。初恋の土佐は、両親の故郷であるにすぎない土地だが、彼にとって、大事な、そっと秘かに思っていたいような場所である。

詩人で、芥川賞作家である氏を、私たちはもっと知っていい。少なくとも、この恋ごころに対しての返礼とはそのことだ。

（高知新聞「声ひろば」欄より　２００７年11月25日）

セツローさんの野の花スケッチ展

確か昨年のいまごろは、北国の農民画家・坂本直行さんの野の花の絵を龍馬記念館で見た。私はこの日、牧野植物園に行ってそのことを思い出していた。同植物園で「セツローさんの野の花スケッチ展」を特別展として行っていたからだ。植物画、ことに野生の草花のそれにひかれる私としてはなんともうれしい企画だと、飛び込んだのだ。

一見するやセツロー（小野節朗）さんの世界にくぎ付けになった。どの絵もどの絵もすてきで、絵の前から動けないのだ。それはなぜだろう?きっとセツローさんの「僕は小学校三年生ぐらいの子が描くような、作為のない自由な線が描きたい」思いが見る者に伝わり、作為のない自由な気持ちになるからだろうか。

線だけではない。色も自在で、植物園の帰りにショップで買ったセツローさんの本によると、「草花のスケッチの色を塗る時は、その土地の草花をもんで色をつけたり、土も水も溶かして塗ったりする」とある。まさしく子どもの天衣無縫のやり方だ。

セツローさんの絵を見ていると、大好きな詩人・まどみちおさんの詩を思い出す。もう一人思い出す人がある。セツローさんの絵を見た夜、テレビで特集をやっていたイチローだ。己が道を極める無心なひたむきさが通じる。

（高知新聞「声ひろば」欄より　2008年1月9日）

瀬戸内寂聴さんの「出会い力」

高知県立文学館で「瀬戸内寂聴展」が開かれている。私はこれまでに3回、寂聴さんの講演を聴いたり寂聴さんを見かけたりしている。1回目は婦人公論が地方読者のために開催した講演会で話を聴いた。このときは有髪の流行作家、自分は高校生だったが、生き生きした話しぶりを記憶している。

その次は7年前、幸徳秋水刑死九十周年だったと思うが、中村市での記念講演で、これもお話を聴いた。満場の聴衆に向けての開口一番の言葉が「秋水をおいて、みなさんが自慢すべきものがここにありますか」という挑戦的なものだった。冗談半分だが、郷里の人たちに秋水の真価に気づいてほしいという願いから出たものだろう。

3度目は数年前の徳島での阿波おどりの連のなか、法衣姿で踊る寂聴さんが場内をわかせていた。

「切にいきる」が寂聴さんの生きる姿勢だと会場内に記されてあったが、出会った人すべてを味方につけてしまう寂聴さんの「出会い力」が分かる今回の展示だ。源氏物語から釈迦(しゃか)まで語ってくれる寂聴さんと同時代に生きることを喜びたい。

（高知新聞「声ひろば」欄より　2008年6月19日）

寂聴さん、ありがとう

思えば、私の人生の傍らにずっと瀬戸内寂聴さんがいた。

思春期、ものを書くことに興味を覚え、高知市内で開かれた中央の出版社主催の文学講演会に行ったのが寂聴さんとの初めての出会いだった。もちろん得度前で、富士額が美しかった。列車に乗りづめで尾骨が痛くなったと、遠路はるばる来たことを訴えていた。

東京での学生時代、図書館で『思想の科学』に連載されていた「遠い声」を読んだ。管野須賀子、大杉栄などをそこで知り、また別の著書で伊藤野枝らを知った。正当な評価を歴史がまだ与えていない題材を好んで取り上げる人だった。

２００１年、幸徳秋水の刑死90年の記念集会に寂聴さんが中村（現四万十市）に来ると耳にし、泊りがけで行った。「その土地に降り立つことで、足の裏から感じられるものがある」と語っておられた。「みなさんは秋水以外に何を自慢できるんです？」あのよく通る高い声で、秋水の値打ちについてユーモアを交えながら熱く語っていた。

別の年、徳島に阿波おどりを見に行ったところ、法衣姿で連の先頭に立って郷里の人々に踊る姿を見せているその人と偶然にも出会った。天衣無縫という言葉がぴったりだった。

晩年、大きな病を得ても小説を書き続ける姿をテレビで見た。「作家はね、書かずにはいられないの。書くというビョーキなのよ」と、からから笑って言った。たくさんのことを、そのペンが語り続けた。

寂聴さん、折に触れ、たくさんの学びをありがとうございました。あなたと同時代を生きられて幸せです。

（高知新聞「あけぼの」欄より　２０２1年12月29日）

植木枝盛が愛した書斎

　毎週のように旭への道すがら、植木枝盛生誕地の碑の前を通る。世界に誇る進歩的な憲法の草稿を書いた人として有名であるが、いまひとつイメージが結ばれない。写真も残っているが、神経質そうな正面からの顔で、これも体温を感じさせない。住んでいた家を外から見る機会もあったけれど、いまは他人が住んでいるので居室をのぞくことも不可だった。しかしながらこのたび高知市立自由民権記念館に彼の自慢の書斎が移築復元され、見ることがかなった。りりしい枝盛人形も書斎のあるじとして配されているので、イメージしやすい。

　展示の中で枝盛が書斎について書いている箇所があった。要約すると「書斎は人格修練の道場である。ここにいて静座し黙想し読書することで人格を養い向上発達させる、神聖にして大事な場所である。多少ともその部屋を装飾し住み心地よくなせばこそ、外に出ても早く書斎に帰りたいと思わせるのである」。

　枝盛研究家の家永三郎氏は枝盛がかくまで愛した書斎に3晩泊まったというが、泊まらずして枝盛の書斎の空気を味わえる幸せを、関係各方面に感謝したい。

（高知新聞「声ひろば」欄より　2011年8月24日）

遅咲きの歌姫

その人、北島ひとみさんは、いまは亡き母上から15歳のとき、突然こう言われた。「来年の春、丸の内高校に音楽科ができるらしい。行ってもらえまいか」。卓球少女だったひとみさんには寝耳に水。

聞けば、お母さんは音楽をやりたかったのに、戦争中でかなわなかった。その夢を諦めきれないのだという。

悩んだひとみさんは母の夢を自分の夢とする道を選んだ。「あのときの母の言葉がなかったら、いまこうして歌うということはなかったでしょう」。初めての高知でのリサイタルでひとみさんは母上への感謝の言葉を述べた。

高校・大学と声楽を勉強したものの、結婚して夫の勤務地のメキシコや南米を転々とする間は歌から遠ざかった。が、やがてライフワークとなるタンゴに必須のスペイン語と出合うことができた。

46歳のある日、新聞の一行広告でタンゴのカルチャースクールの存在を知り、人生が変わった。再びさえずり始めた小鳥は、5年後に世界的なタンゴコンクールに入賞、プロデビューする。

その歌唱は、体という楽器をフルに使って豊かだ。聴き手の細胞ひとつひとつに届き、歌の世界に引き込む。上背のある美しい容姿は天女を思わせる。

老人ホームでは、青春時代をタンゴの流行の中で過ごした高齢者が、杖を忘れて踊りだすという。ひとみさん、これからも私たちのために歌い続けてください。

（高知新聞「あけぼの」欄より　2012年10月24日）

タンゴの伝道師

もし北島ひとみさんと出会っていなかったら、私はタンゴを聴くことがあったろうかと考える。

4月、北島さんはイオンのライラホールで行われたコンサートの中で、タンゴがだんだん聴かれなくなっている現状を嘆いていた。戦後、タンゴがはやった時期もあったが、時が移るとともに日本人はタンゴを聴かなくなっているという。

自分のことを考えてみても、以前勤めていた職場の高齢者向けデイサービスに北島さんがボランティアで歌いに来てくれたあの日、世の中にタンゴというすばらしい歌があることを初めて知ったのだった。

北島さんの歌はすべて原語のスペイン語なので意味はわからない。けれど彼女の歌にあるドラマはこちらに伝わってくる。人生を歌うに足る歌がタンゴだとわかる。

コンサートのリハーサルに、母校丸の内高校音楽科の後輩たちを招待して、これでもかとタンゴを聴かせたと笑いながら語る彼女の中に、タンゴへのたぎる思いを、日本人にもっとタンゴを伝えたいという情熱を感じた。

北島さんと出会い、タンゴに出会えた幸せをかみしめながら、豊かな表現力と声量のシャワーの中にいた。

（高知新聞「あけぼの」欄より　２０１９年5月23日）

コキーズと山田史跡　谷 秦山

土佐山田駅でふと手にした、ユニークな催しのチラシに誘われて、10月9日（日）、〝歌で巡る土佐山田史跡ウォーク〟に参加した。

「コキーズ」とは、古希にちなんだ命名の、地元の男性合唱団。平均年齢78歳とか。

私の参加動機はただ一つ。兼山の娘の野中婉が慕ったとされる谷秦山について知りたかったし、秦山ゆかりの場に立ちたかったのである。史跡めぐりの中にそれは入っていた。

前に幸徳秋水についての旧中村市での講演会で瀬戸内寂聴さんが言われた。「ある人のことを真に知るためには、その人が立った場所に立たねばなりません」。その意味でも今回の山田史跡歩きは望ましい。

果たして、香美史談会の上村さんがそれぞれの史跡で行うミニ講座も、「山田史跡めぐり」という山田の先達が作った歌を史跡の現地で歌ってくれるコキーズの歌声も、断然よかった。

さらに驚いたのは、谷秦山のすごさである。旧邸に立つ詩碑には漢詩が刻まれていたが、その一つは北極星を見て高知が北緯33度であることを詠じている。天文学をも修めた人であったのだ。

野中婉との交流の中で、婉がひかれていったのも道理である。感慨深い半日だった。

（高知新聞「声ひろば」欄より　2016年10月21日）

牧野富太郎　生誕百五十年展を観て

数年前、高知県立牧野植物園で研究者として仕事をしている田中伸幸さんから「高知市民の大学」で牧野富太郎の話を聴いて以来、私は前から親しみを感じていた牧野博士が大好きになった。

生涯に残した標本が40万点を超え、その整理は博士の没後から始まって、いまだに終わらないという天文学的な業績。それはひたすら植物への愛という、無私な心から発しているからこそ、できた偉業なのだろう。

今回、県立牧野植物園で開かれている牧野富太郎生誕百五十年記念展の展示は、博士の業績と人となりを分かりやすく伝えてくれている。できるだけ現物を展示してくれているので、そこに博士がいるような生き生きした雰囲気が会場に漂う。

細かな筆で細部まで鮮明に描かれた植物画はじめ、改めてため息の出る根気に彩られた博士の生涯。周囲から愛されたチャーミングなお人柄も知られる。

展示はそのまま東京の国立科学博物館に行くそうだが、県民の一人として世界のマキノを誇らかに思う。

（高知新聞「声ひろば」欄より　２０１２年9月23日）

牧野富太郎ゆかりの地ツアー

牧野富太郎博士生誕百五十年記念イベントの一つに、博士ゆかりの東京の地を巡るツアーというものがあり、参加した。ゆかりの地を一泊二日で巡る中、私の印象に強く残ったのは、博士が晩年の日々を過ごし、現在は「牧野記念庭園」となっている、東京都練馬区東大泉の地である。

そこに、博士の曾孫（ひ）である牧野一淳（かずおき）氏が学芸員としておられて、最晩年の博士の姿を生き生き語って下さった。氏は、我々が写真で見る博士の風貌をよく伝えており、おだやかで明るいお人柄だった。ユーモアを交えながら、庭園内にある博士の旧宅を案内下さる。

旧宅は質素で、現在は各施設に寄贈・収蔵されている夥しい量の標本や書物がかつては博士と共にここにあったことを思うと、そのすさまじさに圧倒される。本の重みで根太が抜け、雨漏りは滝のごとくだったという。

家族は、日当たりの悪い北の部屋でひっそりと暮らす。「富太郎はあれだけの仕事をしたのに、家族の中には花屋も含めて植物に関する仕事に進んだ者は一名もありません」

茶目っぽい微笑を浮かべながら話す氏の背後に、家族がしのんだ大きな負担が垣間見えた。それでも、曽祖父が大好きだという氏の気持ちが私にはじわんと伝わってきた。家族全体であの偉業を支えた一族がここに住んでいた。

牧野博士は本当に幸せな人だ。

（未発表　2013年5月）

ますます！　牧野ワールド

東京の友人に牧野植物園の自慢をすると、「え、牧野って高知の人だったの？」と言われ、残念な思いをしたことがある。来年春にＮＨＫの連続テレビ小説が始まると、多くの人がマキノは高知の佐川の人、と知るだろう。

４月１日付高知新聞に、博士の新聞のことが載っていた。植物標本作りに使った新聞のなかにお宝級のものが見つかったこと、全国各地の膨大な古新聞がまだ調査、研究されないまま残っていることを伝えていた。

今年は博士の生誕百六十年。10年前の生誕百五十年のとき、「博士ゆかりの地を訪ねるツアー」というものが企画され、東京の人は高知に、高知の人は東京に行った。私は東京に行く組で、博士が東京で暮らしていた当時も営業していた上野精養軒でハヤシライスを食べ、博士の居宅地跡にある練馬の牧野記念庭園では博士の曾孫の牧野一洊（かずおき）さんの貴重なお話を聴くこともできた。

なかでも驚いたのは八王子市にある東京都立大学の牧野標本館を訪れたときだった。博士の没後、半世紀以上が過ぎているというのに、まだ博士の集めた標本の整理が終わってないというのだ。なにせ、約40万点という天文学的な数が残されていたのだから。その日も延々標本作りの作業が行なわれていた。

以前、牧野植物園にいた田中伸幸先生から話を聴いたことがある。「博士ほど幸せな人はいなかった。組織に属することを最小限に済ませたので、日本全国の山野を思うさま踏査して植物に会いに行けた」。

膨大な数の標本の秘密はそこにあった。博士の言葉通り、植物は恋人だった。一洊さんは言っている。「富太郎には二百年あっても足りなかったろう」。

（高知新聞「あけぼの」欄より　２０２２年５月２日）

拝啓　長田育恵さま

長田育恵さん、「らんまん」を完走され、おめでとうございます。私たち視聴者も一緒に走り、あっという間にゴールに達していました。

あなたとは8月、かるぽーとでのＮＨＫ主催のファン感謝祭で、松坂慶子さんと共に初めてお目にかかりました。まだ女学生のようなあなたが朝ドラという重い任を負ったことに驚くとともに、そのトークの魅力に「この人だから書けたんだ」と納得し、すっかりファンになってしまいました。

10月1日、佐川町の桜座にもいそいそと出掛けました。あなたの話は最初の印象を裏切らないどころか、深いところで「らんまん」の魅力を握っていたのは、他の誰でもないあなただと知らされるものでした。

中でも驚いたのは、脚本家として白羽の矢を立てられたあなたに「何か書きたいものがありますか」と局側が聞いたとき、「牧野富太郎」と答えたのがあなただったというくだりです。

牧野が決まっていてあなたが用いられたのではなく、逆だったのです。男性主人公は例がないという局側に対して、「妻と二人して夢を実現する物語にする」と主張するあなたに、局側が説得されて決定になったのだと思います。

もう一つ感心したことは、週ごとのタイトルが「バイカオウレン」から始まって「スエコザサ」で終わり、完成したら一冊の植物図鑑になるように試みていたというところ。その時季にその植物の画像が撮れないということで、書き終えていた回をボツにして書き直したこともあったとか。そんな制約の中で仕事をする脚本家の苦労も、あなたの軽妙なトークの中で、初めて知りました。

長田さん、私たちに「らんまん」をありがとう。

（高知新聞「あけぼの」欄より　２０２３年10月12日）

片木太郎さんの下知風景

下知図書館の立て替え工事が完了し、開館記念行事として、片木太郎さんの版画展が開かれた。

片木太郎さんは私の母校でもある昭和小学校の出身で、下知の風景を数多く描いている。高度経済成長の時代に変わっていったふるさとの風と水が、片木さんの絵には残っていて、胸がきゅんとなる。

会場には片木さんの本の一ページが開かれていた。それは桜井町一丁目の江ノ口川北岸の風景について描かれたものである。２本のプラタナスが橋を挟むように立っているうちに、ついに枝をからめて一体のアーチを形作った驚きが、絵とともに書かれている。

このアーチを通して見る世界は、別の世界のようだと、ここをモチーフとして何枚もの絵を描いたともある。しかし、ある時、右のプラタナスが切られたことを知る。詩人の片岡幹雄さんのはがきが教えたのだ。私も、このくだりを読んで、あっと声をあげた。幹雄さんの絵入りはがきが見えるようだった。そして、このことを幹雄さんの妻の千歳さんにすぐ話そう、と一瞬思ってうなだれた。

片木さんも、幹雄さんも、千歳さんも、そして下知の風景も、いまはないことに気付いたのだった。


（２０１３・平成25年４月24日）

拝啓 ねこ（なかむらなおし）先生

ねこ先生一家のマンガが載るようになってから、土曜日の朝刊を開くのが楽しみになった。

お正月の「間違い探し」特集にまつわる投稿を読むと、このマンガを心待ちにしているのは私ばかりではないことがわかる。結構多くのファンがいるのだ。うれしいような、私一人占めでないのがさみしいような。ファンの心理とはそんなものだろうか。

しかし、私はほかの多くのファンに勝っていることがある。

それは、元気な頃のタエちゃんとその夫である「お父さん」を知っていることだ。何を隠そう、最近「相棒の姉」として時々マンガに出てくるMさんは私の友人である。Mさんのすてきなご両親として20年以上前、タエちゃん夫妻を知った。二人はいつも一緒で、自転車に乗って突然わが家にニコニコと訪ねて来てくれたこともある。

だから、ねこ先生のことは、この連載が始まる前から知っていた。不思議な四こまマンガを描く人として個展にも出向いた。

それがいまや、タエちゃんと猫一家のペーソスあふれる日常をヒューマンに伝えてくれるのだ。哀しみと愛とは裏腹だと、その昔「お父さん」が言ったんじゃなかったかな。

ねこ先生のファンがここにもいます。

（高知新聞「あけぼの」欄より　２０１７年１月28日）

橋村幸良さんの本

本年5月末に完成を見、本の貸し出しが始まった梼原町立「雲の上の図書館」。隈研吾設計の、木をふんだんに使ったユニークな図書館である。オープニング行事に加藤登紀子を迎えたりしたこともあって、テレビ等でも報道され、テレビカメラを通してではあるが、階段の途中で本が読めたり、まるで森の中にいるようなたたずまいが伝わってきた。近くなら毎日でも出かけてみたい。

出かけてみたい理由は、もう一つある。

友人の橋村幸良さんとご縁のある図書館だからだ。橋村さんは職場の仲間であり、また、高校は違っても大好きな先生を共通にする、同年の友だった。まだ死ぬ年ではなかったのに、六十代の終わりに急逝した。後には、多分、万を超える蔵書が残された。山を歩いて野の花を友とする彼だったが、興味はそれだけでなく、村上春樹から自然環境、歴史、絵画、音楽と果てもなく広がり、それらの本を集めた。きっと老後の愉しみに読もうと思っていたのだろう。

読む前の本がほとんどで、新品同様のものが大半だった。でも本たちは幸いだった。橋村さんの遺族の寄贈により、雲の上の図書館に居場所と読み手を得た。橋村さん自身もほっとしていることだろう。

梼原の読者がそぞろ羨ましい。

（高知新聞「あけぼの」欄より　2018年6月30日）

こんな人がおったがや！　前田桂子さん

70年生きてきて、何人かのはちきんに出会った。しかし前田桂子さんを知った時、これほどのはちきんはおらん、と目をむいた。

前田さんの偉業については昨年11月24日付高知新聞の「県の北海道移民　研究10年　77歳前田さん（南国市）短大、大学院で」という記事で紹介されている。この記事が関心を集めたか、翌25日にオーテピアで開催された土佐史談会講座は70席のところに百を超える人々が詰めかけ、大盛況であった。

前田さんはパワーポイントを駆使し、写真や図、表なども効果的に入れて約2時間を話し切った。67歳で夜間の高知短大で学び始め77歳の現在までの学びの苦労も時折交えながら、講座のテーマ「高知藩の分領支配と昭和の許可移民」を熱っぽく語った。

私はこの数日前に同じ土佐史談会の研修旅行（和歌山県熊野方面）に参加し、前田さんの知己を得たばかりだったが、食事の時たまたま同席した彼女の並々ならぬ後半生に驚きと感嘆の声をあげるばかりだった。

一言で言えば「こんな人がおったがや！」に尽きる。その時はまだ研究内容は詳しくは知らなかったが、研究の先が北海道でそこへ9回も赴き、ある時など目指す書類が見いだせなくて2週間も滞在したこと。諦めて帰ってきた後、見つかったとの知らせを受け、「送ってもらったら」という先生の言に逆らって、「見ず知らずの私のために見つけてくれたものを送ってとは言いにくい」とわざわざ受け取りに行ったこと。等々、どの話もどの話も想像を超えるものだった。

ひとくくりに「研究者」と言っても、彼女は他の誰でもない、彼女にしかなれない研究者なのだ。効率も悪い。費用もかかる。でも、これまで生きて培ってきた人間力にあふれた研究を、彼女は成した。言い抜かっていたが、彼女の研究対象は土佐から北海道に移住した移民の暮らしとその周辺である。研究の中では子孫からの聞き取りに時間と労力を割いている。訪れた家族のなかには、「うちのような貧しい家に初めて訪ねて来てくれた」と喜ぶ家族もいたという。丁寧に研究する「おばさん研究者」ならでは、だ。

さて、ここからは講座の中身に入ろう。約2時間の講座中、彼女は多くの時間を北海道の幕末の歴史、ことにアイヌの人々がいかに生き、いかに虐げられていったかに費やした。彼らが北の大地で豊かに暮らしていなければ移民の暮らしそのものもあり得なかったとも言った。先住の彼らの支えあったればこそ、を強調するあたりに私は彼女の研究者としての心意気を感じた。移民を語る同じ力点でアイヌをも語った。

紙面が尽きる前に言っておきたい。彼女のこの見事な研究は、高知短大の存在がなければあり得なかった。いまはほとんどの大学で年齢に関係なく学べる時代になった。とはいえ、昼間働いて夜学ぶというつつましい学びは、都会へ出なければできなくなっている。

彼女は農家の妻だった。一日の農作業を終え、夫の作ってくれる弁当を車に積んで短大に行き、車の中で食べて授業に出る。友も教官もすばらしかったと彼女は言う。進学するゆとりがなかった青春の夢を短大で実現した。夫が交通事故で亡くなった後も、夫の応援を背中に感じながら学びの道をまっしぐらに進んだ。短大の先生が高知大学大学院進学も勧めてくれたという。

尊い学びのきっかけを作ってくれた短大がなくなった今となっては、どこかに埋もれている前田桂子を再び見ることがないのが、いまさらながら惜しい。

（高知新聞「所感雑感」欄より　２０１９年１月28日）

池内紀さん、さようなら

５日の本紙に池内紀（おさむ）さんの訃報が出ていた。池内さんはカフカやゲーテの研究で知られるドイツ文学者でもあったが、それ以上に幅広い活躍をする人で、エッセイストであり、旅の人であり、またラジオの人だった。

テレビをあまり見ず、もっぱらラジオを楽しむことを言い、自らもラジオ出演した。ことにＮＨＫ・ＦＭで40年続いた「日曜喫茶室」では「常連のお客さま」として準レギュラーを務め、少ししゃがれた声で、ゆっくりと語る独特の語り口で毎週楽しませてくれた。

弟の池内了さんは宇宙物理学者で、高知にも講演に来たことがある。勝手に親しみを感じて、講演後に土佐のお菓子をお土産にどうぞ、と手渡したことだったが、お兄さんのファンですとは言えなかった。

最近はイスラムの関係で息子の池内恵（さとし）さんもマスコミに登場するようにもなり、女手一つで息子たちを育て上げたお母さんはどんな方だったろうかなどと考えていた。そこのところの話を聞けずにしまったのは残念だ。

（高知新聞「声ひろば」欄より　２０１９年９月14日）

馬場胡蝶という人

馬場胡蝶の名を初めて知ったのは、大好きな樋口一葉の日記の中でだった。

一葉が習作を開始したときの最初の師、半井桃水は戯作的作風の作家で、そのままだったら一葉は一戯作者で終わっていたかもしれない。

一葉の作品が永遠に残る文学的生命を獲得したのは彼女の努力や暮らしの中から得た独自の世界観などによるものも、もちろん大きかったろう。

しかし「奇跡の14ヵ月」と言われる、名作を立て続けに書いたあの濃い時間は「文学界」の青年たちとの交流なくしてはあり得ない。当代一流のインテリであり文学的覇気のある青年たちから一葉は吸収できるすべてを吸収したといえる。小学校しか行ってない一葉にとって、どれほどの知的刺激があったことか。

しかし、或る意味で世間ずれのした一葉にとっては、青年たちは時にひよっこのように脆弱に見え、面と向かって相対しているときは上手にウマを合わしていても、帰るや否や、日記ではこれでもかとこきおろさずにはいられない。

そんななかで胡蝶だけは違った。全幅の信頼を寄せ、心を開いて交際した。「うれしき人也」「こころうつくしき人」「誠ある人」、どこを読んでも一言の悪口も出てこない。「馬場君　此夜もいたくふけてかへる」二人の談話がどんなに弾んだかと思うと、孤独な一葉の生涯のために私も嬉しい。

文学館での胡蝶展を見、谷是氏から胡蝶の人となりを聞くに及んで、高知県人として胡蝶という人を得た幸せを改めて思った。

一葉の住みし町なり夕時雨　　　胡蝶

（未発表　２０１９年）

お疲れさま、里見和彦さん

毎週水曜日、朝刊が来るのが楽しみだった、里見和彦さんの「定年のデザイン」がこの週で終了した。楽しみがなくなるのは寂しいが、少しほっともしている。なぜなら、彼が文と絵の両方を担当していて、それが毎週だとそれだけで彼の週が終わってしまうだろうことが想像でき、気の毒に思っていたからである。

絵は細部まで手を抜かないし、植物画にはウソがあってはならないのでさらに気を使うだろう。そんなことを70週もやってきたのだ。並の人ならちゃがまっている。でも彼は公私ともにつまづいた経験もある苦労人、きっと毎週楽しく描き、書いていたに違いない。

オーテピアを「わが社の図書室」にしていると書いた回に共感して感想を送ると、すてきな返信をはがきで戴いた。別の日、牧野植物園を設計した内藤廣氏のトークが高知県立美術館であった折、彼も出ると知ったのでミーハーの私は見に行った。連載の印象を裏切られることはなかった。

それからますますファンになり、佐川町の牧野富太郎ふるさと館での展示も観に行けば、本も買った。展示のしつらえは凝ったものだった。細部まで手を抜かずヒューマンな味つけで、という彼のポリシーがここでも貫かれていた。里見さん、どうぞ一休みしてください。そして、またどこかでお会いできますよう。（高知新聞「声ひろば」欄より　２０１９年12月31日）

『定年のデザイン』

高知新聞読書欄で県内書店のベストセラーが発表される。11月に刊行されたばかりの里見和彦さん著『定年のデザイン』が上位に食い込んでいるのを頼もしく見たことだった。

本書は、高知新聞紙上に5年前に連載された70編に30編を加筆して出された。文も楽しいが、イラストがまた優しく、見飽きない。

里見さんは、博物館などの展示を担当する「展示デザイナー」だ。牧野植物園内の「牧野富太郎記念館」の展示も、その後の企画展も、彼の手になる。それもそのはず、記念館の展示を担当した後、当の植物園に就職したのだった。自身の手による展示のその後を見届けたくて。

しかし、その後の道は平坦ではなかった。心の病に陥った彼は、デザイナーという仕事を離れ、園の土や草と格闘する道を選ぶ。そこで植物や先輩から「気」をもらった彼は、数年の後、展示デザイナーとしてよみがえり、無事定年を迎える。その定年後の日々を描いたのが冒頭の書である。

「やがて本になりますよ」。連載担当のT記者からずっと前に聞いていたのに、なかなか本にならない。ファンの私はやきもきしていた。その理由は「らんまん」フィーバーだった。里見さんは、東京・練馬の牧野記念庭園に、博士の往年の書斎を再現するなど、超忙しかったのだ。

いまやっとそれも落ち着き、ゆっくり本を楽しむ時期が来たことを喜びたい。

（高知新聞「声ひろば」欄より　2023年12月1日）

ジョン・ガラファーと大澤重人さん
ジョンの訳した本―絵本「むくげの花の少女」をめぐる私的レポート

●大澤さん

京都在住の大澤重人さんは、元毎日新聞高知支局長だった。数年前のことである。その頃知己を得、その後転勤して山口から大阪本社を経て早期退職に至った現在でも仲良くしてもらっている。お互いのアンテナに引っかかった、書くことが嫌いじゃない友とでも言おうか。日常的にのべつ付き合っているというわけではない。何かあったとき、メールのやり取りをしたり、たまに会ったりする程度のつきあいである。

彼はすでに2冊の本を出し、いま3冊目に取り掛かっている。2冊目も原稿の段階で見せてもらい、感想を問われた。いわば、本の感触をさぐる最初の読者の一人として選んでもらったのだろう。素晴らしい内容だったので、出すべきだと煽った。もとより彼自身、手ごたえあっての私的披露であってみれば、最初の一押しを私に託したのだろう。本は出て、高知県出版学術賞特別賞を受賞した。『泣くのはあした―従軍看護婦、九十五歳の歩跡』（冨山房インターナショナル）である。高知にいる間に着手した、高齢の元看護婦の中国大陸での体験の聞き取りを、転勤した後まで高知に通って続け、ついに本にしたのだ。「いま、自分が聞き取って本にしないで、誰がする？ 見過ごしたら歴史に埋もれてしまう」という取材者魂が聞き取りを続けさせ、ついに本にさせるに至ったものだ。地味な題材だが、歴史的価値の大きさは計り知れない。

このたび彼が計画している本は、前述したように彼の3冊目である。テーマは韓国と日本の平らな関係である。

7月の終わり、原稿の冒頭の一部がメールで送られて来た。それを読んで驚いたのは、そのなかに出てくるNさんが、ほんの数日前、友人から消息を聞いたばかりの女性と同一人物ではないかと思えたからだった。この友人とは、お互いの誕生日を祝ってランチする習慣になっている。彼女は高知ＳＧＧ（Systematized Goodwill Guides 善意通訳）の代表をしているのだが、当日の雑談のなかで、SGGの古い仲間のお家が丸焼けになり、認知症の夫ともども、高齢者向けの、けっこう高額な介護付き住宅に入らざるを得なくなったという思わぬ不運のことが話題になった。それが大澤さんの原稿に出てくる、絵本の英語訳を出版した人と重なったのだ。ええっと声が出た。友人に確かめてみると、果たしてその通りだった。大澤さんの原稿でもう一つびっくりすることがあった。

絵本『むくげの花の少女』は、秀吉の時代に朝鮮から連れて来られ、故郷に帰ることなく幡多の地で敬愛されつつ没した女性の生涯を、幡多に住む一女性が絵本にしたものであるが、私はその場所に25年も前に行ったことがあったのである。「朝鮮国女墓」とのみ書かれた墓がどんな人の墓で、なぜそれがそこにあるのかも知らず詣ったのであったが、大澤さんの原稿に導かれて図書館で『むくげの花の少女』の本を借りて読み、やっと訳が分かった。それだけでも大澤原稿が有難かったし、縁を感じたが、さらに読み進めるうち、驚きはもっと大きくなった。

ローカルな自費出版のこの絵本が、ハングルに訳され、さらに英語にも訳されていると知ったことだった。大澤さんの原稿の中では、なぜ作者は自費出版でこの本を作り、また、翻訳した人はどんな人たちで、どんな思いで作ったのか、記者魂に導かれ取材に走っている。私も図書館で早速それらの本を借りてきたが、感慨があった。いま問題になっている拉致の逆方向に、何百年も前朝鮮から拉致された少女の話なのだ。

● 「ジョン先生の本だ」

私は、ずっと通っている英語教室に、その週、日本語・ハングル・英語と三冊の本を持参し、教室のみなに披露した。クラスでは、前の週あったことをトピックスとしてめいめいが最初に話し、クラスメートを一巡して授業を始めるのが教室の習慣だった。私が持参した本を見て、クラスメートは言った。「あ、ジョン先生が訳している!」。

くだんの絵本を英語に翻訳したのが、以前私たちが習ったジョン先生だったのだ。その教室に転入して日の浅い私にとっては、ほんの数ヵ月習っただけで、彼をインドに見送ることになったのだが、クラスメートは彼に何年も習っていたので訳者が彼だとすぐに気づいたのだ。ジョン・ガラファーというフルネームもそのとき初めて知った。私たちは単にジョンとだけ呼んでいた。彼に限らず、この学校ではネイティブの英語講師はファーストネームで呼ぶのが習慣だった。

ジョンについては後日談がある。彼は印象の強い人だったので、彼が去った後もちょっとした機会をとらえて私は彼の噂をしていた。そのうち、三人のジョンの知り合いが私の網にかかってきた。私自身の網からは、すばやくはずれて他国に行ったジョンだったが。彼の去ったあとの私の出会い運を喜ばずにはいられない。

一人目は、ALT（Assistant Language Teacher）として初めて高知に来た二十代の若いジョンを空港に迎えに行った元高校英語教師の女性。

二人目は、「ひろめ」やほかの酒場でジョンと飲み、ジョンの研究テーマ「芸者」についてジョンと語った男性。

そして三人目の女性。彼女はいまもジョンとメールのやりとりをしているという、三人のなかでは最も濃い交友をジョンと結んでいる。この人は英国人と結婚していたこともあり、英語を自由にあやつるので、さぞジョンの自由な話し相手になっただろうと思われる。

この人と私の出会いは奇跡的だった。

朗読をやっている友人と、小さな朗読の場を求めていくつかの酒場を巡った夜があった。酒場の2階でちょっとした集まりをするのは、少し前の高知では珍しくなかったが、昨今そんなのんびりした空間は見つけにくい。その日、候補だった二つの酒場の下見に行き、大体の見当をつけ、「お疲れ」と二人でビールで乾杯した。

なぜその時ジョンの話になったかおぼえてないが、朗読する予定の女性相手に、ジョンの話をしたのだった。小さな酒場で、雨の日でもあり、客は私たち以外にもう一人いるきり。カウンター席の話なので、店主にはまる聞こえだ。その時、店主が私たちの話に割り込んできた。「そのガイジン、こないだここで飲みよったぜ」耳を疑った。聞けば、女性客と終始英語で話していて、なんでもその日が個人的な送別会だったという。ジョン以外にあり得ない。私の好奇心と行動は彼女に会うのに時間をとらせなかった。後日会うことが叶ったこの女性との話は、初めてとは思えないほど弾んだが、この話し手から、ジョンのいろんな面を聞かせてもらった。以来、ますますジョンが身近になった。

ジョンはALTとしてアイルランドから初めて高知に来た。二十代前半の頃である。その後、任期を終え、いったん帰国、さらにダブリンの大学で翻訳学の修士の学位を得、再び高知に来た。当地で結婚し、子をもうけ、英語学校や大学で教え、25年たった。その後、2年前に仕事を得て、インドに転出することとなった。

私は前述したように、ジョンの高知での最晩年の数か月習っただけで、ジョンと別れてしまったのだが、とても忘れがたい講師だった。その理由は彼の教え方がユニークで、白板に漫画を描いて誰にでも分かるよう、楽しく説明するかと思えば、日本人が陥りやすい表現の誤りをピックアップし噛み砕いて教えてくれる。一言で言えば、有能な英語教師だった。風貌も独特で、夏だったこともあり、いつも短パンとTシャツ、首にはタオルを掛けている。一つには移動が常に自転車だったので、高知では汗をかくことから免れず、タオルは手離せなかったのだろう。クラスメートと開いたお別れのランチ会で、高知のどこがよくて25年もいたのかと聞いた。答えはこうだった。

●高知の魅力

①暮らしやすいコンパクトな広さ。

ジョンは、大学でも教えていたが、かなり距離のある郊外の大学に行くのも自転車だった。それを可能とさせる広さだということだ。

②ソーシャブルな市民。

辞書で引くと、「ソーシャブル」とは、短く言えば「人と交わることが好き」だった。人づきあいがいい、という感じだろうか。

③よそから来た人に好奇心が強い。

「どこから来た?何をしている」など、寄って来てはしばしば熱心に聞かれるとのこと。高知はもともと僻遠の地で、外来の人やものに対してまだまだ興味が都会化してないのだろう。

思いがけずジョンに高知の魅力を教えてもらうことになり、別れを惜しみつつクラスメート達とジョンを囲んだ送別ランチを終えた。

そのジョンが、絵本の訳者として、私たちの前にこのたび戻ってきたのだ。嬉しいったらなかった。

ことにジョンと数ヵ月で別れた私には、降ってわいたご褒美のようだった。

図書館の本は返さなければならない。手元に一冊欲しかった私は、出版社の「飛鳥」に問い合わせた。「申し訳ないですが、ありません」との返事だった。アマゾンで探しても、日本語版は手に入ったが英語版はない。そこで英語版を作ったNさんに連絡をとってみた。この稿の最初を思い出してほしい。Nさんのお家は丸焼けになったのであった。「火事でみな焼けて、一冊も残ってません」。そうNさんは悲しげに言った。残念!

でも、予想外のことが起きた。「私も欲しいので、飛鳥に問い合わせてみましょう」と言ってくれたのだった。そして、嬉しいことに、版が残っていて、再版できるとの知らせを受けた。「50冊注文しました。8月末に出来上がるので、出来上がったらすぐあなたにお知らせします」というではないか。望外の展開である。なんという奇特な人！ 小躍りして喜んだ。Nさんとは面識もなく、ただNさんの属しているSGG代表のKさんが私の友人というだけの縁なのだ。きっと再出版には少なからぬお金がかかるに違いないのに。

予告どおりNさんから、飛鳥から本が届いたとの連絡があり、住まっている高齢者向け介護付き集合住宅に出向き、おそるおそる分けてもらう本の値段を聞いた。驚くべきことに、信じられないほどの安さである。これなら何冊か買える。「タダでもいいんだけど、それは却ってあなたに気を遣わせると思い、値段をつけました」。原価を聞き出すと、やはり50冊という少ない数なので、単価は相当な額になる。申し訳ないことである。その後、私は何回かに分けて、もう数冊、もう数冊と本を分けていただくことになる。本はジョンが高知に残した得難い宝のような気がして、ジョンを知る人、または、知らないまでも、この絵本に関係する人々に届けたくなったのだ。そして、その人と、ジョンの噂ばなしをしたい。

人の褌(ふんどし)で相撲を取るとはこのことだ。でも、Nさんは快く分けてくださり、あまつさえ私に礼を言ってくれるのだ。「あなたが言ってきてくれたので、忘れていたこの本のことを思い出しました。ありがとう」と。

●ユンチョジャさんと「朝鮮国女墓」

この本に愛着があるのは、敬愛するジョンが訳した本だというばかりではない。初めの方で触れたが、この本のきっかけとなる「朝鮮国女墓」に私は詣ったことがあったのだ。

いま調べてみれば、それは平成7（1995）年のことになる。ちょうど四半世紀前のことだ。

当時私は高知市役所に勤務しており、同和対策課の市民会館に配属されていた。旧同和地区とその周辺住民の人権と福祉を守ることが使命の職場だった。業務の一つに人権啓発がある。啓発を進める講演会を毎年のように開催するなか、そのときの職場、朝倉総合市民会館のその年の講演会講師が川崎市在住の「ユンチョジャ」さんだった。

ユンさんは、在日朝鮮人の父と日本人の母との間に生まれた。しかし、差別を恐れた母は、父と別れ、父のことを口が裂けても言ってはいけないと娘に厳命した。彼女は22歳まで父を隠して生きてきたが、ある日、いまは亡くなっている父が、まるでこの世に存在しなかったように生きることに疑問を抱き、改姓の裁判を起こし、あえて父の姓を名乗るようになった。差別を恐れず、ありのままで生きたい、と。

そんな講演内容で、聴衆に感銘を与えた。

講演後、恒例になっている、遠来の講師の接待で、どこか行きたいところがあるかと聞くと、四万十に行きたいとのこと。高知から遠いので、地元の部落解放同盟高知市連絡協議会が好意で運転手付きで車を出してくれることになった。その道中、この絵本に描かれる「朝鮮国女墓」に立ち寄って、一行手を合わせたのだった。私にはなんの予備知識もなかったが、運転手のSさんが、自然に立ち寄ってくれた。道中にもうひとつ、部落差別により命を落としたI青年の墓にも立ち寄った。観光旅行だけではない道中をと、車を運転するSさんの配慮だった。

Sさんは、父が韓国人、母が同和地区出身という、二重に差別を受ける境遇にあったが、ユンさんの講演によほど勇気づけられたようだった。「ユンさんをよく呼んでくれました」と、四万十からの帰り際に涙ながらに語った。彼はその後、それまで負い目を持っていた出生に自信を得て、韓国に父の出身地を訪ねるまでになる。韓国の親族から歓待を受け、後日、姓も韓国名を名乗るまでになった。そんな彼だから、自然に立ち寄り先に「朝鮮国女墓」を選んでくれたのだろう。今回のこの絵本も彼に見せたいのだが、病を得て最近亡くなってしまい、それができないのは本当に残念だ。

ユンさんと私はこの講演会をきっかけに仲良くなり、講演会に連れてきていた小学生の娘さんの成長や家族の動向を、毎年交わす年賀状で知ることになる。ユンさんは念願の韓国留学を果たし、お父さんの故国、自身のルーツの地に暮らすこともできた。小学生だった娘のジュナちゃんは、いまや二児のお母さんである。ユンさんは両国の架け橋たらんと、それを実行するさまざまな活動を暮らしの基本にすえている。

●ジョンの残したもの

文はジョンから遠ざかってしまったが、本のことに戻ろう。

この本がハングルにも訳されていることはすでに書いたが、ローカルな小さな絵本が3ヵ国語に訳されているのは壮観である。ハングルに訳したのは、大澤さんの取材によると、県立大学大学院に留学して来ていた韓国人男性だった。帰国後、出版にまで行きついたのには、きっと、高知に来て初めて知った同胞の悲話に並々ならぬ感動を受け、使命を感じてだろう。

さて、英語に訳したのはジョンである。英語版を企画したのはNさん。絵本を読んで感動したNさんは現地を訪れ、もっと多くの人に読んでもらいたいと英語版出版を当然のように企画した。英語学習でつきあいのあったジョンが翻訳を快く引き受けてくれたのも出版を可能にする大きな要因だったろう。ジョンの本を今回プレゼントできた、あの三人目の英語堪能な女性によると、ジョンはメールで、あれはとても楽しんでやった仕事だった、となつかしげに語ったそうである。

思いがけない偶然と幸運でこのように手にすることができたこの本を、私はジョンゆかりの人に手渡して、いまは遠くにいるジョンのことを語る道楽を思いついたことは書いたとおりである。英語の授業の時、現在の講師に「ジョンが高知に残してくれた宝石のような気がするので」と話すと、それは「レガシー」というのだと教えてくれた。そうか、ジョンのレガシーなのだ。ジョンのレガシーを持って、ジョンゆかりの人に会ってはジョンの話をして喜んでいる近頃の私である。

●おわりに

大澤さんとNさんのおかげで、ジョンのレガシーに出会え、それをダシにしてさらにジョンが残した人的レガシーにも出会えた。ありがたいこと。

大澤さんの原稿のおしまいの方は、名前も分からないむくげの少女の出身地探しにも筆が及ぶ。長宗我部の朝鮮侵攻から養蚕の盛んな地域を特定し、おそらくここではないか、という地域と、絵本の作者植野雅枝さんの地元の小学校とが交流をしたことも、書かれている。だが、侵攻ルートには異説もあり、決定的ではないということである。ここらはまだまだ議論の余地があるだろう。

肝心なことは、日本と韓国朝鮮との間が平らでなければならないことである。偏見を取り除くための方策は幾重にも講じられなければならないだろう。大澤さんのこの度の本は、その精神で書かれているし、その方策の一つである。出版されたら、きっと所期の目的を達成するに違いない。

ちゃっかりとその前段階で本の蜜をいただき、ジョンのレガシーと称してミツバチよろしくあちこちに配り回ってはジョンの噂をする私を、大澤さん、どうかお許しください。Nさん、ありがとうございました。

お隣の国との、平らで、自然で、笑顔に満ちた関係を望みます。

もちろん、それを熱く語る大澤さんの本の一日も早い完成も待たれます。

（未発表　２０２０年初秋）

※その後のこと

大澤さんの本は、『咲くやむくげの花ー朝鮮少女の想い継いで』として、（株）冨山房インターナショナルから２０２１年８月に刊行された。

安野光雅さん、ありがとう

山口県のＪＲ小郡駅（現・新山口駅）から島根県の津和野駅まで、観光ＳＬ（蒸気機関車）が連休や夏休みなどに走っている。

10年から前の話だが、その機関車に乗りたくて、切符を買った。両駅を両端とする単一路線で、津和野で降ろされたら、2時間後に復路の小郡行きが出るのを待つよりない。

夏の盛り。当てもなく津和野の街を歩いていると、「安野光雅美術館」に行き当たった。大好きな絵描きの館だ。迷わず入ってみる。そこは昔の小学校の教室を模した館で、何とプラネタリウムまで備えている。ＳＬもすてきだったが、真夏の昼間に、津和野の夕暮れから夜明けまでを体験できる魔法の空間に酔いしれた。

安野さんは40年続いたＮＨＫ・ＦＭラジオ番組「日曜喫茶室」の常連でもあり、そのゆったりとした自然な語り口のファンだった。

児童書の世界でも独特のイラストで人気があり、井上ひさしさんの「こまつ座」のポスターもずっと担当していた。「遅筆堂」をもって認ずる井上さんの脚本が上がってこないうちにポスターを仕上げなければならなかった苦労を話していた。

安野さんは好奇心旺盛な人で、ひょいとスケッチブックを片手に世界中を旅していた。司馬遼太郎さんの「街道をゆく」の挿絵も作者と同行して描いたそうだ。

安野さん、あなたと同時代に生まれ合わせた幸運に私は感謝します。ありがとうございました。

（高知新聞「あけぼの」欄より　２０２1年2月11日）

山中由貴さん、参りました

読者の皆さんは、芥川賞、直木賞のほかに「山中賞」というものがあることをご存じだろうか。

その賞とは、本をこよなく愛する一書店員が企画したもので、審査員は山中由貴その人一人である。

書店員を15年やっているうち、「自分がすばらしいと思った作品に光を当てたい。自分が書店員であるからには、本当によいと思ったものには、自分自身を懸けて賛辞を贈りたい」という動機で、2年前に始めた。

これが功を奏し、現実に山中賞作品は店でよく売れるのである。本の世界が視覚的にも分かるように模型を作って店頭に飾ったり、手作り賞ならではの工夫が楽しい。

この話はニュースで知り、店にも行ってこの目で確かめた。「参りました!」と思わせられたのは、公民館での講座で山中さんの話を聞いてから。いやはや、すごい書店員がいたものだ。本が好きな度合いは、故淀川長治さんの映画好きといい勝負である。

講座のタイトルは「あなたを読書にさそいにきました」。山中さん、あなたの〝ハンパない〟本への愛に、私も感染しました。ありがとうございます。


(高知新聞「声ひろば」欄より　2021年11月2日)

横井庄一記念館 閉館に思う　横井美保子さん

9月4日付高知新聞に、横井庄一記念館（名古屋市）が閉館したとあった。館長を務めた妻の美保子さんの他界のためで、残念である。その数日前に、ラジオで美保子さんの話を聞き、一度行ってみたいと思っていたのだ。

美保子さんはお見合いで横井さんと結婚し、横井さんの亡くなる１９９７年まで、25年間連れ添った。記念館設立は生前の夫の願いだったという。２００６年に自宅の一部をそれにあてて開館し、地域の小学生や遠方から来た見学者に、展示物と横井さんの人となりを説明していた。

横井さんには二度と自分のような人を出さないようにという平和への願いがあり、美保子さんには加えて夫へのあふれるような尊敬と愛があった。

56歳で帰国した横井さんの花嫁候補は次々と二人登場したがうまくいかず、人間不信に陥っていたとき、三人目の美保子さんの飾らぬお人柄が救った。ラジオから聞こえる話しぶりは率直で知的でユーモアがあり、まさに横井さんが待っていた、その人だった。

ジャングルでの過酷な洞穴生活は28年に及び、仲間二人も亡くなり、たった一人で生き延びた。その暮らしを支えた自立の技と知恵の数々を、美保子さんは、それはそれはいとおしそうに語る。それを強い心でやってのけた夫への敬愛は、この放送でも光っていた。美保子さん、横井さんへの愛を、ありがとう。（高知新聞「声ひろば」欄より　２０２２年9月15日）

第五章　忘れえぬ処

自然に生かされ尊ぶ暮らしこそ　椿山

記録映画『椿山（つばやま）』でその存在が私たちにポピュラーになった民族映画研究所（民映研）の映像を今回も観ることができた。今回は、伊豆諸島の新島の暮らしを巡る数編だったが、いつ見ても胸が詰まる思いがする。

民映研を率いる姫田忠義さんは、日本列島からまさに消えようとしている伝統的な暮らしを映像という形で記録している。

残念ながらこの国の民は、高度経済成長期に、それまでの先人たちが営々と築いてきた暮らしぶりをあっさりと捨て去り、使い捨ての「効率的な」やり方に切り替えた。そのことが今さまざまなひずみを社会に引き起こしているのは周知のことである。

姫田さんの映像は、直接的にではないが、これらのことを反省させてくれる。かろうじて、この国の周辺部に残る、人らしい暮らしを描くことで、何事かを我々に教えてくれる。人間の生存基盤たる自然によって生かされ、そのことを尊び、恵みとする暮らし。恐らく縄文時代以前から続いてきたであろう、人の暮らしの知恵と遺産。人間てすごいな、と思わされる。

姫田さんは自らの地味な仕事を「骨を拾う聖（ひじり）」に例える。旅先で息絶えた人の骨を手厚く葬るのが聖。姫田さんは、これからも記録者に徹して骨を拾いまくるという。

姫田さんの記録映画が伝えてやまない「人類的な深さ」に満ちた暮らしがいま、音たてて消えていることが私にはたまらない。

（高知新聞「声ひろば」欄より　２０００年７月９日）

美しい夕日、野鳥、人もいい沖の島

初めて行ったのは瀬戸内海に浮かぶ小さな島でした。車が一台も走ってなくて、歩いても歩いても車をよける心配がないのです。これがいかに心休まることか。これに味をしめて、それからの旅は島と決めました。

今回の旅は、沖の島です。前に行ったことのある職場の先輩が「何もない所だったよ」と報告してくれたので楽しみでした。

沖の島には、まず夕日がありました。西の海に、光の道をつくりつつ落ちて行く夕日の美しさは、この果てにある西方浄土を思わせます。それからいろんな色の大きなハイビスカスの花。そして人を怖がらない野鳥。ここは間違いなく野鳥の人口?の方が人間よりはるかに多いでしょう。野鳥がすみづらくなっているご時世に、鳥のためにうれしく思いました。

以上は自然の魅力ですが、ここの人もまたいい。お年寄りから子ども達まであいさつをしてくれます。走っているトラックの上からまで「こんにちは」と声をかけてくれたのにはびっくりしました。

簡素な宿では一家総出で家業にかかっていましたが、そこの子どもたちが家の前で遊ぶ声がにぎやかに聞こえてきます。懐かしい声を聞いたような気がしました。宿の人にそう言うと「ここには塾もないし、子ども達はほかに行きようがないから」と笑っていました。

家のなか、地域のなかで子どもたちが育つ姿が沖の島にはありました。この風景もまたいいものでした。

（高知新聞「声ひろば」欄より　１９９８年11月8日）

「柳の葉よりも小さな町」 中村

1月22日の高知新聞「小社会」欄を胸を躍らせて読んだ。理由の一つは、そこに上林暁（かんばやしあかつき）の「柳の葉よりも小さな町」という小品が出てきたことだ。

何という不思議か、実は20日、所用でJRの特急に乗る機会があった際、詩人の片岡文雄さんと乗り合わせ、この作品の話をしたばかりだったのだ。上林暁の晩年の作品「四万十川幻想」についての片岡さんの講演を、昨夏他界した母は、亡くなる少し前に、高知市中央公民館の高齢者向け文学講座で聴いている。

不遇な少女時代を中村市の伯母のもとで過ごした母は、中村の町と四万十川が彼女にとってのゆりかごだったことを、最晩年、片岡さんの公民館での話を聞きつつ再発見したようだ。懐かしかった、と熱っぽく語っていたし、遺した日記にもそう記している。

上林の「柳の葉よりも小さな町」に登場する楓書店の気難しそうな番頭というのが伯父だったことも、母から幾度となく聞かされた。片岡さんにそれら中村と母のよもやまの話を車中でしたことだった。

偶然出会っただけでも望外のことだったのに、片岡さんと話した「柳の葉よりも小さな町」という文字を翌々日の朝刊に見たときは、心臓がドキンとした。これはひょっとして母の仕業かとも。

「小社会」を胸躍らせて読んだ二つ目の理由は、わが敬愛する幸徳秋水について書かれていたこと。

一昨年のいまごろ、私は声ひろば欄に「高知県民は秋水をもっと大切に」という内容の投稿をした。中村市にある「幸徳秋水研究会」から、会報に再録させてほしい旨連絡があり、快諾したところ、刷り上がった会報二号が届けられた。

それによると、秋水生誕百三十周年、刑死九十周年の記念行事に、敬愛する瀬戸内寂聴さんの講演が3月3日、中村市文化センターであるとか。このこともお知らせしたく、また「小社会」氏にお礼を申し上げたく、ペンを執った次第である。

（高知新聞「声ひろば」欄より　2001年1月26日）

「かるぽーと」に市民の手で魂を

高知市文化プラザの「かるぽーと」とは「文化の港」の謂だそうだが、由緒ある九反田の地に、このたび私たちは素晴らしい港を得た。横山隆一記念館に行き、ミュージカル「RYOMAの夢」を観るなどして、好奇心の塊である私は、早速「かるぽーと」にさわってみた。

さわりつつ思い起こすのは、文化の港がお城の下にあった頃のこと。

中央公民館は当時、高知市にある唯一の文化施設だった。ホールでは講演、映画会、音楽会など、そして学習室や和室では小集会や学習会と、市民は大いにこの施設を活用し、豊かさと潤いを持ち帰った。結婚式でさえ、ここで行なった。

冷暖房がないのが泣きどころだったが、早朝の夏季大学など、窓と入り口を開け放ち、周囲の緑に協力してもらってしのいだ。氷柱を置いた年もあったように思う。「労演」や「労音」などという、勤労者に安く芸術を提供する組織も立ち上がり、活動が盛んで、公民館の中に事務局があった。

二十一世紀の市民に、いま新しく大きな文化の器が与えられた。ここに魂を入れていくのは、これからの市民である。

価値観の多様化の時代、豊かで自律的な市民活動の港「かるぽーと」から新しい時代に船出したい。

（高知新聞「声ひろば」欄より　2002年4月18日）

はりまや橋が、リニューアル後もやはりガッカリ名所だった、という記事を読んで、やっぱりなと合点した。

現地に行ってみると、当局の「何とかしたい」という一生懸命な思いは伝わってくるが、人工的でチャチな感じは否めない。

やはり、観光客は、時間の流れをくぐった物や場所のもつ圧倒的な存在感に心を動かされるのだ。自分がよその町を訪れて「来て良かった」と思うのは、そんな物や場所に出合った時だ。

「今」という時間軸と、「歴史的な出来事」という空間の交差の妙はその秘密のようだ。司馬遼太郎の「街道をゆく」の魅力もそこにあった。その土地固有の風土にふれるとき、旅心は満たされる。

金沢では、町の両側を流れる二本の川の周辺が美しく整備され、川辺を散策したくなるよう仕立ててあった。一方を室生犀星の「犀星の道」、他方を泉鏡花の「鏡花の道」と、金沢が生んだ二大文豪の名をつけ、古い並木道をつくっていた樹木なども残して、その空間に入ると、そのまま歴史的時間に入ってゆけるようにあんばいされている。旧制四高の建物はそっくり県立文学館となっていて、少しきしむ床を踏むと、時間は作品と業績が陳列されている作家たちの時代にたちまち巻きもどるのであった。

この夏、自由律俳句の山頭火の故郷、山口県防府市を訪れた。そこにも「山頭火の小径」というのがあって、山頭火が生家から学校に通った通学路をたどれば、往時の山頭火と心を重ねられるようになっていた。

その土地に行かないと感じられない何物かが、きっとあると感じるのは、そんな場所を通る時だ。

金沢や防府を羨やんだ私だったが、先日自転車で市内某所を通ったとき、「これだ！」と思わされたところがあった。「これぞ龍馬の道」とひらめいたのだ。

それは「築屋敷(つきやしき)」である。町名変更で、この町名はすでになくなっているし、若い人にはピンとこないかもしれない。

上町一丁目から三丁目にかけての、鏡川畔の区域をそう呼ぶ。

東西に走る道の北側には落ち着いた家並みがそろい、道の南はすぐ鏡川で、見晴らしのとてもいい場所だ。このような、一方だけの家並みの町を「片側町」というらしい。

高知市が高知城築城四百年を記念して、いまは失われた町名をしのぶ、古い町角に案内板を立てている。それによると「築屋敷」は、前に広い河原があったことから、町民が藩の許可を得て、自力で石垣を築き開発した、とある。

この町の魅力の一部は石垣の美しさに負う。

案内板は更にいう。「坂本龍馬が少年時代に通った日根野道場もあった」と。

龍馬が泳いだ鏡川はすぐ目の前、上町の生家を背にして、通いつけた道場もそこ、とあればここを「龍馬の道」と呼ばずして何と呼ぼう。

遠路、龍馬のにおいを求めてやって来る観光客に「龍馬の道ぞね、ここは」とPRしよう。

そして、散策しやすいよう、あたりに気を配ろう。なかでもいちばんの気配りは、鏡川を美しく保つことであるのは、いうまでもない。


（高知新聞「所感雑感」欄より　2002年8月16日）

別れが多かった一年　高知西武百貨店も閉店

年の瀬に当たり、今年はいったい何回喪服を着たろうかと考える。それぐらい多かったのだ。年どしに別れが多くなるのは、年をとるのが宿命の生き物の、逃れられぬ定めなのだろうが、こうも重なるとこたえる。

高知西武百貨店との別れも、その一つだった。

25日の最終営業日の翌日、いつものように勤め帰りにその前を通る。屋上のネオンもなければ、明々とした照明の中、マネキンや小道具がしゃれた季節感を伝えてくれた1階ショーウインドーも、はや塞がれている。

別れを惜しんだ市民が高知新聞紙上にも思い出をたくさん書いていたが、私のそれは、亡母がここで働いていたことだ。学校帰り、バスの乗り換えに時間があると、エスカレーターに飛び乗って2階に上がる。すぐ正面が婦人服部で、そこで若かった母が服飾デザイナーとして勤務していた。

たまに地下の名店街に連れていってくれた。寿司店では脚の長いいすによじ登るように腰掛けると、両手に包み込めない大きさの、熱い湯のみがどんと出た。

手のひらはまだその感触を憶(おぼ)えているのに、記憶を包み込んだ入れ物はなくなった。

会った者とは必ず別れ、形あるものは必ず消滅するという仏教の教えが、はらわたに沁みる年の瀬である。

（高知新聞「声ひろば」欄より　２００２年12月31日）

ツバメの宿だった閉鎖の土電バスターミナル

平成17年11月10日をもって、長いことそこにあり続けてくれていた土電バスターミナルがなくなった。私の子どものころから、姿は変えつつもそこにずっとあったものだが、なくなる時はあっという間だった。ビルの売却の話がちらほら聞こえたと思ったら、ときを置かずに忽然と姿を消した。すでに西武百貨店が閉店したときから往年のにぎわいはなくなっていたとはいえ、中学生のときからバス通学し、そこを利用し慣れていた自分には、心の底から寂しさが込み上げてくる。

一つ気掛かりなことがある。毎年ここで営巣していたツバメたちのことだ。季節が来ると、何組ものツバメの夫婦がターミナルの天井に巣を作って子育てをしていた。彼らは餌を運んで代わる代わる忙しくバスの上を出入りし、そのせわしい鳴き声はうるさいほどだった。来年彼らがやって来た時、毎年ひいきにしている定宿がなくなっていることにどれほど驚くだろう。それを思うと、なお寂しさが募る。

（高知新聞「声ひろば」欄より　2005・平成17年11月18日）

高知県立中央病院と七夕の思い出

母は6年前の七夕の日に、高知県立中央病院で胆管がんの手術を受けた。長い長い一日だった。

夜八時すぎにやっと呼ばれて、手術衣のままの医師から説明を受けた。現在は高知医療センターの院長となっている堀見医師だった。朝からの長い手術に疲れ切った様子で、母の身体から切り取った肉片を手に取って淡々と手術の様子を伝えてくれた。そのとき、言外に予告された通り、母はいっとき元気に見えたが、月が替わって、よさこい祭りの頃には終日、まゆ根を寄せて苦しさに耐えていた。

その年はシドニーオリンピックの年だった。その数年前に私や娘とともに訪れたシドニーの町を聖火が走るのを見ることはなく、母は逝った。

ほんのこの間のようだが、はや七回忌を迎える。母を見送ったこの病院は、二人の娘が誕生した病院でもあった。取り壊しの記事に感慨を覚えるのは、私だけではないだろう。たくさんの命を見守ってきた病院と、そこで働いてきた人々にありがとう。

（高知新聞「声ひろば」欄より　2006年7月13日）

旭、大好き

旭の町は面白い。空襲で焼けるのを免れたので、町並みに昔の表情が残っている。

その特徴の一つは、路地が多いこと。狭い道の奥に、さらに小さな路地が迷路のように口を開いている。

その二は巨木がいくつもあること。殊に、旭町三丁目のエノキは見事だ。何百年も生き抜いてきた巨人のように、あるいは旭の町の守り神のように、立ち尽くしている。

植物だけでなく、人も旭は輩出した。4月に旭の職場に異動になったとき、木村会館脇に立つ碑を見て驚いた。「女子解放は男子解放也」と碑文は語っていた。

言い遅れたが、私の職場は男女共同参画を社会に推進する施設であって、そこに掲げてもおかしくない至言を、実に明治の人が吐いているのだ。

明治はいまよりずっと進んだ時代だったらしい。碑文の主は自由民権運動の活動家、田岡嶺雲とあった。

その嶺雲に、一夕ばったり出くわした。居残りの仕事をする前の気分転換に、ぶらりと旭の散策をするのが日課となっているが、路地を拾い歩くうち、「田岡家墓地」という表示に出くわした。

何かひらめくものがあって、クモの巣に顔をなでられながら山道を上っていった。果たして、田岡典夫や田岡嶺雲の墓が一帯にあった。眼下に、毎日右往左往しているわが職場が小さく見えた。

旭は、懐かしい町だ。母の墓もまた、旭の小山にある。


（高知新聞「あけぼの」欄より　2006年10月11日）

法経堂の怪火

高知市立中央公民館が開催する「市民の大学」でいま「寺田寅彦と牧野富太郎」が開講されている。この講義中、寅彦の部で一夕「北山の法経堂の怪火」が出てきた。テキストの一隅にちらりと出たにすぎないのだが、去年の春から一宮で仕事をし始めていた私の耳がその単語を拾い上げたのだった。

調べてみると、このようなことが分かった。

江戸時代、藩の飛脚が大事な密書を山中で紛失した。彼は責任の重さに生きて里におりることができず、山中で自害して果てたという。成仏できない魂は落とした密書を探して山中をさまよい、怪火となって人にたたりをなした。人々はそれを鎮めるためお経の文字を一字一字石に書いて山中に埋めた。故にここは「宝経堂」（皆山集での記され方）と呼ばれたのだという。寅彦の時代の土佐人はたいていこの話を知っていた。

某日、土地の古老らと法経堂に上ってみた。身の丈2メートルに近い地蔵尊がまつられている。北山といっても高知インターの北、薊野と一宮の境にある。

春には桜もきれいに咲くとのことだが、現在そこへの道は荒れ、上る人も少ない。民話として語り伝えられ大事にされてきたこの場所のことを、次の世代にも伝えたい。

（高知新聞「声ひろば」欄より　2009年1月21日）

久しぶりの日曜市

久々に日曜市に立ち寄ってみた。

高齢の店主が多い中、若い人が新しいタイプの店を出している。ハーブの苗ばかりを多種並べている店先に「ハーブドリンク」もあり、ちょうどのどが渇いていたので一杯百円のそれを試してみる。一飲みで身体中の細胞がよみがえるようなさわやかな味。作り方を聞くと、干したハーブではなく、生のハーブを熱湯に出し、冷やして作るのだとか。これは日曜市名物になる。

歩き疲れると、道路際まで張り出したテーブルでコーヒーを飲ませる店で買い物客見物をしながらコーヒーをするのもいい。突然「狸の脂（あぶら）」を日曜市で売っていると聞いたことを思い出し、コーヒー店の人に尋ねると、若い彼女は「さぁ」と首をかしげ、かわりにおばあさんを連れてきてくれた。自らも狸の脂の愛用者であるおばあさんから、薬効の講釈と店の場所を聞き、無事買うことができた。何にでも効くそうだ。

いつも行く金物屋のおじさんは県外客相手に商品の説明にツバを飛ばしている。これらすべての商いに「人」がいる。日曜市では人を売っているのだ。やっぱり、たまには日曜市に行こう。そう思いながら帰った。


（高知新聞「声ひろば」欄より　２００９年４月24日）

もてなしの長崎

来年のＮＨＫ大河ドラマ「龍馬伝」をめぐって、高知もＪＲ高知駅前にそれ用の館を建てたりして対策を講じているが、長崎はそれを上回る「本気」を見せているらしい。お株を奪われないためにも、高知の本気をつくりたい。

その一つに、市民一人ひとりの「もてなしの心」があると思う。四国はもともとお遍路さんをもてなす土地柄である。観光客をお遍路さんに見立て「ようこそ」と心のもてなしをしたい。

というのもこの夏、長崎に行ってそれを感じたのである。路面電車に乗ろうとして、はてどちらが上りか下りかと、うろうろしている私に「どこまで行くの」と声をかけてくれたおじさん。教えてもらって無事目的地に着き、帰りに乗ろうとした電車がなかなか来ない。「博多行きのバスに乗り遅れそう」と一緒に電車を待っていた、これもおじさんにイライラしながら声をかけると「大丈夫。バス乗り場は電車を降りてすぐだから、間に合いますよ。大丈夫、大丈夫」とにっこり笑顔で応えてくれた。

そのときの安心。地元の人の言葉は旅人の安らぎである。ほんとにさりげないひとことまだったが心に残った。また長崎に行きたい。

（高知新聞「声ひろば」欄より　２００９年11月6日）

お城の下の図書館さよなら

高知県立図書館がいまの場所での役割を終えて転居することになった。
お城の下という抜群の立地で、そこに行って本の間を歩くだけでも、樹木から出るフィトンチッドのようなものに浴する気がしたものだ。勤め人時代は昼休みによく出かけたし、高校時代にはまだ木造の建物で、階段を歩くたびにギシギシという音がしたのを思い出す。

大原富枝は『婉という女』を書くに当たって、この図書館での資料にインスピレーションを受けたと聞く。その後、戦災で資料の一部は失われたそうだ。県民の文書館としての役割も果たしていたのだろう。

須崎に住んで英語塾を経営しながら小説を書いていた故小林一平さんに、当時不登校だった次女の英語をみてもらったことがある。

一平さんは次女を伴って県立図書館1階の子ども室に行き、英語の絵本から何冊かを選ばせ、それを教材にしたそうだ。当時、英語の絵本が並んでいて、子どもならずとも引きつけられた。

私の青春から壮年時代まで同道してくれたお城の下の図書館にいま、ありがとうを言いたい。

「ありがとう。かけがえのない時間と空間だったよ」。

（高知新聞「声ひろば」欄より　2018年1月8日）

オーテピアにて

古希の誕生日に「オーテピア」が開館した。

もちろん待ちかねたプラネタリウムには真っ先に足を運んだ。

その後、町に出かけてちょっと時間のあるときにはオーテピアに立ち寄る。前の図書館のように閲覧室が学生や高校生に占領されていることはない。もちろん彼らはここにもいるが、適度に散らばっている。1階でものを食べながら談笑したり、2階のグループ室で議論しながら学習したりしているし、また各階にほどよく配置されている四〜六人掛けの机でめいめいノートを開いていたり。さらに、ここには本格的な学習室もあれば、静読室もある。つまり、多様な姿で散っている。

周辺の町のにぎわいも明らかに増した。親子連れや子どもたちがオーテピアに吸い込まれ、町に散っていく。

県内の図書館を支援する県立図書館の役割が薄まると合築に反対した識者もいたことを思えば手放しで喜べない「オーテピア」ではあるが、私には町なかでの立ち寄り場所ができたことがうれしい。

これまで喫茶店にその役を担ってもらっていたが、コーヒー1杯で1時間以上はねばりにくい。夜も8時までここにいられる（火曜から金曜まで）。読書、調べもの、ちょっとした文章書きが気軽にできる。この原稿もここで書いている。

（高知新聞「声ひろば」欄より　2018年11月8日）

5歳になった「オーテピア」

偶然にも、自分の70歳の誕生日が「オーテピア」開館の日に当たっていた。5年前のことである。プラネタリウムもあると知って、まず5階の「高知みらい科学館」に駆け上がり、酷暑の昼間にありながら、涼しい高知の夜空を楽しむことができた。

そしてあっという間に時は流れ、5周年記念イベントに参加した。

「あしたから3倍使えるオーテピア」というタイトルで、「高知みらい科学館」、「オーテピア高知 図書館」、そして「オーテピア高知 声と点字の図書館」という、オーテピアを構成する3施設のユーザーが、それぞれの館を利用して自分たちの暮らしがどのように広がり、豊かになったかを、熱っぽく語った。ふむふむ、こんな使い方もあったのか。目からうろこが何枚も落ちた。

記念講演の「牧野博士の頭脳(くら)の中」もタイムリーな企画で、ますます富太郎博士のファンになった。

「ねぇ君、ふしぎだと思いませんか」。オーテピア入り口の寺田寅彦像も語るとおり、世界は不思議に満ちている。不思議をひもとく玉手箱たる「オーテピア」に、心からありがとう。

(高知新聞「声ひろば」欄より 2023年8月3日)

予土線に乗って

8月20日付高知新聞「小社会」欄に、四国の鉄道事業が赤字続きで、路線維持が困難だと出ていた。なかでも気になるのがこういうくだり。「もし廃線などが検討される場合、利用減が著しい予土線などは候補に挙がりかねない」。

これは困った。実は私は去年いっぺん乗っただけで予土線のファンになったのだ。

私の乗ったのは予土線の江川崎と窪川を結ぶトロッコ列車である。去年の夏、都会に住む孫の夏休み体験にどうだろうと、ひとり下見に出かけたのだった。

トロッコ列車には窓がなく、というか全部が窓で、風が吹き抜け、ガタゴトぶりも上品でない揺れだったが、それが四万十川を串刺しにして走っているので、美しい川の姿が右に左にと出てきて、見るのに忙しい。四万十川を見るのにこれほどいい列車はない。

さらに私を引きつけたのは、列車内で行われる地元住民による沿線ガイドで、元気なおばちゃんの熱あふれるガイドが聞ける。住民の足としての予土線の存続を願っての企画という。

いかに車社会が進もうと、鉄道にコストがかかろうと、私たちは代替手段に複数の交通方法が必要だ。災害と文明についても考えさせられる。

（高知新聞「声ひろば」欄より　２０１７年8月28日）

無人の萩駅にて思う

仲間と山口県の萩に行くことになった。往きは新幹線の新山口で集合。車で萩に行った。帰りは私ひとりが一日長く居残って、萩駅から高知を目指した。萩に行ったら萩駅からＪＲ。何も考えず、自然に計画した。

当日、萩駅に行ってみて驚いた。客は私ひとりなのである。駅のにぎわいはどこにもない。それもそのはず、萩駅は少し前から無人駅になったのだという。駅舎は小さな記念館になっていて、鉄道の歴史が語られていた。そこのビデオに、当駅に山陰線が開通したときの様子が映っていた。町中の人が出て、町がどよめくばかりの喜びの光景だった。

無人の駅にやがて列車が入ってきた。いや、正確には列車ではない。一両だから。しかも、路面電車式の向かい合わせ座席である。さらに、車掌のいない列車とくる。あとで萩の知人に聞けば、萩の人はいまはバスで山陽線に出るため、萩駅はめったに使わないとのことであった。

北海道でＪＲの廃線のニュースを時に聞く。観光地、萩であってもこれである。在来線のさびれを身にしみて感じる、今回の旅であった。車窓からしみじみ旅情を感じる鉄道の旅は、いまや息も絶えだえなのだ。

（高知新聞「声ひろば」欄より　２０１８年3月20日）

明文堂の思い出

閉店が報じられた高知市の明文堂書店には思い出がある。播磨屋橋近くにあった店には、通学の途中でよく立ち寄った。バスの乗り換えに時間があるときには、格好の行き場だった。

その日、信じられないようなことが起こった。

何気なく見ていた洋書関連のコーナーに、「赤毛のアン」の原書を見つけたのだった。当時私は中学生で、村岡花子訳のこの本に夢中で、中身をそらんじるほど読み込んでいた。

だから原題が「アン・オブ・グリーンゲイブルズ（緑の切り妻屋根のアン）」ということも、もちろん知っていた。でも、外国で出版された原書が、四国の高知の一書店に並んでいようとは！他の人に買われないうちにと、その場で買い込み、家に〝連れて〟帰った。

だが、ページを繰るうち、興奮は失望に変わった。中学生の英語では全く歯が立たないのだ。本はわが家の書架に背表紙を見せて、待ってくれるにとどまった。いつか読んでもらえる日まで。

そして私のアンは自分の中でますます大きくなり、物語の舞台のカナダ・プリンス・エドワード島には2度も行くことになった。あの本を読みたいという思いは消えず、70歳を越えたいまも英語学校に通い、ラジオやテレビ番組で英語に接しない日はない。

そのきっかけをくれた明文堂での原書との出合いを感謝せずにはいられない。

（高知新聞「声ひろば」欄より　2022年3月8日）

牧野植物園今昔

高知県立牧野植物園の一日の来園者が、初めて3千人を超えたとニュースが伝えていた。

私が10歳のとき（1958年）、園ができた。近くに住んでいたので、休みの日には青柳橋を渡って五台山に〝遊山〟に行き、弁当を食べて帰ってきた。当時の園は、コンクリートの打ちっぱなしのような地味な建物と、その周りの植物からなる、いまから思えば小さな植物園だった。

建物に入ると、牧野富太郎博士の若い頃の、目の大きい、髪の毛のふさふさした、いまもあちこちでよく見る写真が正面に飾ってあった。あとは、ショーケースの中に標本や図書があるきりの、子どもには退屈な展示の館だった。

大幅に姿を変えたのは24年前（1999・平成11年）。内藤廣氏が設計した、あの美しい曲線で周りのランドスケープ（景観や地形など）を取り込んだ、全く新しい園に生まれ変わったあのときからだ。

私たちの見えない所でも研究や蔵書の整理が進み、市民を巻き込んだ各種行事も盛んに行なわれるなど、内外ともに豊かな園になり、私たち県民の誇りであり、楽しみの場となった。

東京練馬区にある牧野記念庭園にも行ったことがあるが、そこにあった博士の書斎は、この度の「らんまん」（2023年度前期放送NHK「連続テレビ小説」108作目）の盛り上がりもあって、里見和彦氏（里見デザイン室）の手で昔の面影を伝えるよう整備されたと聞く。

一学芸員としてこの場で踏ん張ってきた博士の曾孫（ひ）、牧野一浡（かずおき）さんの悲願が日の目を見たこの一年だ。博士に心からありがとうを言いたい。

（高知新聞「声ひろば」欄より　2023年5月22日）

第六章　ひとり蛍

ごあいさつ

―「おかあさん　ありがとう　がんばった70年のメモリアル」に添えて―


暑かった今年の夏もやっと終わり、すっかり秋らしくなりました。いかがお過ごしでしょうか。

さて、さきの母の葬儀に際しては、丁寧な御弔意を賜り、心から御礼申し上げます。おかげさまにて10月14日に中陰の法要を済ませ、無事納骨することができました。ありがとうございます。

母がこれまでたどって来た道を文章としてまとめ、お悔やみを頂いた皆様に読んでいただきたいと、なんとか形にする事が叶いました。どうということもない庶民の暮らしの記録ですが、こうしてまとめてみると母なりの頑張りが伝わってきます。

いまはない祖母や叔父たちのことにも、つい触れてしまいました。いま私がこれを記録しておかなかったら、かれらの若い時のことを知る人間が、もはや誰もいないということに気がついたからです。母がいなくなって、私はなんだか一族の語り部となってしまったような使命感を感じてしまいます。母や祖母から繰り返し聞かされた一族の難儀話を、ここに記したのは、こんなにも前の世代が頑張ったことを知り、自分たちのいまを豊かにする糧としたいと願ったからです。

退屈に感じる内容もあるでしょうが、お読みいただければ幸いです。寄稿いただいた伊与田さん、織田さんにも感謝申し上げます。末筆になりましたが、今後ともどうぞよろしくと、心からお願い申し上げます。

２０００年秋　西山壽万子

おかあさんありがとう——がんばった70年のメモリアル

●はじめに

母は日記をつけていた。14歳ごろから、きれぎれであるが、几帳面につけている。祖母も日記をつけているので、我が家の女たちはそんな習慣を遺伝子に刷り込まれているのかもしれない。

『日々の姿』と題された日記帳。一冊目の表紙には「1号帳」。9月1日（金）晴の記述から始まる

高知市の受けたB29による空襲について、『高知市戦災復興史』（高知市戦災復興史編纂委員会編１９６９年）には昭和20年3月19日に関しては、「グラマン数十機が侵入、仁井田から長岡郡日章村（現南国市）の海軍航空隊を攻撃」と記されている。

母の日記から昭和20年3月19日月曜日の記述を辿ってみる。

「日章村の飛行場を敵艦載機が来襲。約五十機位の飛行機がぐるぐる廻って、かわるがわる急降下して機銃掃射をあびせかけた。敵ながら物すごい有様であった。まっさかさまに降りて撃っておいて急上昇して行く。高射砲の音が数える程しか撃っていない。みんな歯がゆいと言って悔やんで見ている。燃料タンクをやられて、もうもうと黒い煙が上がっている。介良山のつづきの山に火災が起こった。しばらくしてB29が堂々と雲をひいて北進した。B29が百数十機、名古屋に夜間爆撃」。

後年、何らか必要だったのだろう、母はこのページに付箋をつけていた。

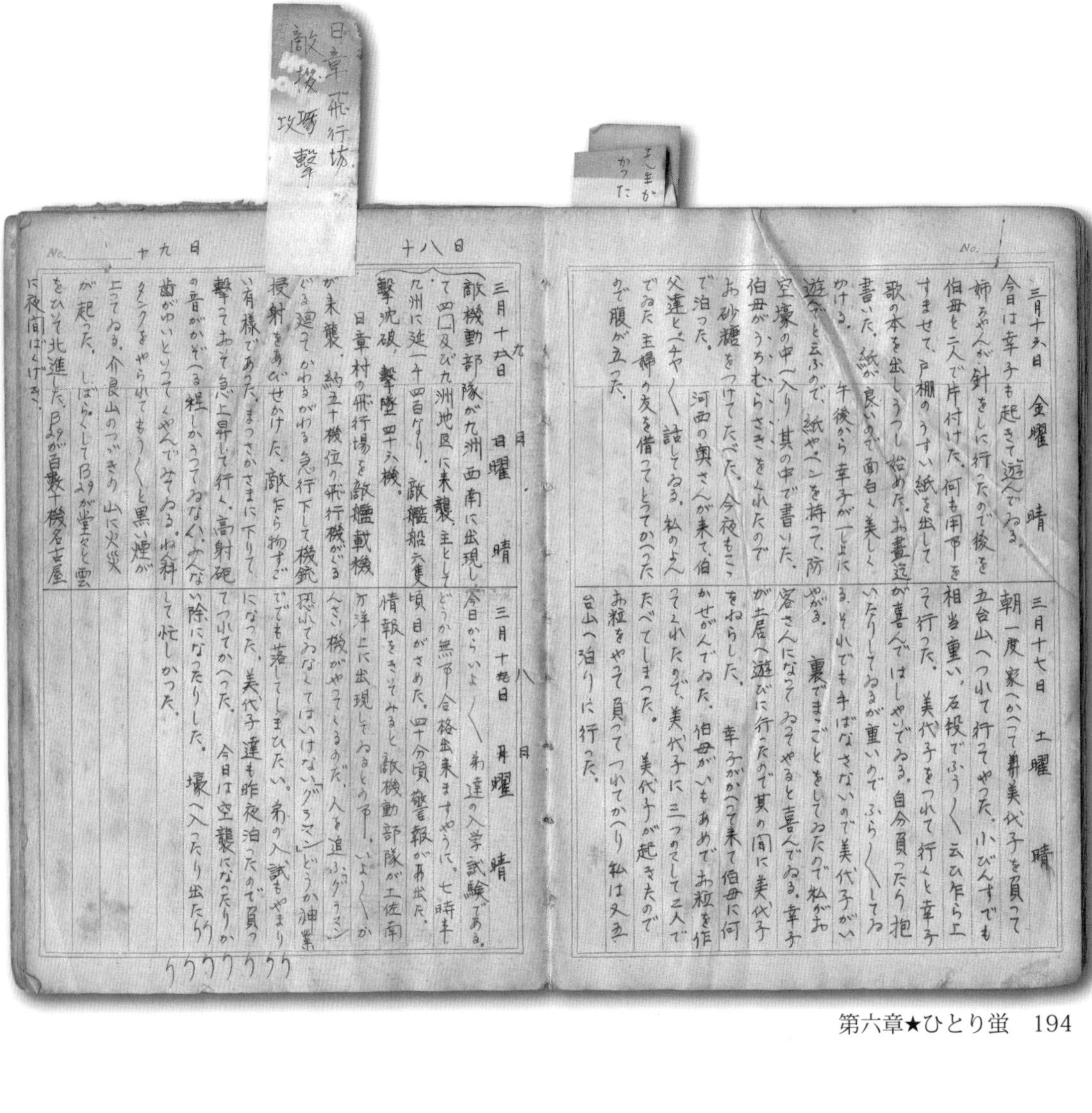

最近については、私が4年ほど前の誕生日プレゼントに「3年日記」を買ってやってからというもの、切れ目なくつけていた。今回の入院に際しても、日記帳を病院に持ち込んで手術の前日までつけている。そんな母にとって、人生最後の52日の記録だけが欠けているのは残念なことではないだろうか、そう思ったとき、その記録を母の人生の仕上げとして残したい、と思いついた。

母の死はあまりに急だった。親しい方にも入院の事実さえ知らせていなかった。なぜなら、本人は治るつもりだったからである。入院していると知ったら人を驚かせ、見舞いの心配をさせもする。治ってから「実はねぇ」と報告すればそれらを避けられる。そのつもりであった。母だけでなく、私たちも、そのつもりだった。

また、前回の入院のときもそうであったが、大きな病気をしてお風呂に何週間も入れない、病み汚れた、やつれた姿を人目にさらしたくないという気持ちもあった。人一倍おしゃれな見栄坊だったから、見苦しい姿を人目にさらすことを厭う気持ちが強かったのだろう。入院していることを言わなくてすむ知人には言わなかったし、すでに知っている人には「来なくていいから」と私に電話させた。そんなわけで、今回の入院中母を見舞ったのはわずかな身内と、身内のような知人だけだった。

申し訳ないことである。母の多くのお友達は、入院しているとも知らず、いきなり死亡の事実に襲われた。その方々へのお詫びの気持ちもこれを書かせた。母が最期の日々をどう生きたか、知っていただくことで償いとしたい。

残された者の欲は尽きない。医療への不満もある。なぜ最悪のケース(とは、かくも早い死である)になってしまったのか。いや、主治医は全力を尽くしてくれた。全力を尽くしてもなお、癌の進行には勝てなかったのであろう。では、その前の段階で、あれほど、足繁く病院に通っていたのに、なぜこうなる前に癌の進行が見つけられなかったのか。とつおいつ考える。私たちはいったいどう自衛すればいいのだろう。

今回、平凡な一市民たる母のケースをまとめることで、読んでくださる方に、病気や病院とのつきあいのうえでヒントになることがあれば幸いである。

２０００年秋　西山壽万子

●悲哀に満ちた家族の箱

母の死は、或る悲哀に満ちた家族の箱が閉じられたということでもあった。

家族を箱にたとえると、母の入っていた家族の箱には、最初六人が入っていた。父親、母親、兄二人、母、弟の六人である。しかし、六人が入っていたのはほんのいっとき、母の立場から見ればたったの2年。その後箱の住人はばらばらになった。父親の死という予期せぬパニックが家族を襲ったからである。昭和7年（1932年）6月2日のことだった。このとき母親徳子は27歳、長兄郁夫が6歳。次兄福三は4歳、雅子が2歳8ヵ月。弟俊男に至っては、生後42日にしかなっていなかった。このときのことを徳子はこんなふうに言っていた。「夫が死んで悲しいと思う余裕はなかった。『あんたは死んでいいわね。残った私は子ども四人を抱えてこの先どうしたらいいの』と死んだ人にかきくどいた」。

夫の柴藤直見はこのとき32歳、死亡の原因は腹膜炎だった。死んだのは幡多郡下田町（現中村市下田町）下田２４５４番地の寺、直見の生家である。

その後徳子は四人の子を抱えて辛酸をなめることになる。社会保障の整っていない時代である。いまのように母子ホームや母子福祉の諸制度があるわけでもない。すぐさま食べていける仕事があるわけでもない。頼みにしたい徳子の両親もすでに死んでいた。孤立無援とは、このときの徳子のことであった。

徳子はこの後のことを後年、その手記のなかでこう書いている。

「先夫の死後、6、7年の間は行商もしたり、仕事に行ったりで、ただ無我夢中の生活であった。生まれたばかりの俊男を背に負って夏の暑いときでも、中村の具同や不破や、また下田の向かい側の山路まで乳母車をついて荷物を入れて売り歩いたものである」。

いま、地図を見ると、けっこう遠いところまで売り歩いていることが分かる。商品は椿油や化粧品のクリームで、それを計り売りするのであった。祖母が母を背負って行商したので、「椿油いりませんか」と言う祖母の言葉を、言葉を覚え始めたばかりの母が背中で覚え、回らぬ舌で背中から同じ言葉で繰り返したと、祖母はこの話になると必ず涙ぐんで話した。夏はアイスキャンデーを売り歩く。

アイスキャンデー売りの思い出として、母はこんな話をしたことがあった。

１９９５年（平成7年）8月、祖父の墓参りを兼ねて母、私、私の娘二人の四人で下田に行ったときのことである。馬込というところが下田の少し手前にある。そこに差し掛かったとき、母は「昔、おばあちゃんがアイスキャンデーを売り歩いて生活しているとき、夕方になってだんだん暗くなると赤ん坊の俊男がむずかりだし手に余りだす。仕方なく俊男をおぶって馬込の坂まで迎えにいって、帰りを待っている。おばあちゃんの顔が見えた途端、それまでこらえていた俊男がわっと泣きだす。貧乏を絵にかいたような難儀な暮らしやった」と。当時を思い出して声を震わせながら語った。

アイスキャンデーの難儀な思い出はまだある。売れ残ったキャンデーを、徳子が目を離しているすきに俊男が顔がただれるほど食べてしまった。驚いた徳子はお灸をすえて治そうとしたらしい。それが裏目に出て、ケロイドが残ったのであった。徳子はこのことを終生負い目に感じていた。他の兄弟から見て、徳子が俊男を偏愛していたと見えるのにはそんな理由があった。また、父親が死んだとき、乳飲み子だった俊男には乳を与えなくてはならないので、他の子どものように手元から離せず、結局いちばん長い時間徳子と暮らしたのも俊男だった。いろんな意味で徳子にはもっとも気がかりな子であったことは確かだ。

祖母はそれから高知へ帰ったり、また下田に戻ったり、中村に住んだり、住まいを何度もかわり、暮らしの苦労が絶えなかった。こんなことも手記に書いている。

「病気もよくした。生きていくことの難しさ、夜ともなれば枕を並べた子どもの寝顔を見て、いっそ一緒に死のうかと幾度思ったことだろう」。母はこの先、何度も姓を変えている。生まれたときの柴藤雅子から、祖母の実家の姓植田を名乗り、後に祖母の再婚先の田中へと、13歳までに3度も苗字が変わる。それはそのまま、母たち兄弟とその養育者である祖母の生活の基盤がいかに不安定だったかを示している。

長男の郁夫はそんな暮らしのなかで、亡父の実家である柴藤家で養育されるようになった。雅子を長姉の嫁ぎ先の中村の広松家に預け、次男福三と三男俊男を徳子は連れた。福三は小学校だけでも5回変わったという。やがて兄の植田良吉のところに福三を預け、徳子は三男の俊男だけ連れて、籍を入れるに至らない結婚をしたらしいが、それは祖母の死後に分かったことなので、これについては不詳である。

やがて、徳子は田中金太郎と再婚する。ふしあわせな家族にはそれと同じ程度にふしあわせな家族がくっつくらしい。田中金太郎はいまでいう未婚の母の子として生まれた。「田中」というのは彼を産んだ母ツヤの姓である。両親が不仲のなかで妊(みごも)り、夫婦別れした後生まれたのが彼だった。他人から他人の手に渡り、またとない苦労をした人だと祖母は手記で述べている。

徳子が一緒になったとき、金太郎は船大工だった。腕が良かったので、顧客がたくさんついていて、生活には困らなかったようだ。金太郎の最初の妻は娼妓上がりで、最後まで籍を入れることがなかった。夫婦に子がなかったので、親戚から養子を迎えていた。その養子に金太郎は、自分を認知することなく死亡した父方の姓を継がせている。易でみてもらったところ、父方の姓がとだえているのが良くないと言われたからだとか。養子は栗山重という。私の父である。「悲哀に満ちた家族」のなかで、この人もまた悲哀にみちた人であるが、そのことはのちに述べよう。

田中金太郎は内妻と別れて、養子の栗山重と二人で住んでいた。このとき世話をする人があって、徳子と一緒になることにした。金太郎50歳、徳子34歳であった。そのときのことを徳子はこう書いている。

「その頃は支那事変の最中であったが、まだまだ物資も多くて生活もまだのんびりしていたとはいえ、コブ付きの女房は誰も手が出なかったと思う。あまりよい家でもらってくれるはずもなかった。でも、私としても、いままで10年以上家賃もろくに払えず、一灯の電気さえ切られたりするような苦しみをしてきたので、我が家があるなら家賃も要らなくてすむし、仕事も我が仕事なれば老人となっても人を雇って出来るだろうし、また、親戚も少ない人なので、気兼ねもないので良いと思ったことだった。ただ、自分はどうでもよい、子どもの手足を伸ばすだけが目的だったのである」。

徳子はこうして学齢前の俊男だけ連れて田中にやって来た。来るなり金太郎の想像を超えた吝嗇(りんしょく)ぶりに苦しむのだった。厳しい世渡りをしてきた金太郎にとって、この世で金以外に信頼できるものはないから、金への執着は筋金入りだった。徳子の手記は続く。「来てみれば、想像していた以上の変人であり始末屋であって生活費は一文もくれないのには困った。豆腐一つ買うにもハイ五銭と、一回一回もらわねばならず、すでに養子として従弟からもらっていた重とのそれまで二人だった暮らしが急に四人となって、費用がかさみだしたのに、びくびくしている様子が見て取れた。私が一番身にこたえたのは米がなくなったときである。一斗の米がもうなくなる前には、朝言おうか、晩にしようかと胸を痛めて本当にいやな思いをした。米のことは自分の病気の身体にこたえることが目に見えた。一斗で5円だったことも忘れない」。

徳子はこの忍従の暮らしに辛抱できなくなって、福三に「出て行こうか」と相談したという。福三に「おかあちゃん、どこへいぬる?」と言われ、「そうか、なるほど帰る家もない」と、泣く泣く思い直すよりないのだった。

一方、雅子は小学校のあいだ、中村の伯母（徳子の姉）のところで厄介になった。

そこに落ち着くまでも、転々としている。それから祖母が実家の兄のところに身を寄せていた頃、高知市の昭和小学校に通っていたこともあったらしい。再び中村にもどり、中村で小学校を卒業している。

小学校を終えた雅子を、やっと高知の手元に呼び寄せることができ、徳子はなによりほっとした。

田中金太郎にとっては、扶養家族がもう一人ふえたわけだが、前に易で見てもらったときに、「あんたは養女をもらうことになり、先でその子に掛かる（老後を託する）ことになっている」という卦（け）がでていたとかで、徳子、雅子、俊男三人のなかでは、最後に来た雅子を真っ先に入籍している。徳子と俊男は雅子入籍の7年も後になってやっと入籍されている。これは金太郎の現金なやりかたを表していて面白い。

ここで金太郎という人について述べなければならないが、これまた悲哀にみちた、というより過酷そのものの世渡りをしてきた人であった。人から愛情をかけられたことなどいっぺんも無かったゆえ、決して人に心を許さない、頑丈に心を鎧った人であった。（高知市）若松町一むつかしい人と評判で、情味の乏しい、まれにみる吝嗇な人だった。極端に厳しい環境の成育歴から来る一種の人格障害があったのではないかと思われる。いったん機嫌を損じたといったら止めようがなく、いま食べているお膳でもひっくり返して大声をあげる。金以外のものを信じることができなかった金太郎は、その大事な金を出すことを極端に嫌がり、機嫌の悪いとき、集金人でも来たことが告げられると、取り次いだ者が誰であれ、「今日は金を出しにかかっちゅう」と、金を地面に叩きつけることもまれではなかった。

晩年は徳子の支えと感化もあって、もう少しまろやかな人となりを見せたが、この頃は手のつけられない偏頗（へんぱ）な（偏った）

性格の人だった。のちに述べるように養子の重がアルコールにハマっていくのも、この養父の性格が影響しているかもしれない。また脱線したが、もとの話を続けると、同じように迎えた妻の連れ子といっても、俊男と雅子とには明らかに待遇の差があった。雅子は養女として正式に迎えた存在であるので、しぶしぶながらもそれなりに遇したが、俊男ははじめから厄介者扱いだった。金太郎から見れば俊男は自分の血と汗でまかなった蓄えを減らす穀潰しである。食べ盛りの俊男がご飯のお代わりをすると、金太郎はそれを制するように上目遣いに彼をにらむのであった。

それにしても雅子も俊男もなんと父親運の悪い姉弟であろう。血のつながった父は顔もおぼえぬうちから死んでしまい、養父は気兼ねの多い変わり者とくる。徳子もまた、なんと夫運が悪いのだろう。一家団欒の幸せは徳子にも子どももたちにもなかった。

雅子は金太郎のもとで市の高等女学校に進んだ。成績が良かったので、先生は師範学校に進学するよう勧めてくれたが、金太郎の性分を知ってしまった雅子には、金のかかることはいっさい言い出せず、あきらめるよりなかった。

ここで徳子を困らせる問題が持ち上がった。田中の家にはじめからいる養子の重の処遇である。重は家業の船大工を手伝っていたが、戦争が激しくなる頃、志願して満州にわたっていた。田中の家に後からやってきた雅子たちとは義理の兄弟となるので雅子は重を「兄ちゃん」と呼んでいた。重が戦後、満州から帰国した。どうやら年頃になった雅子を好いているらしい。重と雅子を一緒にさせれば家のなかが丸く収まる。雅子にしてみれば、自分が重と一緒になることが母への最大の親孝行だとの思いがあった。こうして二人が一緒になった。

婚礼の前、肝をつぶすような出来事が持ち上がった。

自分たちの婚礼の少し前に行なわれた隣家の婚礼で重がとんでもない酔態をさらしたのだった。宴の後で、こともあろうに皿鉢に小便をしたという。重は、酔ってないときは「仏の重やん」とも呼ばれる人好しだが、ひとたびアルコールが入ると人が変わる。後になって、これはアルコール依存症という病気だと分かるのだが、そのときは酔狂だと片づけられた。徳子は激怒し、「お前のような者に雅子をやるわけにはいかん」と言い放った。これ以来、徳子と重には修復しがたい決定的な溝ができる。重にしてみれば、自分より後にこの家に来た後妻がなにをいうか、という憤然とした気持ちがあったろうし、徳子には大事な一人娘の雅子の将来を託すのにこんな男では問題にならない、とこれも憤怒にたえぬことだったろう。

そのあと詳しいことは定かではないが、多分、重が「もう絶対このようなことをしない」との一札をいれ、二人は結婚したのであった。雅子は長い間待ち望んだ母との暮らしが叶ってやっと5年たった17歳。重は雅子より5歳年上の22歳だった。

重はどうやら満州で強い酒をおぼえたようである。その後も、金太郎と二人で船大工の仕事をするなかで、思い通りにならないことがあると、夕方を待ちかねて酒をあおった。雅子はそれを苦にし、何回も別れ話が繰り返された。重は、あるとき血判を押してまで酒をやめると誓い、別れ話を退けたが、現実に酒をやめることはできなかった。重との間にもうけた一人子、壽万子の将来のため、また、母の徳子のため、と雅子は重との暮らしに耐えたが、壽万子が結婚して子どももできた昭和47年5月、二人は協議離婚する。

重はこのあと生きがいを見失い、さらにアルコールに浸って、それから4年に満たない昭和51年3月、ひっそりと死んでいく。52歳だった。金太郎の方は徳子に晩年を看取られ、79歳のおだやかな死を迎えた。

話が前後するが、徳子の四人の子どもたちは他家に託した二人を含めてそれぞれが成人し、結婚して子をもうける。俊男は吝嗇な養父のもとで肩身狭く育った不幸せが尾を引いたか、なにかと不幸せ続きで、51歳でこれも一人で死んでいく。徳子にとっては逆縁で、それもいちばん気がかりな乙子（おとご）（末っ子）の死だったので、さぞ辛いことだったろう。徳子自身は平成4年（1992年）7月、雅子に見守られながら87歳の天寿を全うした。

残った三人の兄妹たちは六十代まではどうにか元気でいたが、七十を迎えるか迎えないかのうち、力尽きたように他界していく。平成9年（1997年）5月、福三が69歳で、それを追いかけるように2年後の平成11年（1999年）11月、郁夫が73歳で、そうして、それからわずか9カ月後、兄弟の最期を見届けるように雅子が2000年8月、70歳で旅だった。

ほんの子どものとき、父親の死によって引き裂かれた母と子はいまやっと一緒になった。悲哀に満ちた家族の箱がここに閉じられた。

●母と幡多

母が生まれたのは高知市だが、幼少年期を中村で過ごしている。いまはもう本人がいないため、確かめようもないが、確か、入学した小学校は亡父の故郷下田小学校である。その後、母親とともに母親の実家の植田の世話になることを経て、中村市天神橋で商店を営んでいた広松の伯母のもとに引き取られる。そのとき中村小学校に転校するのだが、これが今般この文集に思い出を寄せてくれた幼な馴染の伊予田比奈さんによると、小学校3年ごろらしい。小学校をすむと、高知市で再婚していた母徳子のもとに引き取られ、それからはずっと死ぬまで高知市で住んだ。

母にとって子ども時代を過ごした中村はなつかしい場所だったようだ。四万十川で唇が紫色になるまで泳いだことをよく話していた。その思い出には次のような辛いエピソードがくっついていたが。

母たちが泳いでいるとき、母より5歳ほど歳下の、世話になっている広松の伯母さんの孫みどりちゃんが一緒にくっついてきたことがあった。足のつかない深いところに来てしまった怖さで、みどりちゃんは大きな声で助けを呼んだ。実際はそれほど深いところではなかったそうで、川に慣れないみどりちゃんがオーバーに悲鳴をあげたようだ。大人が駆けつけて大げさなことにはならなかったが、それをあとで知った伯母さんにこっぴどく叱られたという。そのとき、伯母さんに言われた言葉が忘れられないものとなった。「広松の大事な孫を溺れさせた」というのがそれで、これが母の心にトラウマを生じさせた。「広松の大事な孫」に対置されるのが、「どうでもよい居候の姪」ということになる。母は自分をかけがえなく思ってくれる肉親に飢えていた。どんなにか、離れて暮らしている母を恋い、別れて住まなければならない宿世をうらんだことだろう。幼いとき心に受けた傷はなかなか癒えるものでないが、ずっとあとで、自身がそのときの伯母の歳に達したとき、初めて伯母へ深い感謝を覚えたようだ。「兄弟の子どもを引き取って世話をするなんて、とても自分などにはできそうにもない。それをしてくれた伯母さんは偉かった。そんなにしてもらったのに、伯母さんに何の恩返しもせずにすんだ」と、涙ぐんで言っていた。

広松の伯母さんの家は天神橋で商売をしていた。乾物を中心に、食品一般を扱っていた。母の仕事は、学校から帰ったら、店にはたきをかけ、掃き掃除をすることだった。日暮れまでに帰ってその仕事をするように言われていたが、子どものことで、遊びに夢中になって時間を忘れ、気がついたらとっぷり暮れていたことはしばしばだったらしい。そのときは伯母さんからはたきで叩かれたという。

ある日のこと。その日も気がつけばあたりは真っ暗。しかも、その日は家からだいぶ離れたところまで遊びに来ていた。困った、どうしよう。叔母さんの怖い顔が目に浮かぶ。困りきった母の前に、おあつらえ向きにおじさんの乗った自転車が通りかかった。もちろん知らないおじさんである。その荷台をひっつかんで、自転車といっしょに走った。これならスピードが出る。どんどんどんどん自転車と一緒に走っていたが、次の瞬間、目から火が出た。おじさんが自転車を止めるため、片足を荷台の方に振り上げたのだ。そこに子どもの顔があった。驚いたのはおじさん。見知らぬ女の子の顔を蹴り上げることになったのであるから。勢いがついていたので、母は眉間を切り、血まみれになった。おじさんは恐縮し、お菓子をどっさり買って、帰してくれたという。

余談になるが、このときの母の眉間の傷は深かったようで、死ぬまで残っていた。母に死に化粧を施したのは孫の桃子であるが、眉のカットをしながら、「まあちゃん、眉に傷があるねぇ」とつぶやいていた。

こんな悲喜こもごもなエピソードに満ちた中村での暮らしを、母は、愛していたと思う。死ぬ3カ月ほど前のこと。高知市中央公民館の文学講座で、片岡文雄さんの上林暁『四万十川遠望』の講義を聴いて、とてもなつかしかった、と私に語った。同じ上林暁の『柳の葉より小さな町』のなかで、楓書店の描写があって、そのなかに出てくる番頭さんは広松の伯父さんだ、ということも話していた。

死後初めて読むことになった5月9日の日記にもこう書いている。「片岡文雄先生の上林暁『四万十川遠望』の講義で、子どもの折に過ごした中村の、子ども時代に行った不破の八幡様、四万十川や後川に泳ぎに行ったこと、古津賀とか、山や為松公園等、暗くなるまで遊んで、伯母に叱られたこと等、なつかしく感じた」。その翌日の日記には、「寿万子にその話をしたら、その思い出を書け、といわれた」と書いている。

本当に書いてほしかったと、いま思う。なぜなら、母にとって中村時代は黄金時代だったのではないかと思われるからである。この日記の記述を見つけたのは母の死後だが、そこに流れる想いを見ると、母の人生にとってその日々がたとえようもなくなつかしいものだったことを知らされる。そのことをさらに確信させたのが伊予田比奈さんの描いてくれた、母の子ども時代の像である。なんと生き生きした子ども期を中村の自然と友のなかで送っていたことか。伯母の食客であるというしんどい環境下であるのにもかかわらず。

その後、小学校を卒業して高知の母親に引き取られた頃は戦争が激しくなっていく途中で、学校生活も勤労奉仕や演習ばかりで灰色の毎日、また、家に帰れば気難しい養父に気をつかわねばならず、楽しいことはまったくといっていいほど無かったようだ。その後の結婚生活も義理がからんでのそれで幸せとは程遠く、結局母の人生は、時代の割を食い、家庭の割を食って、本来の自分を実現していくところから遠かった。

だから、その分余計、中村での黄金時代があったことを母のために喜ぶのだ。

母の中村への思いは格別だったのではないか。夏休みになると、私はよく母に連れられて中村に行った。母の従妹が天神橋に住んでいたので、そこで泊まるのだ。下田のお寺に泊まることもあった。広松の伯母さんも私が小学生のときまでは元気で天神橋の店にいた。

母と初めて中村に行ったのがいつだったか、今回初めて知った。私が2歳くらいのときだと、前述の伊予田比奈さんの稿にある。初めの頃は窪川まで汽車で、そこからは悪路のバスの旅だった。乗り物に酔う、という経験を初めて知ったのも、この幡多への旅でだった。長いバスの旅で、「この鉄橋をわたると中村よ」と、母に教えられた。

そのうち汽車（鉄道）が佐賀や、ついには中村まで着いたが、そのころになると母が車の運転をするようになっていたので、中村に行くのはもっぱら車になった。下田のお寺の法事には母の運転する車で私たち母子三人と母の四人が揃って行った。中村や下田は私にとっても、母に導かれたふるさとだった。

長女の彩美が大学を卒業し、臨時の教員となって最初の赴任校が幡多農業高校だった。母は幡多との縁を喜び、何度か出かけていった。収穫祭にも出かけ、シクラメンの大きな鉢を買ってきていた。

母たち四人兄弟は、お金を稼げるようになると幼いとき死んだ父親の墓を建てた。その墓を、定年後寺を継いで住職になっていた郁夫伯父がさらに立派に立て直し、現在下田の海岸にそれはある。その墓を見てみたいと母と私たち三人で墓参りに行った。そのときは、ほんのこないだまで幼児であった二人の孫が大きくなった分、車が重くなって運転しづらくなったと、母は感慨深げに言っていた。いまから6年ほど前のことである。

母が最後に幡多に出かけたのは去年の11月、郁夫伯父の葬儀のときであった。このときは、もう母は運転する必要がなかった。二人の孫が交代で運転したからである。

伯父が死んで幡多との距離は遠くなった。母が死ぬとなおさらである。

●直見というひと―伝えられる遺伝子

何年か前、出張で中村に行ったとき、早朝に宿舎を抜け出して、四万十川の岸を歩いたことがある。唐突に、こんな思いに駆られた。「ここで祖父と祖母が出会ってなかったら、私はこの世にいないわけだ」。

直見と徳子が幡多の地縁で結ばれたのは確かだが、二人は幡多で出会ったのではない。東京である。徳子は当時、女衒(ぜげん)まがいのことをしていた兄に身売りされないよう、遠くへ行く必要があって、中村の広松家に嫁いでいた姉の紹介で東京にまで足を伸ばした。東京は大森で知り合いの家の家事を手伝い、昔風にいうと女中として働き始めた。その家にたまたま寄留(一時的に身を寄せる)していたのが、その家の親戚筋に当たる直見であった。初対面のとき、直見は肋膜を病んで危ないとされていたというから、この人はその頃から健康に見はなされがちだったのかもしれない。

後の苦労のなかで、徳子は当時を振り返り、「あのとき、肋膜で直見が死んでいたら良かった。そうすれば自分と結婚することもないから、自分の苦労の人生は無かったし、子どもたちに難儀させることもなかったのに」と、直見との出会いを悔やんでいた。それはそうかもしれない。自分に四人の子どもを産ませて消えてしまうだけの存在だったから。徳子は自分の苦労のこともだが、それにも増して子どもたちに難儀な思いをさせたことを終生苦にしていた。しかし、その論法ではいかにも直見に立つ瀬がないではないか。

私はここで、母雅子を経て、自分にも確かに伝わっているはずの直見の遺伝子について考えてみる。母の兄弟四人はすべて直見の子だから、四人に共通するものを探し、そのなかから徳子にあった資質を控除（差し引き）すれば、直見が出てくるはずである。シャーロックホームズの論法のようになってしまったが。

母の兄弟たちは、みんな絵を描いた。暮らしに追われた若いときにはそんな余裕もなかったが、晩年に郁夫は寺の壁画を福三は墨絵を、雅子は水彩画を描いた。郁夫は椿の木で仏を彫って展覧会に出し、受賞したりしている。俊男は五十そこそこで没し、他の兄弟のような晩年のゆとりの時間を持つことなくその生涯を終えたが、若いとき山登りをしていて、山々のスケッチ画を描いていた。それよりもこの叔父は写真狂だった時期があり、写真をたくさん残している。そのなかには芸術性の高いものもあり、若松町の船べりの朝を水面から撮った、確か「水面の朝」という題の写真は県展に入選している。これも、広い意味で絵ごころの表れだろう。

徳子は筆まめな人で、なんでも文字にして書き付ける、言語への親しみと才のあった人だが、絵の方はまるで関心がなかった。絵ごころは直見から来た遺伝子だろう。福三の子どもたちや、私の次女桃子が絵を描くのは、ひいじいさん譲りだといえる。

直見はまた、新しもの好きだったと思える。徳子と一緒になったばかりの頃、自動車の運転をしていたという。大正の終わりから昭和の初めの頃だから、車の普及はまだまだ、馬や牛に頼っていた時代である。その時分、自動車を運転してみようなんて普通の人間は思わないだろう。よほど好奇心の強い人だったのではないか。直見は自動車運転で生計をたてようと思った時期があったようだ。しかし、不幸な事件が持ち上がってその計画は断たれる。運転中、車が道から転落し、助手が死亡する事故が生じたのだ。直見は意気消沈し、以後車には乗らなかったようだ。

直見の新しもの好きをいちばん色濃く受け継いでいるのが俊男である。戦後レコードが出始めると、まだ十代だった彼は馬鹿でかい蓄音機を手作りし、家の者が近隣に肩身がせまくなるような大音声で鳴らすのだった。カメラに熱中した頃は、朝な朝な風呂場の洗面器に彼が前夜現像した写真が泳いでいた。出始めたばかりのホンダの単車にも乗り、派手な事故をやって入院した。やがて結婚して子どもができた頃、八ミリカメラが世に出た。まだまだ高価で庶民には高嶺の花だったのも省みず、すぐ手に入れ、可愛い盛りの長男を主人公にフィルムを編集して悦にいっていた。

雅子もこれと似て、「女だてらに」といわれたころから車の運転をした。ダンスが流行れば熱心に通ってステップを覚え、古い頭の夫を怒らせた。結核で入院していた昭和40年頃ボーリングが高知にも入ってきた。病院のすぐ隣にボーリング場ができたので、病気そっちのけで熱中した。いまのホームセンターブリコにスケート場ができたときも、いい歳をしたおばさんになっていたが、臆せずスケートをしに行った。海運局で仕事をしている四〇代後半に検査官たちからゴルフを教わり、しばらく凝った。孫とゴルフに行くのを楽しみにしていたが、二人の孫はそんな気配がまったくなく、「残念ながら結局そんな気のきいた孫はおらざった」と、例の毒舌を吐いていた。

直見の子どもたちに共通するところをもうひとつあげるとしたら、人生の憂さに耐えるすべを知っていたということである。絵を描くというのもその一つだろうし、植木に親しむというのもそうである。いずれも、一人でひっそりと楽しめる趣味である。彼らはそのなかで自分を憩わせ慰撫した。親と離れた孤独な生活のなかで「一人遊びが上手」な資質が磨かれたのかもしれない。

郁夫は魚を観察するのが好きだった。まだ大阪で働いているときから、休みに下田に帰ってきたときは、磯で獲ってきた魚を水槽に入れて飼い、観察して楽しんだ。

定年後ふるさとのお寺の住職をつとめるようになると別棟に魚の飼育小屋を建て、足摺の水族館もかなわないほどの珍しい魚を集めていた。毎日新鮮な貝を獲ってきて餌に与えなければならない、これは大仕事だったが、一文の得になるわけでもないその作業を彼は実に楽しそうにやっていた。小屋には魚のためにクーラーまで入れ、伯母が、「ここの魚は人間さまよりいい暮らししてるわ」と嫌味をいうほど魚を大事にしていた。伯父は「この小屋に来て魚見てると極楽やで」とニコニコしている。

現世的な幸せの向こうにあるささやかな幸せを伯父は誰よりも知っていたらしい。他者からみれば無価値なことに熱中して自らを楽しませるこの資質は、きっと直見から引き継いだ遺伝子のなかにあるのでは、と私はひそかに考える。

「遊びをせんとや生まれけん」(「梁塵秘抄」)の心である。

●不思議なオーストラリア旅行

母の死のショックからようよう立ち直った頃、シドニーオリンピックが始まった。やっと止まっていた涙がまた吹き上がる。

母はスポーツ観戦が好きだった。ときにそれがオリンピックなどというビッグなものだったら、見逃すはずはない。アトランタのときは、開会式を延々4時間、飽くことなく見たと、長女が述懐している。

ことに、今回はシドニーでのオリンピックなのだ。どんなにか喜んで見ただろうに。なぜなら、そこに3年前、私たちは行ってきたのであるから。テレビでシドニーの映像が届けられるたびに私は泣いている。ヨットの形のオペラハウスも、重厚なハーバーブリッジも、元気な母の姿と共にアルバムにあるのだ。もうひと月だけ長く生きたら、「そこにも行ったね、あそこにも」と、オリンピックを何倍も楽しめたろうに。

3年前のオーストラリア旅行は、私たちにとって棚からぼたもちの、降って沸いたようなそれだった。

人のしない回り道を経めぐって来た私は、暮らしに追われっぱなし、自慢じゃないが金も時間も海外旅行には縁がないまま五十を迎えようとしていた。一方、母は行動力と好奇心の人だから、四十代から海外にも出かけていた。ただし、戦時中の英語禁止時代に教育を受けた影響で、英語はまるきりだめだから、出発から帰りまで完全添乗員つきのパックツアーに限った。現地での買い物も身振り手振りですましたという。そんな母は、いっぺん私と一緒に海外へ行きたい、と言い言いしていた。

そんなとき、思いがけない話が持ち上がった。土佐市高岡にある父の墓が高速道路の用地にかかって、墓地を移転する必要が生じたのだ。これは私には嬉しい話だった。高岡の墓の管理に頭を悩ませていたところだったのだ。二人の子どもの小さい時分はピクニック気分でお弁当をつくり、子どもに手伝わせ一日かかって墓の草を引いての墓参りだったが、子どもが大きくなってそれぞれの予定でふさがって同行してくれなくなると、自分一人の仕事となり、腰痛持ちの身には、草引きが手に負えなくなりかけていた。地元で管理をお願いしていたおじさんも老齢になって後を頼む人も見つからないまま時が過ぎていた。そんな折に移転の話が持ち上がったのだった。私は迷わず菩提寺に納骨堂を買い、そこに墓を移転した。菩提寺は初めは南はりまや町の町中にあったが、何年か前に母の家のすぐ近くに越してきていた。つまり、父は高岡での永遠の眠りを中断して、母の近くに転居してきたのだ。

相性が悪くて喧嘩ばかり、最後には離婚までしてしまった縁の薄い夫婦だったが、父が最後まで母に執心だったことを私は知っている。「死んでまでお父さんはお母さんの近くに寄ってきたね」。私は墓の移転の際、掘り起こした亡き父の骨に話しかけた。この縁の薄い夫婦が、このように墓をめぐって縁を寄せたここまでの成り行きも物語るに足るが、ここで話は終わらない。

さて、お待ちかね、これからが、不思議なオーストラリア旅行の話である。

墓を移転する諸費用を支払ったのち、私の手元には82万円が残った。父は養子に来た栗山の墓を大事にし、先祖代々の墓石も自分で建てたから、この金は父がつくった金である。母に相談した。「どうする。二人で分ける?」。父は生前、母に金の苦労をさせていたので全額母が受け取ってもいいわけだが、二人は最後に離婚しているのでややこしい。母は言った。「お金より思い出がほしい」。その言葉でオーストラリア旅行が決まった。なぜオーストラリアかというと、母がそれまでに行ったことのないところで、英語圏であるという二点、それに、その頃私が仕事で知り合った留学生がオーストラリアからのそれで、この国を身近に感じていたことなどが理由であった。

母と二人で行くことも考えられたが、いっそ親子三代も良かろうと長女を誘った。彼女が結婚したらもう三代での旅行も望めないだろう。三代で海外旅行できるとは祖父母世代が若くないと望めないことで、それができるとはけっこう幸運なことかもしれない。先のことは分からない。いま、行けるときに行っておこう。もともとなかった金だと思えば惜しくはない。

かくして、三人で出かけることになった。個人旅行で業績をあげてきた旅行会社の、現地自由行動、というメニューを選んだ。これだと、空港とホテルの間だけ旅行会社が面倒見てくれ、あとは自由に過ごせるのである。行きたいところがあれば現地でのオプショナルツアーを選んでいける。私たちはケアンズ、ゴールドコーストそしてシドニーの3都市に行った。私個人はエアーズロックというアボリジニの聖地に行きたかったが、母がまるで関心を示さなかった。関空で集合。同じ旅行会社のツアー参加者で、行き先は同じオーストラリアでも、それぞれ到着地が違うのだ。もちろん添乗員などいない。ブリスベンで乗り換えるときも緊張した。ちょっと飛行機を間違うと地球の違うところに連れて行かれそうな気がする。ケアンズに到着して現地日本人職員の出迎えを受けたときは心からほっとした。

現地で自由行動というのは実に楽しい。時間を気にせず呑気に散歩したり、ショッピングを楽しんだりできるのだ。母はこれまでの旅行にこんな経験ができなかったので、とても喜んだ。私がラジオ英会話で鍛えた、あやしい英語をあやつって現地の人と話すのを面白がっていた。この会話で旅に出てから旅行情報を仕込んだこともあった。最終地にシドニーに行くことを、最初に訪れたケアンズのホテルのスタッフに話すと、シドニーに行くなら是非マンリーの海岸に行くべきだ、とてもきれいなビーチだと教わって、マンリー行きを決めた。かくして母は南半球の海で泳ぐことになるのであった。

三人の道中で困ったこともあった。オプショナルツアーで現地ガイドに南半球一という大規模な水族館に連れて行ってもらったとき、あまりに施設が大きくて、現在位置を見失い、帰りの集合時間に遅れ、ガイドに捨てられてしまった。待てど暮らせど来ないガイドに途方にくれて、施設の受付オーストラリア嬢に、どうしたらいいかＳＯＳを発した。そのおかげでオーストラリア人の人の良さに接することができ、これはこれで楽しい思い出となった。

いちばんのピンチはシドニータワーの上と下で二人とはぐれてしまったときである。長女は英語は読めても話すのは全くダメで、言葉がしゃべれない迷子二人が東京タワーの上に取り残されたと同じ状態である。このときは真っ青になった。そんなこんなで冷や汗も含めて珍道中を楽しんだ。

特筆すべきことがひとつあった。国内ではくじ運の悪い二人が、オーストラリアでは運がついて、免税店で二人だけにけっこう高価な景品が当たったりしたのだ。そのときから、なにかこの旅はおかしいと感じていた。

帰りの飛行機のなかでお金を計算すると、最初に旅行会社に振り込んだ費用にオプショナルツアーの分を足し、旅行中の食事の分も入れると、墓の移転で浮いてこのたびの旅行費用となった82万円に5千円足りないだけであった。高知空港から家にタクシーで帰るとちょうど5千円。墓のお金ぴったりで旅行ができたのだった。

私の胸に不意にあついものがこみ上げた。この旅は父がさせてくれた旅だと悟ったのだ。彼がこの世で最も愛した三人の女性、妻、娘、孫を行かせてくれたのだ。なにかおかしいと思った二人のくじ運も、父があちらからいたずらしたのだ。母はアルコール依存症の父を伴侶にしたおかげで人生を台無しにしたと思っていて、父のことをその死後まで恨んでいた。それを知っていたので、帰りの飛行機のなかで私はわざと言った。「お母さん、これからはもうお父さんの悪口言えんね」母は苦笑いしていた。

このオーストラリア旅行があったおかげで、あちらで母に会っても、父は大きな顔ができるはずである。

オーストラリアに行った翌々年、母はカナダに行く予定をしていた。オーストラリアが楽しかったので、私を連れてカナダに行こうと計画した。「生命保険の満期になる分があるので、あんたの分も費用を出すき、通訳について行ってや」と、うきうき計画していた。しかし、旅を予定していたその年、母はがんにつかまってしまって果たせなかった。

だから、オーストラリア旅行は、私と母の最初で最後の親子海外旅行となってしまった。そしてまた、母にとっても、人生ラストの海外旅行となった。

墓の移転がもう少し遅かったら、母と海外に行くことはなかっただろう。この意味でも、父はあちらで母に威張っているはずだ。

おわりに

母の四十九日までにその闘病記をまとめたい、と思って書き始めた稿である。初めには、まさかこんなにも一族のあれこれを書くことになろうとは思っていなかった。

だが、母のことを書くのに、父親が幼児期に死んで中村の伯母のところで大きくしてもらった事実をはずすわけにはいかない。そこが母の第二の故郷だからだ。中村から母の葬儀にはるばる駆け付けてくれた母の幼な友達に会って、改めてその思いを強くした。母にとっての中村の大きさ。

中村のことを書いていると、そこで若くして死んでいった母の父親のことを思わずにはいられなくなる。実は、母がたった2歳のとき死んだと聞く、この祖父の生年も没年も、このたびこの稿を書くために彼の除籍謄本を取ってみるまで知らないでいた。これまでなら、必要な時には母に聞けば事足りたからである。

母が死ぬとは、この祖父が改めて死ぬことでもあった。祖父は今から68年という、気の遠くなるほどの昔に死んでいるが、これまでは母が生きていることで、その中にいる祖父も生きていた。このたび母が没すると同時にこの祖父も死んだ。うまく言えないが、この祖父の話をすることができる最後の人が死んだことで、こんどこそ、本当に死んだのだ。母のために祖父のことも書いておきたい、と思ったのはそんな事情による。

ついでに言うと、伯父や叔父たちのこともそうだ。伯父たちの噂をする相手だった母が死んでしまったので、伯父たち兄弟の昔の難儀話をしあうことはもうない。もちろん、当の伯父たちも他界してしまったので直接彼らと話すことはすでにない。伯父たちの物語がひょっこりこの稿に出てくるのは、その繋がりによる。直見と徳子の子どもたちがもう誰もいなくなったということを、この稿を書きながら改めて思った。伯父たちにも子どもがいるので、彼らは父親のことを私よりずっと知っているだろう。しかし、直見と徳子の子である部分はあまり知らないかもしれない。私が死んだらそれらを知っている者が誰もいなくなる。彼らの最年長の姪として、つい彼らの物語にふれずにはいられなかった。

祖母徳子についての記述が祖父直見に比べて少ないと感じる人がいるかもしれない。これには理由があって、「祖母の手記から」という手作りの冊子を祖母の一周忌にすでに出している。祖母は少なからぬ量のメモや日記類を残していて、それらをして自らを語らしめているが、祖父直見は彼を語るものとして、遺伝子以外何も残していない。この機会にぜひ祖父についてまとめてみたかった。母が生きていたら、このことをきっと喜んだろう。記憶にもとどめない亡父を恋うていたから。

しかし、終えてしまった今、むなしさを噛みしめている。誰よりも読んでもらいたい、そして感想を聞かせてもらいたい読者たちがみなあちらに行ってしまっている事実を、書いた後で思い出したからである。

2000年秋

おかあさん　ありがとう

まだまだ元気でいてくれると思っていた母が8月末、あっという間に他界した。時というものはありがたいもので、心が張り裂けるような悲しみも日に日に薄らいでゆく。そしていまは、母が四六時中私の傍らにいてくれるような幸せが私を包んでいる。

それは、母が残した服を着、母の車を運転するとき、特に感じる思いである。母はおしゃれな人であったし、洋裁もしていたので、手製のしゃれた服を何着も洋服ダンスに残している。先日、四国四県から人の集まる、気の張る会合があった。その前夜、たまたま母の家に行く用があり、何気なく洋服ダンスを開けてみると、いまの季節に着るのにちょうどの上下があった。試着してみるとぴったり。果たして、その会合での自分の役割を、この服に守られて果たすことができた。

そして車である。計画性のない自分の人生は出たとこ勝負で、蓄えというものが全くない。必要に迫られて車に乗り始めて20年、自慢じゃないが、わが資力では中古の軽貨物車にしか乗ってこられなかった。一方、母は用心深い性分で、万が一の事故を思い、車に乗り始めた30年前から軽四には一度も乗らずにきた。

いま、母が残した１５００ＣＣの乗用車に朝夕乗っている。そして驚きの声をあげている。窓がレバー一つで開閉し、ハンドルはパワーステアリングで軽々と切れる。カーステレオは心地よい音楽を流す。盆と正月がいっぺんに来たとはこのことだ。

ここまで書いて涙ぐむ。母は終生私の応援団だった。応援団長の思いのこもる服や車に包まれて、私はこの秋を生きている。おかあさん、死んだ後までもありがとう。

（高知新聞「あけぼの」欄より　２０００年11月11日）

ひとり蛍

今年は蛍を4、5回見た。5月半ばに最初の一匹。そして今夜も一匹。

最初のときは勤め帰りだった。

4月に職場の異動があって以来、連日の遅い帰宅の一夜、見慣れた住宅の塀に止まって点滅していた。それから10日ばかりして、同じ時間帯に別のところで一匹に遭遇。休みの日に散歩の途中で出会った一匹もいる。

いつもの年ならまだ蛍が生き残っていたことを喜ぶだけなのだが、今年は違っている。

ひょっとして去年の夏死んだ母が蛍になって会いに来たのではないかと思ってしまうのだ。その証拠に、今年の蛍はすべて一匹だけでやって来る。

身内の死は、人をして生きることに覚醒させる。何気なく見ていた物や風景が、輝く一回性で迫ってくる。去年いた人がいないという、ただそれだけのことで、一匹の蛍がはるかな別世界からの旅人のように見える。

（高知新聞「あけぼの」欄より　2001年6月17日）

第七章　桃子抄

―初めての詩『むすめに』について―

２００３年８月、香川県宇多津町にあるコミュニケーショントレーニングセンターでベースのトレーニングを受け、たくさんの気づきを持って帰った長女彩美の話を聞いているうち、最初に書いた詩のことを思い出した。

処女詩集『桃子抄』を35歳のとき出しているが、生まれて初めて書いた詩は、長女彩美についてのこの詩だった。それより8年前の、27歳のときのことである。そのことをゆくりなく思い出し、古い原稿をあさり、見つかったのがこの詩である。

当時、私の娘は彩美しかいなかった。彼女が生まれたとき、長いこと一人っ子でいた自分が癒されたと感じたことを憶えている。「もう、一人じゃないんだ」と。

ほぼ30年ぶりに陽の目をみることになった詩を、日ごろの感謝を込めて長女に贈る。他の家族と同様、彼女もまた私というわがままな存在にあきれながら、愛と寛容をもって対してくれているのだ。心からありがとう。

２００４年元旦　母

むすめに

〈どこか知らないところから、私あてにある日
　見知らぬ女の子が届けられた〉

むすめよ
まっかなほっぺたをひび割れさせ
くちもとに干からびた飯粒をつけ
ひざあての当たったズボンをはいた
生まれて四年になる女の子よ
一日が晴天を約束した夏の午後
おまえは太陽に向かって大きく広げた
それまで日にさらしたことのないわたしの扉から
ぬめって出てきた
そして
白いきれに包まれて心地よくゆであがった湯上りのおまえと
四角な台の上に横たわったままで
初対面の挨拶を交わしたあの日から
おまえは終生わたしの友だ
〈初めて見交わしたおまえは片目だけあいていた。あれは、
これから仲良くしようというウインクだったのか〉

むすめよ
おまえの引っ越しの豪華さには
栄華を極めたソロモンも及ぶまい
おまえは財産ひとからげ両手に抱きかかえ
茣蓙（ござ）の上に宴をひらく
そこに呼ばれるのは
お気に入りのものいわぬ客だけだ

茣蓙の上　陽だまりのなか
ままごと遊びするおまえの腕に抱かれる人形は
どんな夢をみているのだろう
この母も
うっとりと
おまえの小さくまるめたかいなの中で
おまえの子守唄で押し出され
光りのあふれている方へと船出する
一艘の船になりそうだ

むすめよ
ほとんどおまえと遊んでやることをしない
身勝手な女を母として持つおまえを
不憫に思う
幼い日この母も
家族というもののあやうさと崩壊の予感におびえ
寒さとひもじさでぴいぴい泣いていたというのに
いま、おまえに同じ思いを味わわせている
愛の酸欠の中
苦しげに燃える一本のろうそく
おまえのたましい
その炎のゆらめきに
あえぎのひとつひとつに
母は痛ましくおまえを認知する

むすめよ
だがあきらめてほしい
おまえのおろかな母は
おまえをかまうことをせず

きょうも
さまざまな生活の臓物が打ち上げられた
嵐の明くる日の海岸線より　とり散らかった部屋の隅で
救命胴衣に似た机に向かって
小さな紙の上に世界を呼び寄せるのに忙しい
かと思うと
母はつと立って
難破船のような部屋の中を片付け始める
暮らしが強いるさまざまな仕事を処理しながら
母は
世界を洗い世界を干し
世界をまな板で刻み世界をゆでる
というのはまっかなうそだ
割烹着に首吊った三文詩人の悲願がみさせる白昼夢だ
世界は真っ白く洗濯できないし
調理もできなければ
言葉のブラシで磨くこともできない
それどころか
ちょっとでもそれをつかもうと手を伸ばしたら最後
溺死しかかった人のように
その手にからみついて離してはくれない
振りほどきもならぬその強い力の中で泥田の粘りの中で
這いずり回り呻吟しているのが
この母というわけなのだ
そのことを誰よりも知っているのが
むすめよ　おまえなのだ
四角い紙のリングの上の
勝ち目のない悪戦苦闘ぶりを
ちゃぶ台のリングサイドからくまなく見ているのは

だれあろうおまえなのだから

むすめよ
おまえもまた
親の勝手な都合から
兄弟というものをもたない
代わりに
一人遊びの上手なおまえは
きょうもひとり
紙を折る
ふくふくした肉片に
ちっちゃな五本の指がついた
おまえの手が器用に動き
紙の中から魔法のように
子どもたちと伝統的に仲良しの動物のかたちを
取り出してみせる
それは母にかまってもらえないおまえの友達だ
おまえは友達づくりの名人だね
背を丸めて
紙を折ったりのしたりするおまえは
人生の大先輩
わたしの思慮ぶかいおばあさんだ
母はつい
おまえの撫で肩のちいさな背にすがりたくなる
むすめよ
知っているか
おまえの指に操られる指人形たちの表情は
どこかさみしげで

驚くほどおまえに似ている
おまえが彼らにしゃべらせる台詞は
母がおまえに向かって無神経に投げつける言葉のパロディで
それは母を吹き出させはするが
次の瞬間凍りつかせる
その難解な現代詩のごとき文脈の向こうには
おまえの訴えがぽっかり傷口をあけている
おまえが母に仕掛ける伏兵は
だから世界一おそろしい

むすめよ
たとえば
おまえと二人お好み焼き屋の縄のれんをくぐり
あつい鉄板の上でうどん粉をひっくりかえしたりしている時
私は隣にいるおまえにふと女友達を感じてしまう
他愛ない世間話から男どもの品定めまで
おまえとおしゃべりしている気にさせられる
おまえは同じ屋根の下に帰っていく私の大切な女友だち
こんなときはお前がわたしと同じ性に属することを
つくづくとなつかしむのだ

むすめよ
おまえの中にはときどき幼い私が見え隠れする
おまえを観察することはタイムマシンに乗って
昔の自分に会うことであり
人生のプライマリーレッスンをおさらいすることでもある
だが
おまえはおまえであって断じて私ではない
おまえは憎らしいほどおまえなのだ

一日の自己主張に疲れ果てたおまえが
眠ってしまったあとで
私はそっとふすまをあけて
ふとんのちいさなかさばりを確認する
そして
その都度不思議の感に打たれ
聞いてしまう
「一体あんたはどこからやって来たひと?」と
おまえは確かにどこからかやってきた不思議なまろうど
私たちは広い宇宙でちらとすれちがったとき
母と娘になり
また時間をおいて
別れていくのだろう
三百六十五の夜々
眠り支度するおまえは
ぬいぐるみたちに布団の一番いい場所を与え
しっかり掛け布団を掛けてやる

しかるのち
自分は
布団の隅のほうに　やっとスペースを見つけて
安心したようにもぐりこむ
ぬいぐるみの守護神たちよ
夜中じゅうしっかりと見張ってやっておくれよ
この女の子の眠りを
そのやわらかな輪郭を

1976年冬

詩集　桃子抄

やまき　すまこ

Ⅰ　春

地球にちょっと腰かけて
地球の上であくびをひとつ
地球の上で石けりひとつ
地球はまわりっぱなしの壊れたろくろでありました
もの憂い春の午下り

飛んで来た詩のかけら

年取って詩を書き始めた
筋肉が硬くなっているので詩の中でうまく体を動かせない

詩は熱のようなものになって体にこもり
熱さましに表現を強いる
のどもとがいがらっぽくなって
咳をするように詩を吐き出すのだが
手持ちの言葉は整列を拒み反乱を起こす
私は諦めて寝につく
その夜の夢の中
眠りの吃水線に詩が貼りついているのを見た

あくる朝
眠りの岸から這い上がろうとして
たもとの重さに妨げられた
なんということ
たもと一杯に詩のかけらが詰まっているではないか

目覚めるのが惜しくて
重いたもとをひきずりながら
目覚めと眠りの境界を往きつ戻りつする
ふいといい思いつきを手に入れて
詩のかけらをひとつ
たもとから取りだし
勢いつけて投げてみる
水面すれすれ
春の河原の中学生の水切りみたいに

すばらしい勢いで
詩のかけらは飛んでゆく
水面を銀色に切り裂き
光る横腹を見せて水中に没する
その美しさに魂が凍り
はっと息をのんだが最後
すでに私は目覚めの岸に打ち上げられていた

はてその詩を書き止めておこうと
大慌てにたもとをたぐってみるのだが
汗臭い寝巻の袖からごろごろ出てくるのは
燃え尽きて軽石になった詩のかけらたちばかり
私は不渡りをつかまされた商人みたいに口惜しがる

遠い果てから
この私めがけて飛んで来てくれ
表現される寸前に燃え尽きてしまった詩の隕石たち
せめてそれで朝の御飯でも炊いてみようかと
私はのろのろと新しい一日に這い上がる

わたしの町からあなたの町へ

わたしの心は
宇宙にあまねく存在するあなたに向けて開かれている
けれど体は
全世界のたった一か所にしか
もどかしくも存在しない
あなたに向かって収斂する
遍在するあなたと偏在するあなたとの距離を
わたしは夜汽車で埋めなければならない

あなたの町へと向かう列車で
あなたの町に背を向けた方向に腰かけるわたしは
あなたの魅力という磁場に無抵抗に吸い寄せられる頼りない
金属片になる
慌てて反対側に座りなおせば
他のどこでもない
あなたの町という標的に向けて放たれた弾丸になる

あなたの町を離れる列車で
あなたの町に背を向けた座席に坐るわたしは
大気圏をあえぎあえぎ脱出する宇宙ロケットになる
重力に耐え兼ねて向かいの座席にかけ直せば
限りなくあなたの不在の方へ流刑されていく囚人になる

薬屋

忠告を一壜（びん）ください
能書きは結構です
飲み薬でなく目薬にしてください
効きすぎて下痢をするより
涙といっしょに流す方を好みます

セロファンに包まれた裏切りをください
今朝水揚げされたばかりの魚の腹みたいに艶のある
生きのいいやつを
私はそれを夫の首を縛っている澄ましたネクタイと
取り換えます

百年の偏頭痛にも効くという湿布薬はありませんか
朝の蓮の葉のようにすばしこく泣きごとをはじくメンソレは
その棚の上ですか

耳かきいっぱいの負の情念をください
いえいえそれをパン種にして世界をふくらませるなど
とんでもない

ついでに世界の鋭い破片にあたってもびくともしない
感受性の化膿止めも入れておいてくれますか

音のない家

卵のかたちした不安が
孵化して
飛んでいってしまった

しゃぼん玉のように
ふわふわと飛んで

屋根の向こうに
見えなくなった

残された家は
芝居のはねた書き割り舞台
張りこの小道具大道具

流しの口にひっかかっているのは
すりこ木でもすりつぶせず
木綿の布巾でも裏漉しできなかった
結婚生活の硬い小骨

風呂場の石験箱はだれかの骨壺
ちびた骨が
かたかた乾いた音をたてる

洋服ダンスの下の闇は
見憶えのある闇
ひょっとすると
思い出というミイラたちの霊場か

幼い娘のしまい忘れた人形が散らばる
深夜の茶の間
後方からの袈裟がけの一刀に息絶えたり
たったいま凌辱されたばかりのあられもない格好で
そこここに人形たちが倒れている

そこには
血もなければ
涙もない
あるのは
サイレント映画の一シーンのような
頑固な無言
だけである

ゆたんぽ讃歌

冬の夜こごえた足を温めてくれる
もう二本の足
を失ってしまったのは遺憾であるが
見回せば
まだゆたんぽがあった
わたしには

無担保で気前よく人肌のぬくみをくれる
ゆたんぽよ
足ではなく
心をじかにこすりつけ
温めているような
人生の冷え症の頼もしい助っ人

一晩の使命を終えたゆたんぽは
明け方
けだるいぬるさにゆるむ
霜焼けの足がかゆくなるので
ゆたんぽの綿入れを踏み抜いて
ブリキの裸にする
金属の肌が

冷たい美女のようになめらかで
火照った足にここちよい

甲羅の継ぎ目で霜焼けをかいて
ついでにゆたんぽを蹴っとばす
ちやっぽんちゃっぽんの波の音
ゆたんぽの中には大海原がある
表面をなでれば
人間の男そっくりのあばらまである

日中は所在なげに部屋の隅でころがっている
不意にコオロギに似た声で鳴く
ジリジリジリ
子どもたちは気味悪がり
私は気圧ということばを使って説明を試みる
「だけどね」
私はつけ加えずにはいられない
「内緒のことをいうとこうなんだ
ゆたんぽは本当は空飛ぶ円盤で
あれは宇宙からの指令電話のベルなのだ」
上の娘は信じないが
小さい方の娘は
UFOと湯たんぽの造形的類似に納得する

II　会う前に

乳輪がふだんの倍の領域を画し
乳首はざくろのようにふくれ返り
黒光りさえする

まだ見ぬ子よ
私にはお前を闇から取り出す資格があるのだろうか
シルクハットの暗がりから
薔薇やら鳩やらを取り出しもするが
永遠という悠久の時間を
眠り続けたままだったかもしれないお前を揺さぶり起こし
私はこちらに連れ込もうとしている

疑問符の曲線がほどけないまま
有無をいわさぬ陣痛がやって来た

命名

看護婦の手から抱き取って
初めてお乳を与え
新生児室のベッドに置いて来たばかりの我が子の頭が
戻って来た病室のサイドテーブルに転がっていた時は
驚きました
が、よく見ると
それは赤ん坊の頭などではなく
見舞いにもらった白桃でした

私が昨日産んだのは
満月みたいにまんまるい頭をした
小ぶりな赤ん坊でしたから
形も大きさも　桃そのものだったのです
この時
他にはもうこの子の名のつけようがないことを観念しました
幸いなことに

体の下の方にも半球の桃がくっついていましたから
桃太郎とせずにすみました

手紙

桃子の口に食べ物を入れてやりながら
これは何かに似ているなと思う

そう
街角でポストに手紙を入れるしぐさ
あれだ

おりんごさん、しっかり桃子になってね
お魚さんも、カいっぱい桃子になるんですよ

母親は離乳食の手紙に書いて
元気なポストにほおりこんだ

森の中

「またスプーンを落っことして！」
朝の食卓で母親はついしかめっ面をしてどなる。
今朝はこれで二度目だからだ。
「どれ、どこへ落としたの」
椅子を引き、かがんでテーブルの下をのぞきこみながら
母親がいう。
母親の上から桃子が朗々と宣言する。
「森の中よ！」と。
その途端
テーブルの下には森の下草が生え
あたりいちめん緑の森になる。
森のテーブルで
母と子が食事をしている。

桃子は森の中によくスプーンを落とす。

にっこりうんこ

「うんこが笑いゆう。
お母さん、見て。」
台所で朝食後の洗いものをしていた母親の
エプロンを引っぱって
スワンのおまるのところまで桃子は連れていく

長いうんこが真ん中でくさび形に割れて
ほんとだ　にっこり笑っているみたい

ごきげんなうんこ
朝のすこやかな生理が
桃子のうんこを笑わせた
ついでに母さんも笑わせ
三番目に桃子をも笑わせた
ふかしパンのような頬に片えくぼを刻ませた

散髪

チョキチョキチョキ
ジョギジョギジョギン

震えるほどかたく防備の目を閉じた桃子の前髪を
裁ちばさみで不器用に切ってゆく
おや　ちょっと短く切りすぎたかな

その日一日桃子の顔がよその子のように新鮮だ
叱られて泣くのをこらえている上目づかいの目は
幼い頃自分が鏡の中に見知っていたそれと
びっくりするほどおんなじで
母親の胸にたちまち昔の感情がたぐり寄せられる
親に叱られた時の地も裂けんばかりの嘆きが喉元によみがえる
いじらしくなって自分と同じ目をした女の子を
思わず抱きしめれば
我れと我が手でかつての自分を抱いているような
不思議なこころもち

幼年時代を両手で抱く
ふっくらとあたたかく
まだ何一つそこなわれていないあの頃を

許された喜びと抱きしめられた含羞を笑い声にはじけさせて
桃子は駆け出してゆく

壁につき当たってくるりとこちらを向き照れ笑いする口元から
もう母親の思い入れは姿を消し
父親の面ざしが底の方から浮かび上がって来ている
そこには異邦人の桃子がいる

ひなまつり

桃子は時たま人が考えつかないことをやってのける
ひなまつりの宵
桃子の姉のおひなさまと桃子のそれとの二対を
二階にお祭りした
母が二階に上がってみると
果たして
一対の内裏さまがガラスケースの中でくるりと回れ右して
見慣れぬ後ろ姿をこちらに見せていらっしゃる
このおひなさまは買って十年
だけど後姿をしげしげ見たのはきょうが初めて
桃子は旧弊を憎み
あっと驚く新しいことをやってのけるダダだ

隣の一対にもいじられた跡がある
めびながちょっとだけ坐る角度を変え、あらぬ方を見ている
おびなをわざと避け風に
正面向いて端座しておられた時には
あれほど典雅で高貴だったお内裏さまが
坐る角度をほんの少し変えただけで趣を変える
たとえば
御亭主に向かってちょっぴりすねてみせているおかみさんと
かみさんの悋気に閉口しつつ何食わぬ顔を決め込む美男の旦那
おやおや
ついに桃子はおひなさまに痴話げんかまでさせちゃった
母が寄って行ってめびなの向きを直してやると
たちまち二人は仲直りした
人間の夫婦もこんな風に簡単に向きが変えられたら—

母はため息まじりに思うのだった

ポータブルの桃子

三歳になって強くなった桃子の両足は自由に地球を蹴り
その上を友達と走り回って
もう母の腕に抱かれることはない
ただ一つの時を除いては

それは
ガスの元栓を締め戸締りをすませた夜中の母が
子どもの夢をめくって抱き起こし　おしっこさせるとき
桃子は後ろからかかえられて用を足す
「もういい？」声をかけられると
目は閉じたまま　カクンとうなずく
ざるに上げた野菜をそうするように
母は桃子の体をふるってお尻の水を切り
四つんばいにさせて紙でぬぐう
それから
ゆらゆらする子どもの頭を肩で受け　身づくろいさせる
放尿をすませた安心から　桃子はとっくに夢の中に
ダイビングしている
昨日生まれた赤ん坊のように無防備に自分を預けきって

もはや抱くには充実しすぎた命の重みに耐えながら
母は寝床までの一歩一歩を惜しむ
初めてこの子を胸に抱き取ったあの日の
厳粛で誇らかな気持ちが
その度ごとによみがえる

愛するものはまたたく間に大きくなり
運べなくなってしまうから
まだポータブルであるうちに
その記憶をしっかり仕込んでおこうと
母の二本の腕は思っている

桃子の顔

母のまあるい輪郭に
父のそろった歯並みを植え込んだら
桃子の顔になる

他の誰でもない
その人に出会い縁を結んだということが
子どもの顔に書かれている
過不足なく正確に
酩酊した明くる日に受け取る酒場の請求書のような
容赦なさと
陽だまりに転がる毛糸玉のような優しさで

常夜灯

生まれてからずっと赤子は眠ってばかりいた
おっぱいを与えても　吸い終わるか終わらぬうちに
もう　うとうとしている
だけど　今夜はちょっと違った
おなか一杯お乳を飲んだその後で
小さな口から乳首を離して　ぱっちり目を開けたのだ
開けた目で食い入るように見ているのは

暗闇の中　ほおずきのように丸く灯った常夜灯の光

いまは真夜中で
今夜は赤子を病院から連れ帰った2日目の晩
家の中も町の中もひっそりとしている
その中で　胸をはだけ
強く乳首に吸い付く生き物に乳首を与えていると
自分たち親子が　穴居生活をしている原始人の母子のような
心もとない気分になる

まだ赤子は不思議そうに常夜灯を注視しやまない
なにがそれほど赤子を引き付けるのか
母は改めて赤子の視線に自分のそれを重ねてみる
暗闇の中で小さな光を凝視すると
くらくらとめまいがして
薄暗い部屋もろとも宇宙に漂い出る気がする
赤子から見れば常夜灯の光は
冥王星から太陽を見たほどのはるかなそれではないかと
母は初めて気づく
たとえば冥王星から太陽までの途方もない距離を
赤子はやって来たのだろう
それまでうずくまっていた永劫の無から立ち上がり
孤独な旅をこちらにやって来たのだ

赤子が来た距離のはるけさと
ひっそり灯る常夜灯のさみしい光は
どこか釣り合っている

（『桃子抄』　拾遺１９８３年）

発行一九八三年七月二十四日　著者　山木壽万子

一行詩

人生は一瞬の通過　鉄橋を渡る

あの人に天使の羽が生えていた

生きている褒美のような満月が出た

満月の今宵は影と二人連れ

散歩する　一足ごとに自分が好きになる

今宵も定点観測に　我は星空観察人

今夜も月が家まで送ってくれた

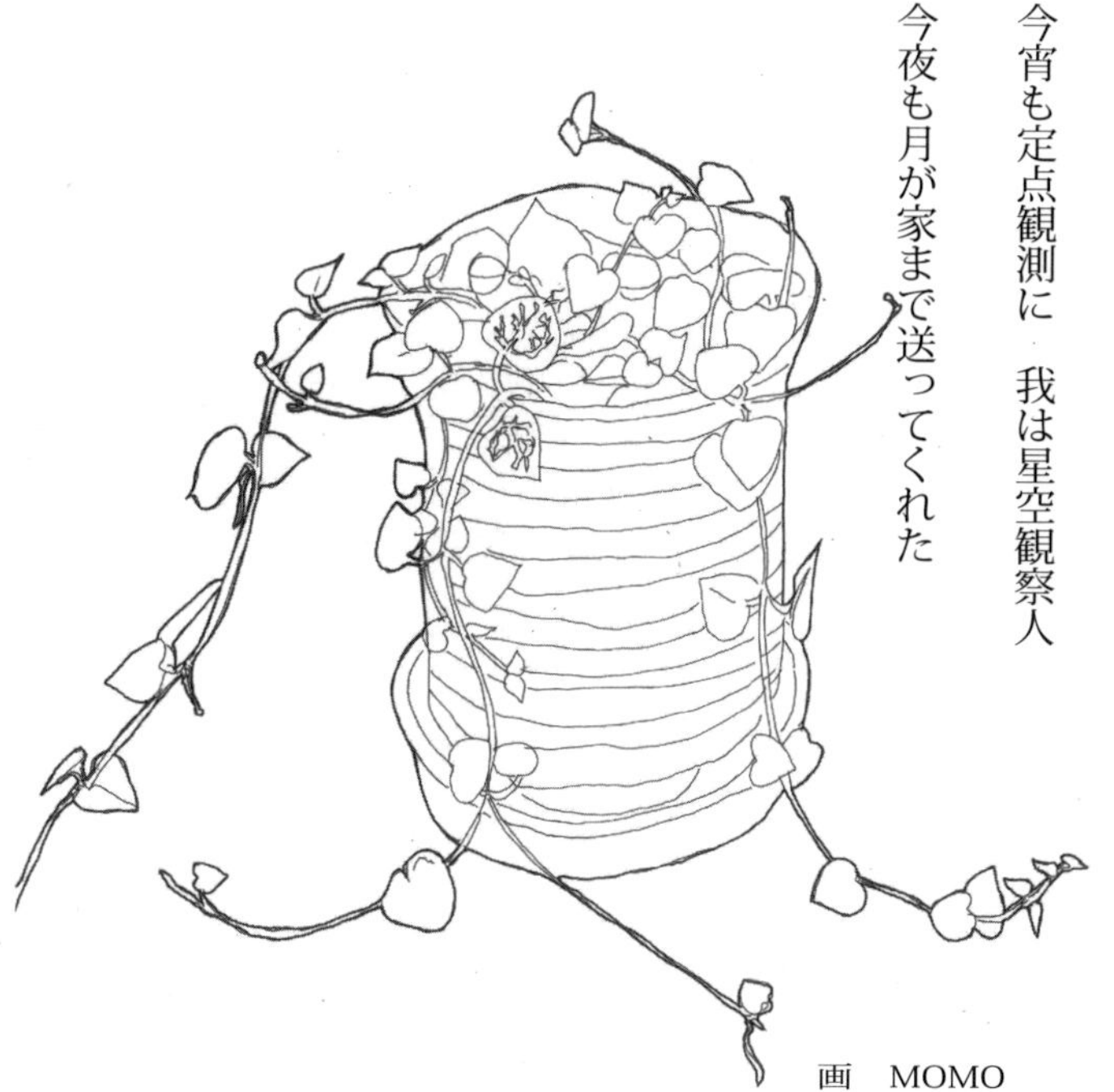

画　MOMO

南斗六星

ある人が　ある人を　知っているという
ただそれだけのことが
これほども　あたたかい

ある人が　別のある人と　ともだちで
そのともだちが　また　別のある人とともだちの時
ともだちが地続きになる
陣取り遊びの陣地が広がっていく

点と点だった　ひとりびとりが
線でつながり三角形になり　矩形になり
もひとり　更にもうひとり
六つの線でつながった
我ら南天をつなぐ六つ星
南斗六星とも呼びたい
新しい星座がいまここに

（「南斗六星通信」より　1996年11月8日
―六人の友がもう一度出会うために―）

餅を焼く

さっきまで　がまんにがまん
全身を膨らませながらも　ギリギリまで
こらえていた

ついに耐え切れず
ぷっと本音を出したら
安心したように肩をまるめた

ストーブの上で餅を焼く

いままで何十ぺんも餅を焼いたのに
人と餅がこんなにも似ていることを
今朝まで知らずに来た

昨日までに死んでいたら気付かずにあっちへ行っていたろう
から
一日多く生き延びた今日
餅を焼いて
得をした

（高知新聞「高新文芸」欄より　2002年2月）

蛍の棲む星

勤め帰り　終バスを降りて路地に入り
いつもの小暗い道を帰る

ひょっと今日あたり、と気配を感じ
家と家の間の小さな流れを見やると
やはり　蛍が五六匹点滅していた
点滅のリズムはめいめいの語らいに見える
山の方でホトトギスが初鳴きして
蛍の語らいを伴奏する
祖母の蛍が伯父らのそれと一族の語らいをしている

次の角を曲がると
強い光の蛍が一匹
私めがけて飛んで来た
これはきっと母
性格のはっきりした人らしい力強い点滅

六月には死んだ人と毎年会える
生まれてよかった
蛍の棲む星に

（高知新聞「高新文芸」欄より　２００２年6月29日）

心音

最近聞いた音の中で、最も心ときめいた音
それは携帯電話で送られてきた、娘のおなかの子の心音

なんとまあ
ずうっと遠くに住んでいる娘の
そのまた体の奥深いところで時を刻んでいる小さな命が刻む
音
それが私のケータイで聞けるのだ
誰がこんなことを想像したろう
娘を妊った時
産婦人科医は私のおなかに「ドップラー」という
音波を測定する器械を触らせ
「ドックドックドックドック」というせわしない胎児の心音
を診察室に響かせた
「赤ちゃん、元気ですよ」
そう言われてスキップして帰ったことだったが
あのとき胎の中にいた娘の
そのまた胎の中にいる子どもの心音

遠くから打ち寄せる波のような
たえまない命の反復

はるかな音だが
この上なく現実的な音

私が初めて心音を打ったのは
母の胎の中
その母が祖母の胎の中で最初の一打ちさせた心臓が
ぐるりぐるり回って
娘の胎の中でいま打っている
不思議
不思議

（やまぶき「はまかぜ」より　２００９年）

光るよっちゃん

長女は言う。
「よっちゃんは可愛らしいき、ほかの子と一緒におってもす
ぐ分かる。
よっちゃんだけ、光りゆうき」
良かったね、長女よ。

光って見えるほど、可愛く特別な存在のわが子を得て。
一千年前、竹やぶでかぐや姫を見つけた
竹取の翁もこうだったろうね。

（未発表　２０１３年）

月ちゃん

遠くにいる娘が妊娠したことを知ったその夜は　満月だった
散歩中の私は　まだ見ぬ孫に　満月を見立てて
知らず知らず　話しかけていた
「月ちゃん、宿ってくれてありがとう」
それから月は満ちたり欠けたりを何度か繰り返したが、
私はどの姿の月であっても話しかけずにはいられなかった
「月ちゃん、お母さんのおなかの中で大きゅうなりゆうかね」
「月ちゃん、もうすぐやね」
月満ちて、娘は無事に女児を出産した
それから初めての満月の夜が今夜だった
「月ちゃん」といつものように呼び掛けたが
月は何となく無言だった
気が付いた
月ちゃんは、月から出てこの世に来ていたんだ
娘の家に

（未発表　２０１７年）

おたまじゃくしの歌

中学校の夏休みの宿題に作って以来の短歌を作ることになった。なぜそうなったかはよくわからぬが、一つには自分が病気になった、ということがある。

歌であれ、詩であれ、何らかの発見がないと書けないのであるが、ビョーキという非日常は発見の宝庫なのだ。体って壊れるものだ、というありふれた感慨、わけのわからない現代医療機器の前に無防備に自分をさらす体験。そして、病気の宣告を受けたときの衝撃、いっときを経てそれを受容する試練、肉体にメスを入れられる経験から、人に下の世話までしてもらうのっぴきならなさまで、ざっと見てもこれだけのプロセスがたどられる。それは、語るに足るプロセスである。何事も初めてなのだから。

発見の報告、これがまず我が歌の第一の動機である。

それに加わる第二のそれは、これは我が尊敬する友人の説なのだが、そして私も全く同感だからここに記すのであるが、「病気になると抒情的になる」というのである。病気になると、病気という、一種の自然現象に対して謙虚にならざるを得ず、「自然に身を任す」方向に心と体が動く。その結果、批判的・客観的な見方は薄らぎ、抒情的・主観的になるというのである。なるほど、だから私は病を得るや、拙いながらもいくつかの歌を作ったのであったか。

第三に、病床の不自由をこれだけ慰めてくれるものもなかった。言い落としていたが、私は手術して右手を吊られた格好でかなりの時間を過ごし、その間一切右手は使えなかった。その貴重な体験を綴っておきたくて、生まれて初めて左手で文字を書いた。これがいかに書きづらいものであるか、いっぺんやってみればわかる。さるぐつわをはめられたまま意見を求められるのに似ている。云いたいことは口もとまで溢れているのに表現にならないのだ。そのような時にふと短歌を想いだした。幸い短歌は言葉数が少ない。すなわち文字を沢山書かずにすむのだ。一首の短歌は、頭の中で構成し尽くしてから紙の上に落とすので、創作全体の上で字を書く時間はほんの一部である。むしろ字は単にメモで、それをヒントに一字一句頭の中で反芻しては再構成する。ちょっと詰め将棋に似ているかも知れない。言葉の駒はいくつかは要るが、頭の中でそれを操作しさえすればいい。いちいち紙の上に並べずとも。片腕の船頭にはおあつらえむきの船旅である。

この点、散文は全くダメだった。思考のリズムが、それを紙の上に落とすリズムとあまりに隔たると表現が変調を起こす。殊に私のような饒舌な書き手は、思ったはしから言葉にしていかないと前に進まないのである。

一度だけ、さるぐつわも省みぬ衝動に駆られて友人に左手で手紙を書いたが、いっぺんで懲りた。思考を伴走するスピードで文字が書けないことがあれほど苦しいものだとは、初めて知ったことである。手紙から短歌に戻って来たとき、私は救われる思いだった。これなら文字を書かなくても創ってゆける。アメ玉をころがすように、思考を舌の上でころがして、ついに短歌として結実した時、ポロリとメモすればいいのだから。

別の友が言った。「病床の感慨を盛るのに、短歌は適当な器だと思う。」そうなのだ。常にはいない病床とその身辺をパチリパチリと写しては、ねえねえと報告したい、好奇心の強いレポーターにとって、短歌というコンパクトな形式は、語れば尽きない散文ほどには体力を持続させなくてすむ。ゴールが短く切られたレースに似て、次のゴールまでがんばれば、そこでいやしくも一首が我がものになるのだ。そのようにして連作を重ねれば、長い耐久レースにも匹敵するエネルギーを積むことができる。短歌よ、あなたという容れものに出会えて、本当に良かった。

私に幸いしたのは、向こうみずに初めて投稿した朝日歌壇で、馬場あき子氏の選に入ったことであった。私は有頂天で、その勢いで楽天的にも何もかにも歌にせんとした。素人の図々しさである。そんな一夕、恩師で詩人の林嗣夫ができたばかりの詩集を枕辺に運んで来てくれた。文字どおり怖いもの知らずの状態にあった私は、彼の前に新作（と言っても私に旧作はないのだが）を次々と披露した。

だが、私の期待に反して彼はひとつも感心してくれなかった。科学者でもある彼はひとつひとつの歌の不備な点、ヘンテコリンな点を解剖してみせるのだった。カエルの解剖をするように、正確かつ明晰に。そのカエルだが、私の歌はまだカエルともいえぬオタマジャクシだったのだから解剖に耐えるはずがない。瀕死の重傷を負うところだったが、危うく一命をとりとめた。それはオタマジャクシの、未熟な故の生命力によった。すなわち、カエルだったら致命傷だったかもしれないメスの入れ方は、オタマジャクシにはかすり傷ですんだのである。林嗣夫のシビアなカルテはきちっと心に畳んで、しかし私はちゃっかりとオタマジャクシである。私の歌は多分一過性のものだろうから、カエルになる精進を積む暇がないままに終わる予感がある。これは強がりであるが、虚心な感慨でもある。とまれ、病を得た日から始まる報告を、ここに短歌として並べることで、我がピノッキオ症候群の日々を個人的な印画紙に焼き付けたい。

（1990年3月）

歌集　ピノッキオ症候群

やまき　すまこ

発病

右肩の痛むを的に射抜かれぬ　レントゲン室磔（はりつけ）の我

ずうらりと首吊りし人並びおり　物療室は刑場に似る

ホットマグナー—物療室にて負はされぬ　重きは似たり人生の荷と

ピノッキオ症候群とぞ名付けたる　鋲のゆるみし我が節々よ

手術

術後より『仰臥漫録』読み始む　子規の見し景たぐり寄せんと

片腕のロビンソンクルーソーと我なりぬ　ベッドの孤島に暮らし初むれば

病床にて思ひ寄するは我が厨　甕に仕込みし葡萄酒の出来

点滴す　ウォークマンが耳にあり　薬液（くすり）は腕からショパンは耳から

せせらぎにほど遠けれど病み倦んで　飽かず眺むる点滴の瀧

衣破れ地上に降りし天女かな　奇妙な装具我を舞はしむ

ぼんやりと燈火増す町眺め遣る　心ほどけて病躯に並ぶ

病院の日常

まだ明けぬ病院の朝厨房に　まず人声と湯気とが上がる

ささやかなケーキ添へらるイブの夜の　病院の膳声あげ迎ふ

白衣にてあれば厳めし院長も　ただびととなるカーディガン姿

冬の朝点滴冷えびえ腕噛めば　音量をあげて耐ゆべしブルックナー

国民の体位が推移知らされぬ　白衣の天使みな丈高し

たらちねの母に湯浴みの労させぬ　四十年ぶりの赤児となりて

六人が六つの人生持ち寄りて　寄せ鍋するごと相部屋の病室

かりそめの家族となりて同じ夜の　寝息束にす相部屋六人

家族にはあらぬ寝息の蚊帳たぐり　用足しに起く相部屋の夜

目覚めればごうごう鼾の中に臥す　馬屋の夜明けなぜか想はる

ボリュームの高きテレビに苦しみて　物療室にページ操る夜

友

水仙を持て来たる友寡黙なれど　花の香代わりて語らひ続く

病室に届けられたる春の餅　親友のいる暮れこそ良けれ

花篭を持て来たる人重なりて　病室さながら花屋のごとし

未だ見ぬ極楽かくやと思ひ遣らる　我生きしまま花に埋もれ

男性に薔薇贈らるる嬉しさを　遅ればせに知りぬ病床にありて

薔薇一つ貰はで駆け来し我が日々を　薔薇眺めつつ愛しみて省(み)る

寒おかしペダル踏み来る友情に　正比例せん遠き道程

何年も会へざる友がやってくる　入院暮らしは捨て難きかな

入院の先輩なりと小物揃へし　友のみやげに無駄一つなし

治る日を待つ

抜糸せり合はせ鏡で肩を見る　とぼとぼ肩這う線路が一本

水底に沈める人を拳ぐがごと　リハビリ医師は重き腕引く

汗にまみれ複式呼吸に我忘る　リハビリ似たりかの分娩に

産褥に勝らん痛みのリハビリテーション　産むはこの度新しき腕

腕矯める医師の整髪料(にほひ)も鼻に慣れ　リハビリの日々深まりにけり

囚われて病の繭に二月あれば　吐息吐く虫孵化しつつあり

昨日まで痛まぬ筋の今朝痛く　ああ屈強たり病が伏兵

疑いの心兆して一日乱る　病がゲリラ我もてあそぶ

遅々として進まぬ治療に業煮やし　頼める医師を恨んでみもする

二十代の若き一年病臥する　乙女のあれば我も耐ゆべし

退院

治りての喜び数ふなかんづく　我待つ人のあることをこそ

テッセンを門出に選びし友を得て　花と帰宅す退院の夕

拙なりと言へども嬉し己が手で　己が暮らしの用立つること

軽々とジーンズ履きにて家事こなさん　健やかな腕我に戻れよ

鏡台に向かひて紅引く喜びよ　素顔で過ごしし二月ののち

忘れられず待たれてあること伝えくる　職場の電話みずみず耳打つ

あの人もこの人も好き遠くあれば　職場の人々皆なつかしき

ピノッキオ症候群にて学びしは　いのち尊く人ありがたき

画　MOMO

第八章　つぎはぎパッチワーク

隣保館で実感した、いまも生きている「人と人」の想い

隣保館（りんぽかん）に勤務して5年になりますが、これまでに地域の人たちとの出会いを通じて得た、人に伝えたい想いがたくさんあります。今日はそんなお話をしてみたいと思います。

●「隣保館」という職場

高知市では、私たちの職場を「市民会館」と呼んでいます。市町村ごとに呼び方はそれぞれですが、一般的には「隣保館」と総称されています。

隣保館の歴史をさかのぼると十九世紀後半のロンドンにたどりつきます。当時、産業革命によって生産に急激な変化がもたらされた結果、農村は崩壊し、都市にはスラムと呼ばれる人口の密集地が生まれました。その時、ここに住み込んで隣人としてスラムの改善に立ち上った牧師や学生たちがいました。「セツルメント」と呼ばれる彼らの活動は、現在の地域福祉の源流の一つともいえるものです。

日本でもその流れを受けて隣保事業が起こりましたが、現在の隣保館につながる活動は、同和問題が社会的に認識されるようになった全国水平社結社の年（１９２２年）に始まりました。この年、京都に最初の隣保館ができ、その後、徐々に日本中に広がっていきました。とくに昭和40年（１９６５年）の同和対策審議会答申以降は国をあげて隣保館の整備充実が図られてきました。

現在の隣保館は「福祉と人権のまちづくりの拠点施設」として、主に同和地区とその周辺でさまざまな地域活動を展開していますが、歴史を重ねても、創設当初の「住民の心を心として住民と共に活動していく」という精神は変わっていません。

●人が人に出会うとは

隣保館の仕事の中に人と人との出会いの場を積極的につくっていく「交流促進」があります。人と出会い、交わりを深めることこそ差別や偏見を除く第一歩だと考えるからです。館ではこの目的に沿って「夏まつり」「交流バス旅行」などの交流事業を行っていますし、カラオケ教室など成人学級も地区内外の交流の場となっています。

そこで働く私もまた、沢山の人たちと出会うことができました。そしてその出会いを通じて得難い発見をすることもできました。

●心通い合う交流

同和地区を一言で言えば、「歴史的、社会的理由により生活環境等の安定向上が阻害されてきた地域」ということになるでしょう。現在でも、住環境の整備はほぼ達成されましたが、まだ就労や教育の面での課題が残されています。では、地区にあるのはそういった課題ばかりなのでしょうか。そうではありません。私はここで、地区に学びたい点をお話しせずにはいられません。

館に着任して間もないころ、地区の方がふかしたてのお芋を届けてくれたことがありました。私はその時、忘れかけていた少女時代の近隣関係を思い出したのです。高度経済成長期以前の、隣近所同士が助け合って暮らしていたあの頃。いまは物が豊富になって、そんな暮らしは昔語りになってしまいましたが、ここではいまも、そのような昔ながらの心を通わせ合った近所付き合いが生きていたのです。

痛みを知る人は他人の痛みにも敏感です。差別をくぐってきた地区の人たちは、不幸せだったり、独りぼっちだったりする隣人がいると、ほっておけないのでしょう。

「お遍路さんに一番やさしかったのは地区の人たちだった」という話も、ここに勤務してみて実感できます。

●「人と人」の想いは次代を開く鍵

人と人がますます隔たり、遠ざかる現代社会。そんな中で、この「人と人」の想いがしっかり生きている暮らしは光を放ちます。もしかしたら、私たちが見失っている大切なものがその中にくるまれているのではないでしょうか。
ほかほかのお芋を手にしたときの、人とつながっている喜びが私にそのことを気付かせてくれました。次の時代を開く鍵があるとしたらそのあたりに隠れているのでは、とも思いました。

海老川市民会館では昨年、高齢者からの聞き取りを行って「次世代に伝える海老川の暮らし」という冊子にまとめました。この冊子全体から「どんな過酷な暮らしの中でも、人は明るく賢く支え合って暮らしていく」という人間讃歌が聞こえてきます。私にとって宝の冊子です。

地域との出会いが学ばせてくれたもの——それは「人が人と在る」喜びです。この先、人権を考えるときに、私はそのことを忘れずにいたいと思っています。

海老川市民会館　館長　西山壽万子（高知市広報『あかるいまち』「解放の灯」欄より　1998年6月号）

市政論文

地域の高齢者からの「聞き取り」のすすめ─海老川市民会館編「次世代に伝える海老川の暮らし」作成の事例を通して─

●はじめに

高知市海老川市民会館は平成８（１９９６）年度の事業として地域の高齢者からの聞き取りを集めた記念誌「次世代に伝える海老川の暮らし」（Ａ４版　１１６頁　５００部）を刊行した。これは高知市にある海老川市民会館での初めての試みであった。他地域でも是非同様の取り組みをしてもらいたいという願いのもとに、当館での聞き取り集作成の事例をここに記すものである。

本稿は論文というより、事例発表もしくは活動記録であり、その分、記述が主観的なものになっていることを予めお断りしておく。活動記録を市政論文として出す意義はどこにあるのか。それは、この活動記録が聞き取り集作成のマニュアル的な役割を担えたらと思ってのことである。

のちに述べるように、海老川市民会館でも、初めから一冊にまとまった聞き取り集を出す予定ではなかった。本稿中に示すような「成り行き」で一冊になったふしがある。従って、編集するといってもきちんとした方針があるわけではなかった。もちろん参考にする手引書などもあるわけがない。それでも手探りでどうにか一冊を作ってしまったのだから、素人はおそろしい。

そして、苦労はあったが作って良かったと心から思っている。だからこそ、ほかの地域でもこれに続いてほしいと思う。そのとき、私たちのやり方の中で参考になることも多少はあるに違いない。作成の過程を論文としてまとめ、公にしておこうと思ったのはそんな動機からである。

「偶然出来た一冊」の生まれる過程を最初の者がまず記す。その誤りを次の実行者が書き直し、新たなノウハウを書き加えていけばいつか「聞き取り集マニュアル」ができるにちがいない。本稿はその「最初の一歩」である。

なお、当事例では同和地区がモデルとなっているが、必ずしもこれにとらわれることはないと思う。たとえば「まちづくりグループ」が当該地域の高齢者から、まちについての昔語りを聞き取ることは意義のあることである。そのまちに暮らした人々の生活史を通してまちの歴史や個性を知ることができる。それはまちづくりを考える上で見落とせないことではないだろうか。

なによりも、私たちがそうであったように、聞き取りを通してそのまちがもっと好きになるにちがいない。

目次

I　なぜ、いま「聞き取り」が必要なのか

①共同体の変化と行政

戦後の50年だけをとっても、日本人の生活様式は伝統的な農村型から近代的な都市型へと、おそろしいスピードで変貌をとげていった。それに伴って、私たちの住むまちの姿も大きく変化していった。

一般地区の発展に取り残されがちな同和地区の変化は、昭和の20年代から30年代にかけてこそ一般地区に比べてゆるやかに進行したが、40年に同和対策審議会の答申が出され、国をあげて同和地区の環境を改善する同和対策事業が行われ始めると、地区の姿はいっぺんに変わっていった。道路が広くなり、家が立派になるのは長い間待ち兼ねたことだったが、気がつけば、祖先が築いてきた古くからの共同体は古い町並みと一緒に壊れかけていた。

新しいまちになって生まれた子どもたちは昔の暮らしを知らない。ずっと以前からこんなまち、こんな暮らしだったと子どもたちが思いこんでも不思議はない。このような子どもたちに、おじいさんおばあさんがしていた暮らしを伝えていくのは、家庭や地域の仕事であると同時に、もしかしたらまちの姿を変えた者の仕事であるかもしれない。

②読み書きと地区の高齢者

同和地区では差別によって読み書きから遠ざけられた人々が少なくない。とくにいま、高齢者となっている人々にはその比率が高い。学童の不就学や長期欠席に対して何の手立てもされなかった時代に学齢期をおくった人達が現在高齢者と呼ばれる年齢に達しているからである。そんな不利な条件を背負っているので、高齢者が自発的に子や孫のために過去の暮らしを綴るなど、望めないことである。

高齢者がひとり亡くなると、その頭と身体に畳み刻んだ経験の情報量において、図書館が一つこの世から消滅することと同じだといわれる。この論に従うと、読み書きを得意としない高齢者が亡くなった場合、文字で書かれたどのような情報もこの世に残さないから、その人が存在したという痕跡はきれいさっぱりなくなってしまう。暮らしの情景も、労働の

ありようも、子ども時代のまちの記憶も。

そのことを看過せず、せめて話を聞かせてもらったものを第三者が記録することで、この地球上にその人たちが生きていたという証しを残したい。「ここに、こんな人が、かく在った」という痕跡を残したい。そんなことを思って聞き取りを開始したのだった。

Ⅱ聞き取り作業

①いつ聞き取るか

市民会館に着任した職員が館で勤務する期間については、最近の高知市での異動のサイクルを見るに、3〜4年が平均値である。じっくりと地域で住民との人間関係をつくってから聞き取ろう、などと思っていると、仕事にかかる前に次の異動にかかってしまう。かといって、知り合った高齢者に片っぱしから声をかけて聞き取っていくという、行きあたりばったりな方法では、系統立った聞き取りができない。重複を避け、広く地域の情報を集めるためにはどんな方法があるだろうか。

高齢者が一同に会する機会があれば、それを活用させてもらうのが、まず考えられる手近な方法である。老人クラブの集まりとか、地域の祭りなどが考えられよう。地域の祭りはこの点申し分ない。なぜなら、老人クラブなどの比較的新しい組織よりも、祭りという伝統的な行事には地域の古老が関わっていることが多いものである。そこでは当該地域のかなり古い話が期待できる。

②集団からの聞き取り

海老川市民会館では、若宮八幡宮という地元の神祭を活用した。テープと録音機と洒一升を持参して祭りに参加する。祭りの儀式が一段落して宴席になったとき、事業の趣旨を説明、「内容はどういうものでもいいから昔の話を聞かせてほしい」と頼んだ。

手初めに、「昔のお祭りは今日のそれとどう違っていただろう」と水を向けると、みな口々に昔日の祭りの賑わいを語ってくれた。というと祭りの参加者が多かったように聞こえるが、男五人・女七人の計十二人がすべてである。そのうちの一人は祭りの当屋（寄付を集めたり、祭りの運営に伴う雑事をとりしきる家。当番制になっている。）、一人は祝詞を上げる神官を兼ねた住民であった。残りの参加者は、のちに地域への馴染みができてから分かったことであるが、先にたって地元の世話がよくできる、ボランティア的な人々であった。全員が60歳を過ぎている。地域の連帯感の薄れていく中で祭りの風化を憂え、なんとか細々とでも祭りを営んでいこうという心意気のある人々だった。結果的に、話を聞かせてもらうのに適任の人々であったといえる。酒も入って話はあちこち飛んだが、テープは回り続けた。こうして初めての集団聞き取りは成功した。

後日、テープを聞いてみたが、座のあちらこちらでのいくつもの話が重なって入っていて、なかなか聞き取りにくい。自分が聞き役で、それにだれかが答えてくれているという会話は聞きやすいが、それにかぶさって入っている第三者間の会話を聞き取るというのは実に難しい。しかし、このような何げない会話にこそ宝が隠れているのだ。冊子中の「愉快な先人たち—海老川とっておきのエピソード—」はすべてこの神祭で聞いたものから採った。かなり酔っ払ったYさんが独り言のように「○○おんちゃんばあ面白い男はおらざった」と話しているのをテープが聞き取っていて、改めて素面のYさんから取材して出来上がったものである。その他にも、いろんな人が話したいいくつもの情報をこのテープで得ることができた。

集団から聞き取ることのメリットは、このように一カ所でいくつもの話が聞けるということであるが、この他に、お互いの話が話を引き出していく、集団ならではのダイナミズムが挙げられる。Aさんが話すのを聞くうち、Bさんが「そういえば」とAさんの話に関連した別の話を話しだす。Cさんが「その続きはこう」とその話の先を語り出すから面白い。

このようにして、神祭が聞き取りの水先案内をしてくれたし、内容的にもそこで聞いたことが全体の重要な部分を占めたのだった。

③個人からの聞き取り

個人からの聞き取りはこんなふうに進めて行った。

聞き取り事業を考えついてからというもの、高齢者が集まる機会をとらえては事業の宣伝と聞き取りのお願いをして回っていた。老人クラブの総会や敬老会、高齢者のバス旅行など、チャンスをとらえては「お話を聞かせてくださる方はお申し出ください」とふれて回った。もちろん館の発行する「館だより」を通じても呼びかけた。けれども、「それなら聞かせてやろうではないか」と申し出る高齢者は一人も現れなかった。これは高齢者の奥ゆかしさから来ているものだろうと思われる。実に遠慮深い。これはずっと後のことになるが、「お話を聞かせてください」と訪問しても、必ず言われるのが「自分じゃなくても、他にも適当な人がおるろうに」という言葉だった。待っていても誰も申し出てくれないなら、こちらから訪ねていくしかない。では、こちらから聞き取りに出向くとして、果たしてどこに行けばいいのだろう。

この前年、高知市の市民会館では11館全館を通じて高齢者の生活実態調査を行った。館長として着任したばかりの自分は、その調査に着任の挨拶も兼ねてほとんど自分で回ったのだが、その時からすでに聞き取りをしたいという気持ちを胸中に持っていたので、その予備調査として生活歴も聞いて歩いた。福祉課で生活保護のケースワーカーをしていた時代から、高齢者を訪問して話を聞くのが楽しみだったから生活歴を聞かせてもらうのは苦にならなかった。その中から海老川で生まれ育った人を選べばいいのだ。それもできるだけ高齢の人を。その基準で80歳を越える、海老川生まれの人を訪れることにし、生まれてから戦争を中にはさんだこれまでの経験を聞かせてもらった。

④運営審議会の協力

各市民会館にはその運営を協議する運営審議会というものがある。

年度当初の運営審議会にこの事業の計画を諮ったところ、「それは面白い、是非やってみたらいい。協力も惜しまない」という願ってもない返事がもらえた。どんな人から聞きとればいいかというヒントも与えてもらえた。軍隊で軍曹までいったNさん、現代の名工に選ばれたTさんなどがそれだった。また、必要に応じて委員自身からも聞き取らせてもらえるということになった。

この年の人事異動で来たばかりの職員二人にとって、全く面識のない高齢者から話を聞くというのは酷だと思われたので、この二人は館事業に理解のある運営審議会の委員と、ある程度顔見知りの高齢者を選んで聞き取ることにした。それ以外は館長である自分が回る。三人の中で業務の分担がこうして決まった。

⑤時間との競争

そんなふうに分担してめいめい聞き取り作業を進めた。まず、テープに聞き取りを収めるだけで編集はあとに回した。というのは、この時期、聞き取りを予定していた高齢者がケガをして入院したり、それまで単身で暮らしていた高齢者が、一人暮らしが危うくなって県外の親戚に引き取られていったり、などが重なって、予定していた収録ができなくなることが続いた。高齢者相手の仕事は時間との競争だということをこのとき思い知らされた。とはいっても日常の館業務の合間を縫っての仕事だから、いくら急いでもできることは限られている。とにかく収録だけでも大急ぎで行っておきたい。以前よりスピードアップして、テープの数はだんだんと増えて来た。

⑥断片的な聞き取りから総合的な聞き取りへ

聞き取ったテープが増えるに従い、だんだんと編集方針とでもいうものが形をなして来た。

一人ひとりの話を聞き継いでいるうちに、聞き手の「海老川」という地域への理解は、当然進んでいくわけだが、その過程はジグソーパズルをするのに似ているかもしれない。断片に過ぎなかった「部分」が、前後左右くっつきあって「海老川」という一つの面をつくっていく。「部分」がかなり集まってみて初めて「欠けている」部分に気がつく。欠けた部分をそのままにしていては「海老川」になりにくい。欠けた「部分」を見つけてきてその場にはめこみ、全体をこしらえたくなる。それはどんなことか例をあげると、たとえば、こんなことである。

どの人の話を聞いても必ず出てくるのが治国谷の石灰の採掘場のことであった。海老川のほとんどの男性が一度はそこでの労働に従事していた。元手はいらず、体ひとつで賃金が得られる。ちょうど九州の炭鉱に被差別の民が吸い寄せられたように、海老川の住民は治国谷の採掘場で一度は働くのである。となると、採掘場の歴史を知りたくなる。そこがいつ、どんなふうに出来て、どうなったのか、住民との関わりを含めてその全貌が知りたい。

ほかにこんな例も気になった。信仰心のあつい海老川の人達はみんなの力でお寺を建てるのだが、それ以前のお祭りはどうしていたのか。大昔のことを知りたい。それらの部分の聞き取りは誰にすればいいのだろう。そのことを地元の古老や、前館長で海老川の住民でもあるMさんに聞くと、「それについては○○さんが知っている」と、もうここには住んでいない人を教えてくれた。

そのようにして、聞き取りは地区外にまで広がっていった。地区外に住む一面識もない人に会いに行くのはちょっと勇気が要る。しかし、パズルのその「一片」がないと面が完成しないのである。完成したものを見たいという欲求が見ず知らずの人を地区外に訪ねさせた。その時危惧したのは、もはや自分にとって過去となっている地域から隣保館の職員がやって来てあれこれ聞かれることが相手を不快にさせはしまいかということだった。ふるさとが同和地区だと認めたくない人にとって、そうされることはやりきれないことだろう。この点において気を兼ねてのおそるおそるの訪問だったが、幸いなことに、私がお願いした人達は気持ちよく聞き取りをさせてくれた。だからこそ、聞き取り集にあれもこれも盛り込めたと感謝するのだ。

治国谷については、そこで12歳のときから働いていた人から「山男の歩んだ道」という稿を寄せてもらい、そこでの労働の過程を絵でも描いてもらった。

お寺のできる前のお祭りについては、大きい家を選んで、縁に「つけ座敷」という簡便な座敷を設置して地区のみなが入れるほどに床を広げ、そこに坊さんを呼んでお祭りをしたのだという。

⑦雨の日のエピソード

こんなふうに順調に運んだことばかりではなかった。こんなエピソードもある。

どしゃ降りの雨の日だった。こんな天気に来館者はあるまい、と思っていたところへ、女性のお年寄りが三人、傘をさし、ぬれる足元を気にしながら市民会館にやって来た。こんな日にわざわざやってくるというのには、それなりの理由があるに違いない。三人のうち二人は地元の人で顔見知りだが、もう一人とは初対面である。

初対面の挨拶もそこそこに、新顔のお年寄りは言った。「市民会館が昔話の聞き取りをして発表するそうですね。私の従姉妹が先日館長さんに昔の話をしたそうですが、それを見せてもらえませんか」と口を切った。従姉妹というのは一緒に来た三人のうちの一人である。確かに先日お寺を建てるまでのことを聞かせてもらったが、その中の何に差し触りがあるのだろう。

尋ねると、「従姉妹は大分ボケがきていますから、確かな話はできません。おおかた間違いだらけを話していることでしょう。それと、従姉妹は名前を出していいと言ったと言いますが、それを出されると親戚一同が困るんです。名前は出さないでください」。

そこまで聞いてやっと、ああ、このことが言いたくて雨の中をわざわざ地区外から来たのか、と疑問が解けた。「名前については、出したくない人の分まで無理に出すことは決してありません。」と答えるとやっと安心したようだった。

せっかくお揃いで来てくれたのだから、なにか海老川の暮らしで思い出すことがあったら話していってくださいと話を変えると、「狸の提灯」とか「野火」など、子ども時代の野趣にあふれた幻想的な話をしてくれた。火の王や、不思議な野火の話である。名前さえ出さなければ話を発表してもいいという。

この時の話は冊子中に「海老川の不思議」としてまとめさせてもらった。私の気にいっている一章である。三人の、80歳に手が届く老女はいっとき幼女にかえったかのようなはしゃぎようで小学校時代のおてんば話に花を咲かせてから雨の中を帰っていった。

その後ろ姿を見送りながら、改めて差別という、ふだんは見えない生き物の姿を見たと思った。雨の中、老女たちをして必死にやって来させたものがそれだったのだ。なんともいえぬ思いだった。

Ⅲ編集作業

①予定の変更

実をいうと、この冊子は、初めから一冊まるごと聞き取り集にするはずではなかった。もともとは館だよりが百号に達したのを記念して館だよりの縮刷版を出したいと考え、その付録に聞き取りをつけようというのが「聞き取り集」の最初の構想だった。それが、Ⅱ章⑤にある、時間との競争にあおられてどんどん聞き取りをふやしていったのだが、ある時から館だよりの縮刷版は来年に見送って、今回は全部聞き取り集にしたいと考えるようになった。櫛の歯が欠けるように一人減り、二人減りしていく高齢者の状況が私にそうすることを迫った。幸い、課の了解も得られ、これで行こうということになった。

②テープ起こし

気がついたら二十人を越える高齢者からの聞き取りテープがたまっていた。まだまだ聞き取りは十分でないが、持ち時間には限りがある。どこかで区切りをつけなければならない。或る日をもって聞き取りの作業をテープ起こしのそれに切り替えた。

これがまた厄介な作業だった。講師の話したままを書く講演会のテープ起こしと違って、質問者であるこちらとの対語を要約して一人称に書き直すのがここでの主な仕事である。もっとも、これが難しいといってしまえば誰もやりたがらなくなり、それは本稿の本意ではない。仮に要約が面倒であれば相手の話したままを書けばいいと思う。現に当冊子の中で若い職員が聞き取った分のまとめはそういったものである。聞き取ったままだから全体に文が長すぎ、やや冗漫な印象はあるが、聞き取りの味をそこなうほどの疵ではない。

要は、話し手の話を尊重する姿勢である。それさえあれば、誰にでもできると思うのだ。

こうやって出来上がったテープ起こし原稿は必ず聞き取らせてくれた本人に見てもらった。読めない人には読み聞かせて承諾をもらっておく。このことは、いかにささやかであっても、かりそめにも出版物を出す者の心得である。この時点で聞き違いや思い違いが必ず発見されるものである。また、話し手がこの段階で「忘れていたが、この部分についてこんなこともあった。付け加えたい。」ということも何度もあった。その時は面倒がらずに再び聞き取りをし、再構成した後、原稿を見てもらうという過程を何回でも繰り返した。

③文のタイトルと小見出し

文章にはそれにふさわしい題をつけ、さらに短く区切って小見出しをつけた。なるべく多くの人に読んでもらう工夫である。いくら記録そのものに価値があるといっても、読んでもらえなかったら何もない。読んでもらってこそ記録は生きるのだ。そのための一工夫である。

小見出しをつけると小文の内容が一目で分かる。また、字引のように、開いたどのページからでも入っていけるので読んで見ようという食指が動くに違いない。

④章に分ける

聞き取った分がそうやって集まると、似た内容の文を集めてひとくくりにし、一つの章とする。

Ⅰ章《フィールドワーク海老川》は、海老川地域の主だった建物（お宮、お寺、保育園など）から海老川の歴史を探る章。子ども会活動などでフィールドワークするとき、この章をつくっておけば活用の便に供すると思ったのだ。

Ⅱ章《海老川の暮らし》は文字どおり、男や女、子どもたちの暮らしのありようを伝える。地区外から最初に嫁いできたMさんが経て来た暮らしもここに入れた。

Ⅲ章《暮らしの折々》には「戦争と海老川」や、伝承に近いものを入れた。

Ⅳ章《私の生きてきた道》には八〇歳を越える高齢者に生きてきた道すじをありのままに語ってもらった。

Ⅴ章《父を語る》のタイトルは苦肉の策である。

当初、ここは「海老川地域の発展に貢献した先人」といった内容で話を集めていた。現在の高齢者の親世代には地域にとって欠かせない、目覚ましい働きをしたリーダー達がいたのだ。しかし、そういった、ある基準で選んだ人々を網羅するような表現にすると、一人でもそれから漏れていたら失礼なことになる。ここはタイトルに一工夫することで無難に逃げた形になった。

Ⅵ章《愉快な先人たち》については先に述べたとおり、神祭で収録したものである。同和地区というと、どうしても被差別の暗い面を想像してしまいがちだが、同和地区には明るいキャラクターがごろごろしている。

ひとつには、せめて明るく笑いとばしてでもいなかったらやり過ごせない苛酷な状況があったからだとある人は語ってくれたが、「明るさ」は私が海老川に来て最初に知った海老川の住民の特性であった。それを象徴するような先人をここに集めてみた。〈海老川とっておきのエピソード〉と自信をもって副題をつけた所以である。

最終章の、《運営審議会委員による座談会》は館の運営審議会委員たちに一夕この冊子のために集まって座談をしてもらった時の記録である。結果として、差別についての、実際にあった話を多く収録することが出来た。

⑤寄稿について

聞き取りが主になっている当冊子だが、文を寄せてくれた人も何人かいる。文を寄せてもらう方が聞き取る手間が省けてこちらは楽なのだが、Ⅰ章でも書いた事情によって読み書きが苦手な人の方が多いので寄稿は少なく、冊子中五人しかいない。五人とも、お願いして書いてもらったものである。

その一人、Mさんは先の章でも登場したが、前館長でもあり、21年間の長きにわたって海老川市民会館に勤務した人でもあった。この聞き取りの事業にも協力を惜しまなかったし、励ましてもくれた。

運営審議会委員のAさんは忙しい中からかなりの時間をさいて海老川の歴史を調べ、「ふるさとの昔」という一文にまとめてくれた。この巻頭文で冊子がぐっと引き締まった。

「子どもの頃の遊び」を寄せてくれたNさんとの出会いにも不思議を感じる。

着任の年、西山識字学級の西尾美恵子さんに呼ばれて短歌の勉強に参加させてもらうことがあった。そのとき大阪から来ていたのが海老川出身のNさんだったのだ。Nさんは中学を出ると集団就職で大阪に行ってしまった人だが、現在「解放新聞」の短歌の選者をしている縁で、たまたま帰省したその時、西山識字学級に請われて短歌指導をしに来ていたのだった。のちに当冊子を編むとき、ひょっこりこのことを思いだし、高齢者ではないが、海老川にとってかけがえのないNさんに登場してもらいたいと思った。送られてきた原稿は私の求めたものとぴったり一致し、小躍りした。

Nさんの子ども時代、子どもたちも貴重な労働力として子守りや家事を担わされていたが、そんな中でも、チャンバラをしたり、小鳥をとったり、木馬（きんま—木で作ったそりをいう）をつくって山をすべりおりたり、野を駆け回る、生き生きした子どもたちの姿が描かれている。

画家の田島征三さんの作品「絵の中のぼくの村」は戦後の春野村の豊かな自然の中で成長する双子の兄弟の四季を描いて映画にもなった秀作だが、Nさんの文章はちょうどそれの海老川版であり、それに勝るとも劣らない作であると思った。ここには永遠に色あせることのない子どもの世界の輝きがとどめられている。この一作を現在と未来の子どもたちに届け得ただけでも記念誌を出した甲斐があったというものである。

⑥承諾をもらう

狭い地域の記録だから、期せずしていろんなところに思いがけぬ人名が登場することがある。「○○さんところの坂を上がったところに」などという記述がそれである。また、たとえばお寺を建てるのに尽力した人として何人かの先人の名前が出てきたりする。雨の日の三人の訪問者のこともあり、人名には神経を使った。本人に出していいか意向を聞くのがいちばんだが、すでに亡くなっている人で、上記のような場面で名前が挙がった人については、子孫にあたる人に原稿を読んでもらい、了承をもらった。子孫が何人もいる人については、複数の子孫に読んでもらって承諾を取りつけた。

⑦ページの割り付けとカット入れ

予算の制約があって、この記念誌作成については市民会館ですべての編集作業を終えていなければならなかった。印刷屋には文字どおり印刷と製本だけを頼むことになる。幸い、職員のひとりが専門学校でワープロをマスターしていて、速いスピードでワープロ打ちができたし、三人ともそれぞれのワープロを持ちこんで作業を進めた。読みやすい文字間隔を検討し、字体も単調にならぬよう工夫をこらした。

原稿が整うと今度は文の割り付けとカットの番である。カットはページが文字ばかりで読みにくくならないよう、文の内容に沿ったものを何冊かのカット集から選んだ。中に、内容に合わせて特注したものもある。絵心のある寄稿者に、昔を思い出して描いてもらったものもあれば、ただで頼める貴重な人材、マンガ家志望の我が次女と、友人で高知県が誇る絵本作家の織田信生さんに押し付けた。中でも、織田さんにお願いした「愉快な先人たち」の山北の与太じいさんが煙草を吸い吸い馬を引いているカットは冊子中の白眉である。

写真も自分たちで撮った。表紙や目次ももちろん自分たちの手作りである。これらの仕事は完成を目前にして苦にならず、楽しんでできた。

Ⅳ発刊と冊子の活用

①発刊と反響

編集の作業がそんなわけで長引いたし、居残りや休日出勤が多くなって課にも迷惑をかけたが、ようやっと発刊の運びになった。

刷り上がった冊子を運営審議会委員と聞き取りをさせてくれた人たちに一番に届けた。作成者の予想を越える喜びでみなが受け取ってくれたのは大層うれしかった。

「海老川のベストセラーです」といって肩を叩いてくれる人もいれば県外の親戚に読ませるといって余分に持っていく人もいた。高齢者同士がこの冊子を話題にして話が弾むというのも思わぬ効用だった。かなりの高齢者でも、「こんなことは知らざったよ」ということが多いのにはこちらが驚かされた。また、いまはもう亡い、なつかしい人が登場するので昔を思いだし、泣きながら一晩で読み切ったという人もいて感激させられた。

運営審議会委員が中心となって「出版を祝う会」を設けてくれたのもありがたく、過分なことだった。

②クレーム

こんな中でクレームもないわけではなかった。その一人は、「貧しい暮らしを書いて未来へ残すなど、恥だ」というものだった。これは「部落は貧しい」と思われたくないところから来ている。部落が貧しいのは社会のせいであっても部落の人のせいではないのだから貧しさは恥ではない。また、その貧しさをはねのける強さと明るさと、助けあいがあったことは冊子を通読してくれれば分かるはずだ。たまたまこの発言を聞いたのは前館長だった。前館長は編集に協力してくれただけでなく、発刊のアフターケアにも力を貸してくれた。発言者に発刊の意義を時間をかけて説明してくれたという。

また、もう一つのクレームは運営審議会座談会でふれていた、軍隊に入って「入浴」という言葉が分からないため上官から暴行を受けた人のことについてだった。

「その人はまだ生きている。これを読んだらいやな気がするのではないか」というものだった。その電話がかかった時に私は不在だったが、電話を取った職員は「自分がそんなことで差別されたことが人に分かってもらって、逆になぐさめを感じるのではないでしょうか」というと、「そうだろうか」と特にそれ以上の反論もせず電話を切ったそうである。この話のモデルとなった本人からの抗議はなかった。これまでのところ上の二つ以外の苦情は聞いていない。

③教育現場・家庭での活用

同和教育の資料として、当冊子は活用されるのを待っている。

どんな風に活用されてもいいが、作成した者としては、こんなところを読み取ってほしい。

海老川地区の

○明るい、前向きな気風
○助け合いのある暮らし
○苦しい状況にありながらも、暮らしをエンジョイする心意気
○保育所、お寺などを自分たちの手で作って運営した自助の精神
○子どもたちは家の手伝いで忙しかったが、友達と夢中で遊ぶ黄金の時間も持った。
○男たちは肉体労働が主で、不安定な就労をかこった。女たちが男を支え、たくましく働いた。
○厳しい差別もあったが、後ろ向きにならず、負けじ魂ではねかえした。
○四季折々の自然環境に恵まれている。

地元の学校では早速活用されている。

朝倉中学校からは職員研修に適当な教材であるとして15冊の貸し出しを要請された。各学年で職員の研修に用いるそうである。

高知市同和教育研究協議会会長でもある朝倉第二小学校の本田実校長によると「これまで地区の聞き取りをいくつも読んで来たが、今回の海老川のほど総合的なものは見たことがない。教材に、研修にと活用したい。県同和教育研究協議会にも寄贈を望めないだろうか。広く県下に読ませたい。」ということで、望まれるまま部数を贈った。県教育センターの

同和教育部にも請われて送付した。

識字学級の岩見富子講師からは感想文をもらった。「(前略) 本当にご立派な資料を残して下さいました。《次世代に伝える海老川の暮らし》は海老川だけの宝物ではなく、私ども部落全体に共通するものです。読み進めるうちに大きな感動を覚えました。たくさんの時間をかけ、よくここまでに仕上げて下さいましたことに頭の下がる思いです。(後略)」

もと朝倉第二小学校教員で現在成人学級講師の矢野道子さんはこういって発刊を喜んでくれた一人だ。「私たちは、何年も地区に関わって来たのに、考えてみれば、地区の暗い面しか知らずにいた。海老川の人たちが厳しい条件の中でそれをはねのけるように暮らしを楽しみ、支え合って生き生き暮らしていたということを、いま初めて知った。もしこれを読まずにいたら、地区を一面的にしか理解できずにいたろう。」と。

地元の三町解放子ども会の解放学習で冊子について話をしてほしいと要請され、子どもたちにわかるような言葉で話した。子どもの一人は家に帰ってこのことを保護者に話したらしく、次に会ったとき、冊子の中の写真を示して、「ここに前おじいちゃんの家があったと」と教えてくれた。家庭の中でこのことがきっかけで対話がはじまるとうれしい。世代の断絶を埋めることも、記念誌のささやかな望みだったから。力強く生きた祖先がいたことを知って子どもたちは励まされると信じる。

●おわりに

記念誌刊行後、「うちの地域でも同じようなものを作れないか」という声がいくつか寄せられた。声の主は当記念誌を読んだ他地域に住む高齢者であった。中には自身の住んでいる地域の隣保館にそう訴えた高齢者もいて、そこの職員から「海老川がいいものをつくったおかげで住民から責められる」と、冗談まじりの苦情を言われることもあった。作ることを勧めると、「文才がないからできない」という。記録集を作るのに必要な条件の中で、いうところの文才の占める部分はほとんどない。その証拠に、作成に関わった、自分を含めた三人の職員のうち二人は日ごろ文章を書き慣れているわけではなかった。それでも、共同作業の中で、立派に役割を果たしたのである。

聞き取り集作成に必要なものとは何であろう。当たり前のようだが、「作成の意欲」、それである。意欲を分解してみると、仕事の必要性を認識することが一つ。次には地区の人への関心、地域への興味。それが育つと地域と人への愛着となるが、最初からそれのある人はいない。いい意味の好奇心だけでいいと思う。せっかく縁のできた地域に関心を持つこと。その二つがそろえば作成の意欲ができたといえる。それさえあれば後のことは自然と整う。もちろん、住民の協力や課の支援なども必要であるが、館が主体的に仕事をする意欲を持てばひとりでに道は開けてくる。熱意は周りを動かすからである。

人権文化の一翼を担う仕事をする者にとって「聞き取り」はやりがいのある仕事ではないだろうか。また、やらなければならない仕事ではなかろうか。

先日、市内の全市民会館で住民を対象にアンケートをした。その中に市民会館に望むものとして「文化の少ない地区の中で、文化の発信地でもあってほしい」というものがあった。この聞き取り集も、もしかしたら地区の文化を掘り起こし発信したものといえるかもしれない。

子どもたちが「ふるさとは海老川」と胸張って言えるような暮らしと文化がここにあったことを、世界に向けて発信したい。

「海老川の暮らし」は一同和地区の暮らしであると同時に、人間の暮らしの原型、人が暮らすとはこういうことなのだという簡素にして普遍的な姿を私たちに伝えてくれる。

同和対策課　海老川市民会館　館長　西山　壽万子

◆添付資料　「次世代に伝える海老川の暮らし」一部◆

平成9（1997）年度　高知市市政論文　優良賞

地域の記憶の行方

今春まで6年間、高知市一宮市民会館に勤務していた。うち、最後の方で、一宮コミュニティ計画推進市民会議が「一宮の昔を語る会」という集まりを行っていた。何度か参加したが、なかなか興味深い集いだった。

一宮には16年前、高速道路ができ、大きく地域の姿が変わった。しかし、一宮の〝村史〟のようなものは、これまでにまとめられていないという。かつての姿を知る高齢者が元気なうちに、地域の記憶を拾い上げておこうというのが、その会の趣旨であった。

専門家として、土佐山内家宝物資料館にも加わってもらい、数回の会を持つうち、旧家に残っていた思いがけない資料を発見したり、また、お互いの話のなかで記憶がよみがえったりして、それなりの成果を得つつあった。

最終的には紙による記録としてまとめるという計画であったが、事務局も多忙で実行に及んでいないと聞く。惜しいことである。

二十数年前、高知市海老川市民会館に勤務していた。家庭訪問するうち、高齢者の語りを聞きっぱなしにするのが惜しくて、語りを意識的に集めた。そして、その名も『次世代に伝える海老川の暮らし』という冊子にまとめた。海老川地区も国の地域改善事業が行われた結果、地域の変貌が著しかった。かつての姿を知る人が少なくない今ならまだ間に合う。聞き取るなら今とばかり、二十数人を超える高齢者から、テーマ別に聞き取りを行った。

浮かび上がったのは貧しさの中で、知恵を働かせ、仲間同士支えあって朗らかに暮らした先人のたくましさであった。その歴史は地域の子どもたちにとってかけがえのない財産である。幸いこの記録は冊子として形にすることができたので、図書館に行けば、未来の子どもたちも読むことができる。

しかるに「一宮の昔を語る会」が集めた歴史と暮らしはいまのところ、まだテープやメモとしては存在していても、誰もが見られる形になっていない。

事務局のこれまでのご苦労を思うにつけ、なんとか形になってほしいと願う。形は整わなくても、これまでの会議録を「地域資料館」のようなところに預けて、誰でもが見ることができるようになれば、後の人にきっと役立つと思うのだが。

なぜ、地域の暮らしの歴史が大事なのだろう。それは、それが自分たちがどのような過程を経て、いまここにいるのかを教えてくれる、小さくもかけがえのない資料であるからだ。そして、それを元に、未来を考えることもできる。

東日本の災害を受けた人々にとって切実なのは、命をつなぐ暮らしのすべを失ったことである。だが、それにもまして人々を打ちのめしたのは、かつてあったその土地固有の文化や記憶を共有するコミュニティと歴史の喪失であるといわれる。

災害でなくとも、身近な地域の記憶は失われやすい。気が付いた時は遅いのだ。

本県では53あった市町村が先の合併で34に減った。また、少子化と過疎化で学校の数も驚くほど減少している。地域の輪郭がこうして崩れ、そこで営々と営まれていた父祖からの暮らしの記憶が雲散霧消するのをなんとか防ぎたい。

地域の記憶の入れ物たる資料館の整備も求められるし、それを満たしていく一宮コミュニティ計画推進市民会議のような活動も大事だ。

何をもって豊かな暮らしというのか、それらを元に考えていきたい。（高知新聞「所感雑感」欄より　２０１４年9月22日）

第九章　同人誌『はまかぜ』

「はまかぜ三十周年」を聞いて

「はまかぜ」に出会ったのは、いまから15年ほど前のことになる。

その頃勤務していた市民会館で、つづり方教室のような講座を始めるに当たって、「はまかぜ」を長くやってきている「はぎ」さんに、長続きする秘訣を、これから講座を担当してもらう講師と共に聞かせてもらいに行ったのだ。(「はまかぜ」では、文の作り手は実名ではなく、花の名で名乗っていた。「はぎ」を名乗っていたのは、学級長格の松吉千津子さんだった)。

なぜ自分が「はまかぜ」をそのときまでに知っていたか、思い出してみるに、ほんの一時期通った高知文学学校での、渡邊進講師の開講式でのお話の中に紹介されたからだった。無名の一主婦が文をつづることを続けたことが一冊の本として結実したというひとこまが心に残っていたようだ。「継続すること」の大切さを伝えるために引かれたエピソードだったが、私の心の電線に凧のように引っかかっていたらしく、自分たちのつづり方教室を始めるとき、そのグループのお話を聞きたいと思ったのだった。

お会いした「はぎ」さんは、「秘訣なんか特にありません。一月ずつたゆまずやってきただけだし、これからも先もそうです」という淡々としたものだった。「大言壮語せず、ただ営々と営め」という風に聞こえたので、私たちのつづり方教室も大きな看板を掲げず、自然なかたちで継続していくことにした。

その後、つづり方教室そのものは、私自身の職場の人事異動もあり、「はまかぜ」のような長い命を得られなかった。そんな中で、戦争にまつわる文集を一冊出したことが、成果といえば成果だった。私にとって得がたいものを得たのは、このつづり方教室の仲間が、いまも「ほ〜い」と声をかければ「あいよ」と、何時なりと応じてくれるという無形の財産である。仲間の一人は去年亡くなったが、亡くなる寸前までこのグループとの絆を喜んでいたし、亡くなったのちも、グループの仲間で彼女を思い出す小さな一枚をまとめることもできた。これらすべて、思えば「はまかぜ」のおかげである。

もし私たちが「書く」という、もうひとつの世界を持つことでつながっていなかったら、これほどの深いつきあいはできなかったろう。

「はまかぜ三十年」とひとくちに言うが、すごいことである。事務局のはぎさんの並外れた情熱と行動力。それに動かされ共に歩み続けてくれた「のびる先生」（渡邊進講師）の、年齢をものともしない卓越した指導。さらにこの冊子に寄ることによって精進を続けてきた同人たち、ことにスタート当初からたゆまず歩んできた書き手たち。そのどれが欠けても今日はなかったのであった。

前に私が高知市役所の或る課に勤務していたときのこと。すぐ近くが市民図書館であった。はぎさんは、毎回そこでのびる先生と落ち合って同人が寄せた原稿への寸評をもらうことにしていた。（いまはファックスで行なっているらしいが）、その帰りに私の勤務先の事務所に寄ることが何度かあったが、或るときにこんなことを言った。「先生の到着が待ち合わせの時間よりちょっとでも遅いと、ひょっとして道々何かあったんじゃないかと胸騒ぎがして、こころが宙に浮く」「ああ、こないだお会いしたのが最後だったのか、という最悪のことまで考えが及び、ひとり汗にまみれる」。

確かに、私をおとなう彼女の様相は、「血相を変え」とは大仰に過ぎようが、いかにも非日常の趣があり、のんびりと訪れるほかの知人とは一線を画していた。わき目もふらずまっしぐらに私のところにやってくる、そんな感じだった。きっと、先生との緊張感あふれるやりとりの余韻がそうさせるのであろう。話題にのぼるのは、はぎさんのライフワークとなっている「震洋」のことが多かった。それについての新しい発見や、新しい情報に接するに至った不思議な出会いのこと、勉強が大事なことなど、熱っぽく話して帰るのであった。その間、集中の密度は決してゆるむことなく、そう、身体そのものが一個の発電機のようにエネルギーを発し続けるのである。傍らにいるだけで、あつくなる。そうして、このようにしゃべったり行動したりすることで、さらに発電・充電が進んでいく気配があった。

何が言いたいかと言えば、はぎさんのこの並外れた傾注がなければ、「はまかぜ」は、はるかにここまで来れなかったということなのだ。そうして、その傾注は、「いつお終いになるかもしれない」という無常の思いに支えられていたと言えば、うがちすぎだろうか。のびる先生の到着が遅くなったとき、胸騒ぎをさせながら、先生を待ったとの思いは、それに通じるといえよう。30年たって高齢になった先生と、こうして一号一号続けられることを僥倖とし、そのための骨身を惜しまぬ献身が、はぎさんにあった。しかし、最も大きな牽引力は、このようにしてグループで一号一号を出すことだったと、私は疑わない。

それにしても、同人として参加した人々の、人としての成長はいかばかりだったろう。私なぞ途中から、しかもほとんど読むばかりの参加であるし、個々の参加者の30年前と今を知るわけでもない。でも分かるのである。この書き手たちは、このグループへの参加でどれほど生きるための眼を養い、生活者としての足腰を鍛え、幸せを発見し、暮らしの力を得たか。

一ヵ月はあっという間に過ぎる。書き終わったと思った瞬間、次の号が待っている。そのような終わりのない道場を持ったとき、成長しない人はいない。ましてや、遠く北極星を見失わないリーダーが後に先に同道してくれるのである。恵まれた航海者たち、幸せな修道者たち、いや、最も近いのは「成長し続ける生活者たち」という表現かもしれない。人はただ食べるだけの生き物でないことを、彼女たちは書くことで知り、賢くなって、生き難いことにも耐えられたし、乗り越えられもした。これまでどれほどのドキュメントを私たちは「はまかぜ」に見たことだろう。

愛する者を失い、または障害のある家族と共に生きる、あるいは歳月が削り取ったり変形させたものを見つめる―それがしんどくないはずはない。しかし、「はまかぜ」に書くことで、それらを対象化し、おしまいにそれを楽しむことすらできる力を得たのだ。それは、読むだけの者をも励まさずにはいられない。（やまぶき）

（同人誌『はまかぜ』　2005年）

「はまかぜ読書会」はかく生まれた――土佐の海辺より出づ――

「自由は土佐の山間より出づ」は植木枝盛の言葉である。それにならって言えば昭和30年代に始まっていまに至る「はまかぜ読書会」という活動は、「土佐の海辺より出」た、細いが強くてしなやかな流れである。

「はまかぜ読書会」の活動は、後には文章を書くことに発展していくのだが、最初は文字どおり読書会から出発した。敗戦後4年して高知市民図書館ができ、新進25歳の若き渡邊進館長が、2代目館長として着任した。この館長は、図書をあまねく市民に届けるだけでなく、「図書を必要とし、それを活かす市民を作り出す」のが図書館の使命と考えた。市内の地域地域に読書会を作り、助言者として夜ごとどこかの読書会に通ったのはそのためである。

最盛期には二十いくつあったという読書会だが、長浜の浜辺に芽吹いた一つの種は浜風に吹かれて成長し、いくつもの大ぶりな実を結ぶに至った。欠かさず肥やしを施し水遣りをしてくれた渡邊氏の没後、省みればこの「はまかぜ読書会」初期からの同人のほとんどが加齢による病気、他界などで一人二人と「はまかぜ」誌上を去っていた。

90歳に近づく高齢ながら一人元気に残ったメンバーがこうして少誌を編む決意をしなければ「はまかぜ読書会」の活動の存在は時間の波に飲まれ、記憶からも記録からも沈没していくよりなかったであろう。

全国に先駆けて公共図書館の理想の姿を掲げて日々実践した渡邊氏のことは、いまもその世界では語り継がれているものの、館外の活動、しかも生涯という時間をかけて、考える市民、もの書く市民を育て見守った五十余年の活動は、グループに属する人以外にこれまで知られることはなかった。

幸いにも、この度、前述の生き残り同人一人の呼びかけに応えて、読書会開設時からメンバーを支え、活動をサポートした長浜小学校教員OB二人の協力を得ることもでき、小さくはあるが記録性のある姿にまとめることができた。渡邊進著『書くことは生きること』がそれである。

「自由は土佐の山間より出」たと言うが、書くことを生きることと見つけた女性たちと一人の助言者の輪は、こうして土佐の海辺から出たのであった。

●渡邊進　「はまかぜ」寄稿集『書くことは生きること　生きた証を刻むこと』に寄せて書くも、未掲載

渡邊進さんのこと

■文学学校での出会い

渡邊進さんと初めて出会ったのは、「高知文学学校」の開校式において、であった。

いま、暦を繰ってみると、平成5（1993）年のことではなかったかと思われる。20年以上前のこととなる。当時私は、文学学校に行き始めたものの、直後に発令された職場の異動でほどなく通えなくなっていた。そんな事情で開校式を含めてほんの数回しか通ってない文学学校なので、渡邊さんに会ったのは開校式ただ一回きりだった。

でも、たった一回の文学学校で、私は大きな収穫を得た。渡邊さんはじめ、いまは亡き郷土の良き文学的先輩方と、ほんの束の間とはいえ接することができたのだから。余談になるが、それらは、紫藤貞美氏や土佐文雄氏だった。紫藤氏はいかにも医者らしく、文学には、「人生の痛み止め」という効用があると語った。なるほどそうだったのかと合点したのを、いまでもしっかり憶えている。

■「書くこと」と私

ここで、「書くこと」に関心のあった私について短く見てみることとする。

文学学校に興味を持ったということは、私自身の内に読んだり書いたりすることに心を寄せる何かがそれ以前からあったのだろう。それがいかなるものか、しかとは分からなかったが、「人生の痛み止め」説には、なにかしらその答えのヒントがあるように思えた。思うに、自分はすでに、人生の常備薬として「読むこと・書くこと」を使用していたのではなかろうか。それをぴたりと言いあてられた表現だったからこそ、文学学校での紫藤氏の言葉を記憶しているのかもしれない。

さて、先を急ごう。前に述べた職場の異動で新しい仕事に移った自分だったが、ここで「書くこと」に隣りあった出会いがあった。その職場とは、歴史的に差別を受けてきた地域とその周辺住民の人権と福祉を守る市の出先機関である、「隣保館」というところだった。そこでの仕事の中で、いくつかの偶然が重なり、地域の高齢者から聞いた話を一冊の冊子にするという事業に携わった。

当時は、特別に措置された法律により、地域の住環境はかろうじて整い、差別が表面的には見えにくくなったと言われている時期だった。しかし、表面を覆っている皮を一枚めくれば、まだまだ差別はあったし、課題も残っていた。反面、私が見たのは、差別という、この上ない負の環境の中で、誇り高く生きてきた先輩世代の知恵や活力だった。人間ってすごい、と思わされた。この父祖の経験を埋もらせることなく、これからの子どもたちに伝えたいと切に思った。で、「次世代に伝える海老川の暮らし」という、主として地域住民からの聞き取りからなる小冊子を館事業として刊行したのだった。海老川とは、隣保館のある対象地域の名である。

刊行後、考えたのは、ここまで来たのなら、この先には、地域で書き手を発掘・養成して自らの言葉で書くように仕向けることができないだろうかということだった。漠然とした発想だったが、そのとき思い出したのが、数年前に文学学校開校式で聞いた渡邊さんの話だった。

■「はまかぜ読書会」について

ここで話は冒頭にもどり、文学学校開校式での話になる。

渡邊さんは、「はまかぜ読書会」というグループと、そこから誕生した一冊の本を紹介してくれた。『ひと夏の少年兵』

というのがそれである。なんの肩書きもない、一介の平凡な主婦が中央の出版社から求められて本を出すにまで至った経緯を紹介し、その秘訣が、ただ「こつこつ書き続ける」ことの中にあったことを誇らかに話した。書き続けることでめざましい力がつく。みなさんも倦まずたゆまず書き続けてさえいれば、きっと大きな成果につながります、という風な激励だった。このとき「はまかぜ読書会」と『ひと夏の少年兵』に出会ったのであった。

ここでまた、隣保館での自分史を書く教室の話にもどる。書ける人を発掘・養成し、自分史を書く教室をめざして着々と準備を重ね、講師もお願いした。そのときふっと思い出したのが、数年前に聞いた渡邊さんの話だった。最も耳に残っていたのが、「はまかぜ読書会」が何十年も続いているということだった。どうやったらそのような学級を運営できるのだろう。それは、学級運営にとって、最も大事なことではないか。成人学級に素人の私と講師は、「はまかぜ読書会」の運営について、このことを一番に聞いておきたかった。で、「はまかぜ読書会」同人であり『ひと夏の少年兵』の作者でもある松吉千津子さんに連絡をとって、お聞きする機会を一日持ってもらった。これが「はまかぜ読書会」との出会いであった。

■松吉千津子さんとの出会い

松吉さんは、「はまかぜ読書会」のお世話役だった。いや、この後お付き合いが深まるにつれて分かったのだが、お世話役を越えて、むしろ級長さんだった。渡邊さんとの連絡をはじめ、同人一人びとりとの連絡、そして毎月の「はまかぜ」発行、発送までの一切の事務を担っていた。そんな松吉さんに「教室が長く続く秘訣は」と問うと「そんなもん、ありますもんか。気がついたら今月まで続いていたというばあのもんです」と、いかほどのことでもないように語る。

よくよく聞けば、渡邊さんの根気ある指導と、それに応えるメンバーの呼吸がうまく噛みあって、一ヵ月一ヵ月と延長を重ねて来ただけのことだと言う。長続きに到る特効薬はない、こつこつ毎月やるだけである、という結論を得たのが収穫と言えば収穫だったろうか。

逆に、「一緒に書いてみませんか」という勧誘まで受け、当面「はまかぜ」を定期購読させていただくだけでも、とお答えして帰ってきた。爾来、「はまかぜ」の読者である。さらに、プロデューサーとしても辣腕の松吉さんの手にかかると逃れようもなく、「今月は病人が何人も出て原稿がさっぱり集まらん。どうぞ、短うてかまんき、なんぞ書いて」とか、あるときは、茶園を営む私の友人の作る新茶に添えた一文に目を止めた松吉さんに「こんな温かな添え書きは見たことない。はまかぜに載せて」とおだてられ、気がついたら、不定期ではあるが、年に何回か寄稿させてもらうようになっていた。勧誘を受けたのは私だけではない。「はまかぜ」を続けるなか、最初の同人は高齢になって亡くなったり病を得たりして抜けていく。その穴を埋め、文集を（というより、文集を作る活動をと言うべきか）存続させていくべく、松吉さんは書くことに関する小さな縁も見落とさず県内外を問わずに拾っては、ゆかりの人の輪をひろげていったのだ。いわば、「書くことで自己発見する人」をふやし続けていったのだ。その人にとって、「はまかぜ」への参加は、きっといいことであるという信念があればこそできたことであったろう。

■渡邊さんの指導

存続の理由のもう一つは、渡邊さんとの応答という様式だった。純然たる読書会から「書く」ことを中心にすえた会に進んだとき、最初はハードルを低くするため、渡邊さんに葉書で文を送ることから始めたという。すなわち、送り先がある活動だった。書きっぱなしではなく、読んでもらえる特定の人に当てたつづり方活動だったのだ。読み手の渡邊さんは寸評という形で感想を返した。「書いたら、それに対する応答がある」、これが「はまかぜ読書会」の特徴だった。

ここで、渡邊さんの側になって考えてみる。

二十代で高知市民図書館長になった彼は、図書館の使命の一つは、本を読む市民をつくることだと考えた。そして、各地域に読書会を興し、夜な夜なそれらに顔を出していたのだが、そのなかで唯一今日まで続いたのが「はまかぜ読書会」だった。その存続の理由は、渡邊さん側から見ても、「応答」にあったと思う。渡邊さんは決して与えっぱなしではなかった。十分に与え返しをもらっていたのだ。

卵が孵るとき、親鳥が外からコツコツ殻を叩くと、ひながまた内からコツコツと叩き返し、それを繰り返して殻が割れ、ひなが誕生するという。渡邊さんと「はまかぜ」の関係はこの幸せな一対だった。子も幸せだが、ひなを誕生させた親鳥たる渡邊さんもさらに幸せだった。寸評を読み継いでいくとそれが分かる。『ひと夏の少年兵』に続く数々の作品群を見るとき、渡邊さんは書き手たちへの賞賛の声を惜しまない。

「その行程は、全くといっていいほど弛緩を感じさせないものだった。歩むにしたがって視野が高まり、鳥瞰がひらけ、みんなの書きぶりはますます冴えて艶を帯びるものになった」(渡邊進著『書くことは生きること』)。

これほどの幸福な指導者がいただろうか。しかも対象は、市井に生きる無名の市民なのだから。渡邊さんとの縁がなければ一行も書くことなく生涯を終えたかもしれない人々なのだ。発見者、育成者としていかほど彼は嬉しく誇らしい思いをしたことだろう。

他のグループにはない、幸福な応答がここにはあった。それがこのグループの活動が、渡邊さんの他界の際に至るまで長く長く続いた理由だった。

■「はまかぜ読書会」と私

先に書いたような、ほんのちょっとした縁から「はまかぜ」の準会員のような立場になった自分であった。例会にもほとんど出ることなく、渡邊さんと会うこともほとんどなかった。では、渡邊さんとの縁が小さかったかと言えば、決してそうではない。拙文に対して、渡邊さんが書いてくれる寸評でつながっていた。この寸評は長いものではない。ときには渡邊さんの口述を松吉さんが聞き取って文に起こし、それを渡邊さんがチェックするという過程を経て、翌月の文集と共に送られてくるものである。その寸評にどれほど励まされることか。私は新聞等にたまに投稿するのであるが、それは、一方通行、書きっぱなしである。しかし、「はまかぜ」においてはもれなく丁寧な寸評をいただけるのだ。心をこめてわが文を読んでくれる人がこの世に一人いることの幸いを知るのだ。

「渡邊先生の本を作りたいから手伝って」と渡邊さんが故人となった後、松吉さんから声がかかり、これまでの寸評を読み返したとき、その思いを強くした。寸評は私たち書き手への渡邊さんからの定期便で届くラブレターのようなものだった。

■振り返って

もともと渡邊さんの本の出版は、「人さまの本のお世話をあれほどした先生に、自身の本がないのはむごい」という、松吉さんの渡邊さんとの同志的な動機から発したものであった。

もとはと言えば、松吉さんのロングセラー『ひと夏の少年兵』という本からして、渡邊さんがワープロを打ちコピーしたものを、渡邊さんが手づから製本したことから発する。手作りの数冊の本が読んだ人から人へと口コミで広がり、いまやそれは戦争を語るときに欠かせない作品として、全国に流布している。始まりは渡邊さんなのだ。恩返しの一つとして、松吉さんが渡邊さんの本を出版したく思ったのは自然なことだったろう。しかも、最初からの同人はほとんど故人となっているか、病臥しており、見回せば高齢になった自分しかいないという危機感が道行を急がせた。

松吉さんのイメージする渡邊さんの本の最初のモデルは、「はまかぜ」巻頭エッセイから幾編かを選んだだけのシンプルな一冊だった。あれだけのエッセイをこのまま捨て置くのはいかにも勿体無い。大きさは、掌にすっきり馴染む新書版にしよう、それは渡邊さんの美学にかなう、と思ったという。

しかし、松吉さんに呼ばれて編集の手伝いをしているうちに、渡邊さんの作品とは、毎月出される「はまかぜ」と、そこで育った同人そのものではなかったかと思われるようになった。それを抜きにしてエッセイ集を出しても、果たして渡邊さんは喜ぶだろうかと率直に思った。かと言って、それらをすべて網羅するわけにはいかない。

結局、渡邊さんの手になるエッセイと短文のほかに、月々の寸評を少々入れるといういまの形に落ち着いたのだが、中途半端は否めない。

読者には、渡邊さんが手塩にかけた「はまかぜ」の書き手たちの作品を別の機会に読んでもらうことで、小さくなかった渡邊さんの仕事の全貌を感じてほしい。

（未発表　２０１６年9月23日）

●「はまかぜ」２００８年春〜２０１０年夏の各号に所収したものを、親しい友人回覧用に「プチハピネス」としてまとめたもの。

人が鬱に陥らないためには、日日の暮らしからいくつ「プチハピネス」を数えられるかによる、ということを読んで思いついたタイトルである。

「はまかぜ」への寄稿は各同人が花の名で行なった。自分は「やまぶき」で行なった。

プチハピネス

還暦の星座

還暦の誕生日となるその日、予定外の会が入って、帰りは遅くなった。

この4月から職場がかわり、通勤が、それまでの旭から一宮になった。

旭のときは公共交通機関で通っていたが、一宮は郊外なので公共交通機関が限られている。そこで意を決して通勤初日から自転車で片道40分かけて通っている。環境問題と自らの健康問題二つながら解決、と。また、ガソリンが高くなった昨今は、経済問題も加わって、なかなかやめるわけにはいかない。

さて、いざ通ってみると、大型の車がすぐ横をスピードを落とさずに摺り寄ってきては、呼吸を止めたくなるような臭いのガスを撒き散らして走り去り、あぁと思わされることもしばしばであるが、四季の移り変わり、風の動きを肌で感じることができる自転車通勤はまたいいものだと思い直したりで、いまだに続いている。

一宮と五台山の間は田園地帯で、田んぼが広がっている。何本かの大きな道路が田園を分断していて、そこを圧するのは、たけだけしい騒音と、夜は光の洪水だが、ひとたびそこを過ぎると嘘のように静かな田んぼが広がる。稲の香をかぎながら自転車をこぐのは気持ちがいい。この夜はそれに星も加わった。

我が家は五台山にあり、これも田園地域ではあるが、住宅地でもあるので夜はどこもここも明るく、空は狭く切り取られていて、星をじっくり見る環境ではない。それが、一宮からの帰りのこの夜は、田んぼの真ん中は真っ暗であり、田んぼの上の空はさえぎられるものなく、広い。そのため、星がきれいに見えた。夏の星座をこれほどたくさん見たのは何十年ぶりだろう。小学生時代、夏休みの宿題に、北斗七星から北極星を探すというのがあって、初めて母にひしゃくの星を教えてもらって以来ではないか。

田んぼの真ん中で自転車をとめ、じっくり夏の星座を見る。冬は空気が澄んでいることもあって、オリオンやすばるを見ることがある。だが、夏の星は雲がかかって見えにくい。真南にひときわ大きく光る星があった。私の知る一等星は青く光る大イヌ座のシリウスだが、方角的にこれは違う。はて、シリウスより大きく明るいこの星はなんだ？

その近くに、ひしゃくの形の星座も見つけた。しかし、北斗七星はこんな方角にあるはずはない。これもまた、なんの星だろう。久々に見る夏の星座は心を空でいっぱいにし、浮世をいっとき忘れさせてくれた。これは思いがけない誕生日プレゼントだと、うれしく帰ったことだった。

それから10日ほどして、浜松市にいた。

東京で自治体職員の全国規模のリーダー研修が３週間寮生活をしながら行なわれているのだが、自分がその研修を受けたのは10年前になる。その研修に集まった同期の仲間の同窓会が、毎夏メンバーの出身地で開催される。これに出ることで、同じ釜の飯を食った研修仲間の顔を見て旧交をあたため励ましあうだけでなく、いろんな所を旅することができるので、他のことに不精な自分であるが、これには極力出るようにしている。

今年はそれが浜松市であったのだ。会は一泊だが、その前後に休みをとって、二泊か三泊かするのも、自分のなかでは恒例の夏休みスケジュールとなっている。

浜松市といっても、観光については浜名湖以外にめぼしいものはない。とはいえ、どこに行ってもその土地の歴史資料館や文学館に行くことにしている自分には新しい土地で退屈することはない。今回についていえば、大きな都市である浜松市に科学館があり、そこにプラネタリウムがあることを手前に知るや、ぜひ行ってみたいと思っていた。

プラネタリウムほど楽しいものはない。暑い真昼でも涼しい星が見えるし、座席に深く腰掛けるだけで乗り物に乗らずして日常からはるか遠くに行ってこれるのだ。

で、浜松でも迷わずプラネタリウムに行った。ここのそれは立派なもので、満足させられた。どこのプラネタリウムでもそうだが、まずその日の夜、その地で見える星座を映して説明してくれる。それだけでも楽しくてためになるのだが、今回はそれに宮澤賢治の『銀河鉄道の夜』が併映されるという。これには飛び上がった。なんという幸運だろう。賢治こそ私の最も敬愛する詩人で、数年前岩手県は花巻市にある賢治記念館にまで会いに行ってきたほどだ。

それからの小一時間、私はもう夢心地で宇宙を旅していた。

コンピューターを駆使した三次元の美しい映像が、プラネタリウムの巨大スクリーンいっぱいに映る。映画と違って、邪魔になる前の席の観客の頭はない。深くリクライニングシートに埋まった自分ひとりのために映像も音楽もあるのだ。いっとき私は地球を離れた。やがて、賢治の作詞作曲の「星めぐりの歌」が澄んだ女性の声で聞こえてくると、涙がこみあげてきた。そして思った。この出会いは偶然ではなく、還暦祝いとして届けられたものなのだ。

この日、浜松に、私は祝ってもらうために来たのだ。誰に？　60年前の遠いあの日、18歳の若い母に産んでもらって以来、私を今日まで導いて浜松まで連れて来てくれた、大いなる何者か。サムシング・グレートのなせるわざ。なんという運のいい私。

この日が私の文字通りの還暦、暦が還った日だった。

この先いくつまで生きるか分からないが、この感動を糧としていこうと還暦の贈り物を粛として受け取ったのだった。

蛇足だが、いま思えば還暦のドラマの予告ともなった、誕生日当日に一宮からの帰りに見た南天の星について、ひしゃくの星はさそり座のさそりの尻尾か、あるいは南斗六星らしいことが、この日のプラネタリウムでの学習と、帰りにもらった「浜松天文台通信」で分かった。シリウスより光る星は木星だったらしい。「ＵＦＯではないか」と問い合わせがいくつも天文台にあるほど、この時期の木星は明るいとあった。

それにしても、肉眼ではもうほとんど見えない天の川とも、プラネタリウムに行けばすぐ会える。これを文明の世に住むことの喜びとするのか、悲しみとするのか、なんとも皮肉な世に我々は住んでいることよ。（やまぶき）

岡林君のお茶

今年も新茶の季節がやってきた。

毎年この時期には、岡林君ところからお茶を届けてもらうようにしている。

岡林君というのは、高校時代の同級生で、佐川でお茶の生産と製造をしている男性である。生産とは、農家としてお茶を生産し出荷すること、製造とは、そのお茶を市場に出せるよう、製品化することで、岡林家は茶農園と、製茶工場を持っている。とはいっても、人を雇っているわけではなく、彼と、お連れ合いの景子さん、それに彼の年老いた両親の四人がスタッフのすべてである。

岡林君のお茶と出会ったのは、もう何年前か憶えないほど昔のことになってしまった。20年ほど前になるだろうか。高知市升形に、初めて訪問する家があり、手土産を持参すべくその近くの手焼きせんべい店「なるこ堂」に立ち寄った。注文したせんべいを包んでもらっている間、ショーケースの上のお茶に目が止まった。私はお茶が好きなので、つい目が行ったのだったが、そこにあった何種類かのお茶のなかで、「手摘み茶」というパッケージから、なにかおいしいオーラが出ていて、出来心で買ってしまったのだった。

それを家で喫すると、店頭でキャッチしたオーラに裏切られることなく、劇的においしかった。パッケージを見直して「あれ〜っ」と声をあげた。「岡林製茶」とは、もしかして、高校時代の級友、岡林君のことかしらん。佐川でお茶を作っているとは聞いていたが。電話してみると、果たして間違いなかった。

高校時代の彼は理数系が得意で、京大工学部で航空機の設計をする専門に進み、卒業後もその道を歩んだ。自らもグライダーを操縦するヒコーキ野郎だったのだ。それが、郷里でお茶農家を継いでいた弟さんが急死したことで、進路を大幅に変えて、三十代の初めごろからお茶を作るようになっていた。そのことは風の便りに聞いていたのだが、それがこのたびのようなおいしいお茶となって私のもとに来ようとは。

この幸運を喜び、爾来、私の人生に彼のお茶を飲まない日はなくなった。

もともと私はお茶が嫌いでなかったが、年を重ねるごとにお茶がおいしいと思うようになっていた。心浮かない日も、一服のおいしいお茶で慰められ、気持ちの切り替えができる。とはいえ、おいしいお茶は結構高いので、お茶の専門店で買ったそれを惜しみ惜しみ飲んでいたのだった。それがなんということ、岡林君のお茶に出会ってから、毎日おいしいお茶が飲めるようになったのである。たくさん買うので彼が安くしてくれるということもあるが、もともと割安なのだ。また、彼のお茶を飲み続けると他のお茶では物足りなく感じるという事情もあって、家ではもちろん、職場までも小さな缶に入れた彼のお茶にお供をさせているのだった。

おいしいお茶は人にも飲んで欲しくなる。

人さまにお礼やお返しをするときは、このお茶にした。母が亡くなったときも、急な告別式にはさすがに間に合わなかったが、法事には彼のお茶と決め、たくさん送ってもらった。差し上げた人みなが喜んでくれるので、送り主としてはこの上ない。どこで買えるのという電話をもらうこともしばしばだ。彼が店に出しているのはわずかで、帯屋町の「おかみさん市」とか、土佐市の日曜市などでじか売りをしているだけだ。私がこの茶に出会った升形の「なるこ堂」は、土佐市の日曜市で隣り合って店を並べている関係で売ってもらっているのだそうだ。直接彼から送ってもらうしかないのだが、私が贈ったことが縁で彼から直接取り寄せているファンがだんだん増えているらしい。誇らしく、うれしいことだ。

いいものを作っている人が報われる世の中でなければいけないというのが我が持論であるが、聞くところによると、急須のない家庭がふえており、ペットボトル以外のお茶の消費は伸び悩んでいるそうだ。彼を応援したい思いもあって、新茶の頃には財力いっぱい50gの小さい新茶の袋を取り寄せる。この袋は新茶の時期しかないのだ。そして日ごろお世話になっているこの人や、しばらくご無沙汰しているあの人に届けるのが私の楽しみである。

最近は何でも季節を問わず手に入るので、作物の旬がなくなっているのだが、新茶と新米はその名のとおり、旬がある。今年も元気に生きながらえて新茶を飲めるのは格別なことだ。

その喜びを大事な人と分かち合いたくて、今年も新茶を届ける。封筒にも行儀よく入るので、県外の人にも季節の挨拶として届けられるのがうれしい。

岡林君のご両親はお元気とはいえ80歳を超しているし、我が岡林君も還暦を過ぎた。最も若い景子さんとはいえ、だんだん年をとる。この四人のお茶を楽しめる、平凡で美味しい喜びが私の人生からなくならないように願いながら今朝もおいしいお茶を飲む。(やまぶき)

白秋の歌曲

九州柳川に北原白秋の記念館があることを知ってから、一度は行ってみたいと念願していたのだが、この夏機会を得て立ち寄ることができた。柳川は有明海に面し、水を血管のようにめぐらせる町である。

白秋は「この私の詩の母体柳川」と、郷里をうたい、「この水の構図を以ってした地相こそは、おのづからにしてこの私をうんだ」と水ある郷里への愛を惜しみなく表明する。

今回は日程の関係で長くこの町に留まれなかった私だが、郷里の人によって昔日そのままに再建された生家の造り酒屋の暗闇に白秋の時代の時間が保存されているような気がして、それにふれるだけでも来てよかったと思った。

さらに良かったのは、白秋の生誕百二十年を記念して出された白秋歌曲のCDを記念館の売店で手に入れたことだった。その夜の宿にはおあつらえ向きにCDプレーヤーが備わっていたので、一刻も早く聴いてみたく、昼間買ったばかりのCDの封をあけて再生した。「この道はいつか来た道……」聴きなれた名曲が流れ出す。白秋の生家を今日踏んだ身には歌詞のフレーズフレーズが細胞にしみいる。

全部で30曲が入っているCDだが、曲は多岐にわたっており、あの曲もこの曲も旧知の歌である。「あれ、この曲も白秋?」と「ゆりかご」や「からたちの花」「ペチカ」など、子どものときから聞きなじんできたなつかしい曲に改めて惹き込まれる。その中には「待ちぼうけ」や「ちゃっきり節」などコミカルな歌もあれば、「薔薇の木」のように極めて短い象徴的なものもある。「城ヶ島の雨」など浪漫的な曲は静かに聴いていると、そのまま身も心も城ヶ島に連れて行かれるような喚起力にあふれた詩情がある。

いずれの歌もそれぞれの歌にふさわしい歌い手を選んであり、ひばり児童合唱団からダークダックス、倍賞千恵子、ペギー葉山からソプラニスタの米良美一(めらよしかず)までとりどりである。ちなみに、このCD中、「城ヶ島の雨」と「砂山」は、二人の作曲家がそれぞれ違う曲をつけているが、味付けが違うと素材の味がまた違ってなかなかに趣が深い。

白秋は児童に優れた文化を与えようという大正期の「赤い鳥」運動に共鳴し、たくさんの童謡を書いている。その童謡に同時代の作曲家、山田耕筰（こうさく）がすばらしい曲をつけた。数えてみると30曲中11曲が山田の作曲だ。そのほか、我らが安芸市出身の弘田龍太郎や伊野町の平井康三郎のもある。私たちと同時代の作曲家團伊玖磨のものも2曲ある。どの曲もすばらしい。

旅の宿でゆくりなく浴した詩と音楽のシャワーは私をこの上なく幸せにした。幸せとは、手のひらを上に向けてさえいれば、ある時ひょっこり天から降って来るものなのだ。

飽きもせずCDを聴いていると、遠い記憶のなかから切れ切れに浮かんでくることがあった。時代遅れの私は日ごろからラジオを偏愛し、家にいる時間、家事をしながらラジオを聴くにとどまらず、留守や就寝の時間はお目当ての番組をタイマー録音して聴く。テレビはほとんど観ない。ラジオと共にある日々だから、それがいつのどの番組で放送されたかなどはすっかり忘れてしまっているのだが、印象に残った箇所は何年たっても心に残っている。その中にこんなものもある。

「からたちの花」は白秋・耕筰の名作だが、その歌詞の中には山田耕筰から聞いた話から想を得たものがあるという。「みんなみんな優しかったよ」という箇所がそうだ。これは耕筰が働き始めた頃、仕事に慣れなくて庭の隅でこっそり泣いていたとき、周りの人から優しくされたことがあった。それを白秋に語ったことで歌になったのだという。これを私がなぜ憶えていたかというと、山田耕筰などという日本音楽史の巨匠たる人物に労働者としての過去があったという、その履歴の意外性によってであった。その時から山田耕筰には親しみを感じていた。きっと日本音楽界の草創を切り拓くパイオニアには並大抵ではない労苦があったにちがいない。

山田耕筰が好きになったエピソードがもう一つある。團伊玖磨の父が、息子が音楽家になりたがっていることを知ってその才能を危惧し、知人であった山田耕筰に相談したそうだ。「才能があるかどうか、一度見てもらいたい」と。かくて一夕、少年は大先生に会うことになった。團は音楽問答を予想していたが、耕筰のしたことはこうだった。夕闇が迫る部屋から明るさを求めて窓際に連れて行き、ぐいと少年の顎を持ち上げじっと顔を覗き込んだ。それから父に向かって言ったそうだ。「この子は音楽家にさせましょう」と。

團伊玖磨がまだ元気だった頃ラジオで語ったのだから、かなり昔の放送になる。前後は忘れたが、そこのシーンだけは鮮明だ。

これらのことも思い出し、旅先の一夜はこの夏最高の贅沢な夜となった。

日本語のすばらしさ、音楽のすばらしさに開眼した私は、毎日のようにこのCDを聴いては新たな感動をもらっている。そして思う。生きていると、まだまだいいことにきっと出会う、と。（やまぶき）

私の必須ビタミンR

「さくら」さんが、「はまかぜ」（3月号）で「NHKラジオ深夜便」のことを書いておられた。それに誘われて、私も、自身のラジオ深夜便体験や、さらにラジオそのものとの付き合いのことなど書きたくなって、筆を執ってみた。

さくらさんと違い、私がラジオ深夜便を生で聞くのは、せいぜい午前二時台までである。宵っ張りの自分であるが、「このころの時代」（本年度から、このコーナーのタイトルが「明日への言葉」へと替わった）の四時台にはさすがに眠っている。しかし私はこの番組を聴くのを逃したことはない。どのようにして？　毎晩寝る前に、ラジオに内蔵されている「タイマー録音」機能をセットするのである。そして、翌朝「はてどんな内容の番組だったろう」と、カセットテープをラジオからウォークマンに入れ替えて聴きながら通勤する。たまに放送機器の保守点検のためとかで、その夜だけFM放送に変更になっていて「がーがー」いう雑音しか録音されてないときがあり、そのときは心底がっかりさせられる。

そもそも私はラジオ党である。数えてみたことはないが、ラジオは浴室・トイレを含む全部の部屋に最低1台はある。このうち3台がタイマー録音できるものである。テレビの留守録はできても、ラジオのそれができるものはいまではあまり生産されていなくて、私は自分の寿命と現在我が家で働いてくれているこれら機種の寿命が同じであらんことを心から祈っている。

出かけるときや眠るときは、これらタイマー付きラジオを仕掛ける。タイマー録音するのは深夜便だけではない。「カルチャーラジオ」「古典講読」「文化講演会」「朗読の時間」など、お気に入りの番組がいくつもある。録音しておくと、いいものは何回も繰り返して聴けるので、この意味でも欠かせないのである。この録音機能と、それを再生していつでもどこでも聴けるウォークマンとの出会いが私のラジオ好きを強めたといえるかもしれない。

一つには、読書に充てる時間をうまく遣り繰りできない、その補いをラジオで、という面がある。目で活字を読む代わりに耳でラジオを聴く。同じ電子メディアでも、テレビやインターネットはあまり好まない。目が疲れるのと、その前に座り込む時間がもったいないからだ。ラジオは何をしていても耳がとらえることのできる、優しいメディアだ。ホットなテレビに比べるとラジオはマイナーで、これを観よという押し付けがましさがないから、一日中つけていても邪魔にならない。

静かに話す人の声というものの良さを齢とともに感じるようになった。無心に聴くと、人の声ほど味わいのあるものはない。声にその人の人生が出る。同じアナウンサーでも、テレビで話すときとラジオのそれとでは微妙にトーンが違うように感じるのは私だけだろうか。民放は一般に話者のトーンが高くて聴き手を疲れさせる。特にコマーシャルは聴くに堪えないことが多く、用心のため、私はＮＨＫ専門だ。

人の声で伝えられる古今の情報が、私の蒙を啓いてくれるのは快い。

旅の好きな自分だが、旅先で困るのは、毎日聴いている番組が聴けないことである。なんとなれば、旅先のホテルでは、テレビはあってもラジオがないことが多いのだ。これはラジオ党には遺憾である。小型ラジオを携帯していても、コンクリートの建物の中では電波をうまく受信できないことが多い。

ラジオの番組にもいろいろあって、その魅力をひとくちに紹介できないが、百科事典をひもとくように、森羅万象を、具体的には地球のなりたち、天体の運行、世界の歴史から現在起こっていることの解釈まで、ラジオを通じてその道の識者が教えてくれる。文学や絵画の鑑賞もできる。

また、連続して語られる語りものには、昔むかし紙芝居のおじさんの姿を夕暮れに待ちかねたような日ごとの楽しみがあり、まことにささやかだが、生きる張りを与えてくれる。映画大好き人間の代表のようだった淀川長治さんが、「来週どんな映画が封切りになるかと思うと、寿命が尽きたからとて、死ぬに死ねませんわ」という風なことを言っていたが、その気持ちがよく分かる。

ラジオをめぐって困ったことも生じている。他ならぬテープのことである。毎日何時間も録音しているのだが、残念なことに私の耳は二つしかない。家にいるときはしっかり腹巻のようにウォークマンを腰にまきつけ朝から晩まで家事をしながらテープを聴いている。ついでにいうと、ウォークマンもこき使うと、土佐弁で言うところの「ちゃがまって」しまう、つまり、能力を尽くし果ててしまうのだ。浴槽の掃除をしていて湯の中に水没させてだめにした2台を含めて、10台は聴きつぶしているだろう。まあ、30年ぐらいの間だから、さほど驚くことでもないが。横道にそれたが、かくして私は一日の一人でいる時間のほとんどをテープを聴くのに費やしている。が、いかんせん、聴く時間より録音する時間が長い。となると、どうなるか。まだ聴けてないテープ、もう一度聴きたいと保存してあるテープが家の中にどんどんたまっていくのである。

1週間に数本でも、それが1ヵ月となり、1年となると少なからぬ量となる。これが30年である。テープがじわじわ家の空間を侵食していく。せっせと聴いているのに、である。録音するものを少なくすればいいのだが、海外旅行から帰って以来いくつかの英語番組も録音し始めているので、減るどころかふえる一方である。テープ問題は、目下のところ、私がもっとも頭を悩ませている家庭内問題である。テープをなんとかせよと、家人にいつも言われている。

思いがけない「いいこと」もある。それは、昔むかしのテープがなにかの拍子にひょっこり出てくることで、そのときのほくほくした気持ちは、たとえて言えば、読みかけて忘れていた本のページから、押し花がはらりと出てくるようなものである。時というページに畳み込まれた30分が生き生きとよみがえる。語り手がすでに故人となっている場合など、ここにその人がいるような鮮烈さは表現しがたい。だから、テープまみれになろうと、やっぱり録音はやめられないのだ。なんだかんだ言っても、私はラジオが好きなのだ。ラジオが与えてくれる活力を、「ビタミンR」と呼んで、今日もけんけん服用している。これは、いまや、私の健康に寄与してくれる必須ビタミンだ。

明け方4時からの「明日へのことば」はそのなかでも強力なビタミンである。お聴きになったことのない方に、例として、一昨日と昨日の放送内容を紹介しよう。

一昨日は、豊橋市で精密機械会社を経営している75歳男性の「信頼が引き出す人の力」という話だった。この人の会社には就職試験というものがなく、なんと、先着順の採用だというのだ。この町で育ててもらった自分の、町で育った青年たちへのお返しだという。むしろ、下手に試験をして試験慣れした若者をつかむより、学校ではいまひとつといわれた若者が伸びるという。会社でどんどん育っていく。信頼すると、信頼が還ってくる。定年もないのは、「会社がやっと育てた大ベテランに辞められたら困る。定年なんて、誰が決めたの」という。この会社は世界で一番小さい、一グラムの万分の一のモーターを作っていて、世界に通用する技術を持つ会社である。この世の中に、こんな経営者がいると思うだけで、心がふかぶかと深呼吸する気分になる。昭和ひとけたから十年代初めの頃生まれた日本人には迫力がある。

昨日の放送は、駐日ポーランド大使が語り手であった。ひっそりともの静かに語る女性である。ワルシャワ大学で日本語と日本文学を学び、博士号をとり、能の研究者でもあったが、日本語ができるということで請われて外務省に入り、外交官に転身した。実務に忙しく、能の研究は目下おあずけであるが、今年はショパン没後二〇〇年の記念の年でもあり、ショパンの生涯を新作能にして、ポーランドでも日本でも上演するという。

これもまたわくわくする話だ。この大使の知的で控えめな話しぶりに強く惹かれる。私のこれまでの60年の人生は能とは無縁だったが、この大使の書いた新作能だけはぜひ観てみたいという知的な好奇心をそそられる。

というわけで、やっぱり、淀川長治ではないが、いま少しラジオを聴くために、死ぬわけにはいかない。（やまぶき）

●その後の録音事情

この「ビタミンR」を書いたのはいつごろだろう？　10年は経ってないかもしれないが、かなり前だ（10年前であることがその後判明）。毎晩寝る前にカセットテープをセットして、1時台と4時台の2本の番組の録音を2台のラジオで録っていたのだから。

いまは世の中進んで、録音予約は10番組までできるし、録音時間も大きい容量のＳＤカードを買えば、かなり長時間でもＯＫだ。１カ月のカナダ旅行の間もしっかり録音してくれていた。心強いこと。

さらに、ラジオ事情もインターネットで聴けるようになったので、助かることこの上ない。旅先でもきれいな音で聴け、「聴きのがし」という結構なサービスもある。「ビタミンＲ」の頃とはちがったものである。（２０２０年４月28日記）

彩美さん、桃子さんへ

今年も暑い夏がやってきました。お誕生日おめでとう。

今回は、こないだ読んだ、とてもすてきな本をプレゼントします。

宇宙飛行士の山崎直子さんが書いた『ママは宇宙に行ってきます』です。

なぜこの本に惹かれたかといえば、まず、幼い子どものいる女の人が、なぜ宇宙にまで行く気になったか、それを知りたかったのが第一です。宇宙へ行くのは、安全性が高くなっているとはいえ、事故の可能性ゼロではありません。二度と帰れないかもしれないのです。子どもを持った女の人は、本能的に危険を避けるものです。それが、宇宙へ。なぜ？　これがまず知りたかった。

でも、この本を読むうち、納得がいきました。夢をもって進んできた人が、自然に宇宙飛行士になったのだ、ってこと。出産はその傍らにあったのでした。

それだけでは感動しません。この本の中で最も感動したのは、超のつくエリートであるはずの山崎さんの「何とかなるさ」という、きわめてアナログな姿勢、すなわち生きる力でした。

国の宇宙計画に紆余曲折があって、当初とは大幅に方針が違ってきて、宇宙飛行士もそれに巻き込まれ、アメリカに行ったり、ロシアに行ったりせざるを得なくなります。家族もたいへんです。長女の優希ちゃんは、小さいうちから15回もアメリカと日本を行ったり来たり。夫の大地さんは妻の仕事を優先させようとサポートに回るうちに、アメリカ社会との軋轢に苦しみ、無理がたたって環境適応障害の診断を受けるに至ります。挙句、妻に向かって「家族がこんなに苦しんでいるのに、よく宇宙飛行士をやっていられるな」という言葉まで投げつけます。

そんななか、山崎さんは、パンク寸前になりながらも「何とかなる」をお守りの言葉として、目標を失わず、たくましく訓練を続けます。「すべての出来事には、きっと何かしらの意味がある。それを信じて、困難を乗り越えていこう。きっとどこかに道はある」と。

その山崎さんを支えたのは、小学生のとき北海道で見て以来の、星空。無数の星空を眺めながら深呼吸すると、「あぁ、私もこの一部なのだ。こんな広い宇宙の一部なのに、何を悩んでいるのだろう」という気になるといいます。

私も星を見るのが好きでした。

彩美さんの小さいときには、賢治の星の童話を読んだと思います。双子の星、チョンセとポーセを憶えていますか。桃の小さいとき、夜寝る前に科学の本を読んで「一等星」とか「三等星」とかいう言葉を小さいながら覚え、「この子、どうしてこんな言葉を知っているの」とお父さんを驚かせたことでした。お父さんが家にいたのは桃が3歳までだったので、お父さんの驚きが分かります。

いまでも星は大好きです。一宮から五台山に帰るとき、星が見えるとうれしくなります。プラネタリウムに行くのも大好きです。

あなたたちにも、星の話をもう一度したくて、この本を贈りました。（やまぶき）

第十章　思い出玉手箱

日記考

日記をつける習慣がある。三日坊主で何をやっても長続きしないのに、この習慣だけは続いている。本稿を書くに当たって振り返れば、足かけ二十と一年がたっていることに、我ながら驚く。

日記と遺伝子の関係は後世の研究に待ちたいが、我が家では母も祖母も日記をつけている。母の女学生時代のそれは「日々の姿」というタイトルで、折しも終戦間近い、文字通り日々の姿が多感な年齢の少女の筆に成っていて、戦時中の家庭・学園双方のドキュメントとして値打ちがある。母はいやがるので、彼女の抗議の届かない日が来たらワープロ打ちでもして親しい人に公開し、一庶民の記録として残しておきたいと密かにもくろんでいる。その必要条件は、母より自分の方が長生きすることであるが。

この人の母、つまり私の祖母も、かなりな量の日記を残している。小学校しか出てない人が淡々と暮らしを綴っただけのものであるが、ときには日記に書くことで鬱屈を晴らしただろう、長い記述もある。祖母の死は悲しくて、その筆の跡をたどることはおばあちゃん子の自分には耐えがたく、今日まで子細に読むに至っていないが、老後の愉しみにと買い込んでいる多くの本のひとつに祖母の日記も数えている。義理の寄せ木細工のように集まった、決して幸せといえない一家族の記録以上のものではないだろうが、そこに登場する一人ひとりのドラマは私には大事なものである。

私の日記は、寄せ木の一片だった父の死の直後から始まっている。それまでもぽつぽつ単発的に日記はつけていたのだが、「日記」ではなく「週記」、ときには「月記」となるほど不定期で、書きたくなったときワッと書くというカタルシス型のものだった。父はアルコール依存症で52歳で急逝するのだが、父の死で激しく「人が生きるとは何なのか」を問われ、それが心の中のどういう回路をたどって日記に至ったかおぼえていないけれど、結果として日記がスタートしていた。

多分、生きるという途方もないことを日々の単位に微分することで、考える手助けにしたかったのではないだろうか。

このとき「三年運用日記」を使い始めた。この様式の日記帳は使ってみれば評判のとおり使い良いし、書く励みにもなる。

1年目については何らメリットはないが、2年目からは、前年の同じ日がどういう日であったか、上段を見れば直ちに分かる仕掛けになっている。それを読んで、人が生きるとは変わりばえしないことの繰り返しだなと感ずることもあれば、子どもが登場する場面などでは1年前に比べてなんたる成長かと目を見張らされたり、去年までいた人が今年はいなかったりの転変を知らされたりもする。


寝る前のほんの数分、七行の短い記録で一日を閉める。パブロフの条件反射ではないが、日記といえば必ずウイスキーが来る。日記書き書きウイスキーをなめることがいつの間にか習慣となってしまった。ウイスキーの力を借りて一日の緊張をほぐしながら良くも悪くも終わってしまった今日という日を見送る。すでにまぶたは重くなり、眠りへの助走が始まっている。


七行の記録には、昔こそいろんな感慨を盛っていたが、近年メモ風客観的スタイルに落ち着いた。その方が後で読んでその日の印象が鮮明によみがえるのである。歳とともに欄外に欠かせなくなったのが起床と就寝の時間、生理の周期、朝の体重。健康チェックとしてこれらが意外に役立つ。

日記にまつわるあれこれのおしまいに書き落とせないのが、その思わぬ効用についてである。

歳とって物忘れが激しくなると、たった一年前の記述でさえ「え、こんなことがあった?」と疑うことが少なくない。人間とは忘れる生き物なのか、あきれるほど多くのことを忘れていく。

日記の行に確かに存在した自分を、それを忘れ果てた自分が「へえ」とあきれながら読む妙味は捨てがたい。日記こそ自分というたった一人の読者に向けて書かれた最大の読み物であることを知るのである。

かくして、今夜も日記を書く。

高知市立海老川市民会館 館長(高知市文化振興事業団『文化高知76号』より 1997年3月)

正月相撲

父はいま、天国にいるのだろうか。それとも閻魔さまの地獄かしらん。

お棺を閉めるとき、死んだ人の足元をふと見るともなく見れば、なんと、まるきり似ても似つかぬ色の靴下を左右バラバラにはいているではないか。身なりなどかまっていられぬほどの急な死であることはあったが、それにしてもこれはひどすぎる。もし天国に一流ホテルのようなきまりがあって、入り口のドアボーイが、「もしもし、死という一生に一回こっきりの厳粛な事態に臨むのにそれではあまりにも不謹慎というものです」と、中に入れることを拒んだとしたら、父はきっと天国のそばでいまでもウロウロしているのではないだろうか。それとも相当などくれ者だった父のこと、それなら結構と地獄の方へとぼとぼ歩いて行ってはしまいか。こちらではあまり幸せではなかった人だから、せめてあちらでは安らかにいてほしいのに、困ったことである。あの世に送る便があれば靴下一足送り届けたい。

長岡（安芸出身の関取、朝潮太郎。最高位は東大関）という逸材のために、今年の正月相撲はたいへんな人気を呼んだ。正式には全日本なんとかという長たらしい名前があるのだろうが、毎年一月のはじめに行なわれる学生相撲を私はそう呼ぼう。

死んだ父はこの相撲が大の気に入りで、その日を待ちかね当日は朝3時起きで番をとりにゆくのが常だった。もちろん、いちばんいい席を確保するためである。私の幼いときから毎年かかさずこの寒い季節の手に汗にぎる熱い勝負を見物に行った。舟大工の父には趣味とか娯楽とかいった類のものが数えるほどしかなく、のちにそれと心中することになった酒を別にすれば、古くからの友と連れだって浦戸湾に網を打ちにゆくことと、この相撲見物があるぐらいである。

ある年のことであった。地元の新聞には毎年この正月相撲の記事が載るのであるが、記事に添えられた写真にはその年、父の姿がバッチリ写っていた。一升瓶でコップ酒をやりとりしながら観戦している最前列のグループ二、三人を撮ったその写真の中で、わが父は隣の人の傾けた一升瓶を喜色満面で受けているのだった。この世にこれ以上愉しいことがあろうか、とでも形容したい邪気のない歓びが画面いっぱいにあふれた好写真だった。記事の方も、勝負の結果そのものを報道するというより酒をくみ交しつつ観戦する熱心なファンの様子にその季節の寒さを浮き立たせた、夕刊にふさわしい暖かい筆致のそれであった。それはそれでよかった。そののち数日してのことだ。やはり同じ新聞の読者の投稿欄に正月相撲に関する投書が載った。いわく、厳粛であるべき学生の真摯な競技を観戦するにあたって酒をくらいつつするなぞもっての他、スポーツの精神を汚す不謹慎極まりない恥ずべき行為、といった内容のもので、例の写真に対する痛烈な非難であった。

その頃私はいくつだったろう。はっきりとはしないが、多分中学2年生くらいではなかったろうか。地元の公立中学にではなく、バスと電車を乗り継いで遠方の私立学校へお嬢さま然として通っていた。汗や脂やコールタールのにおいのする見るからにみすぼらしい作業着の父を恥としていたその頃の私は、たとえば遅刻しそうになったときなど往復一時間半の道をバイクで送ってくれる父の姿を級友から隠すべく、学校のずっと手前でそそくさと父を帰し、あとは駆けてゆくのが常だった。

その投書が載ったとき、「なるほど」とまず私は思った。水泳を、陸上競技を、バスケットボールを観るとき人は決して酒をちびりちびりやりつつ観たりはしない。相撲だってプロの力士によるものではなく学生のそれなられっきとしたスポーツだ。まったく父ときたら常識はずれもはなはだしい。私は投書の筆者に全面的に賛成すると同時に、先日その写真を目にしたとき肉親が写っている面映ゆさ以外に何ら感じなかった自分を恥じた。そして恥じた分だけひどく父にくってかかった。級友たちに、これが我が父親だと知られたら恥ずかしくて学校にも行けやしない、と訴えなじった。父は一言も弁解しなかった。熱中していた遊びから不本意に遠ざけられ、わけもわからず叱られる幼児のような当惑した顔で、黙って娘の言うことを聞いていた。

いまの私なら分かる。テレビもあまり普及していなかった当時、相撲見物はそれがプロの力士によるものであれ、学生のそれであれ、あるいはお祭りに神社の境内で奉納される氏子たちによる素人戦であれ、娯楽にお金をかけることのできない層にとっての数少ない愉しみではなかったろうか。肉弾相打つ試合は日常をひとつとびこえた胸のわくわくするショウであったはずだ。いま同じ投稿の記事を読んだとしても、私は動じないどころか、インテリさんには庶民のこころがわからない、という厭味な反論を寄せたかもしれない。そうしないまでも、せめて父に対しては、「こんなに言う人は必ずおるもんよ、言いたけりゃ言わせちょいてかまんき、お父ちゃんは好きな流儀で観たらえいわね」と、逆に励まし、あおったろう。しかしそのときの自分はえせインテリ道に踏み込みはじめた青臭い中学生で、父に対して実に心ないことを言ったのであり、気弱い父は愛する娘の理屈にたじろいで、それきり嬉々として相撲見物することはなくなったのであった。

天国の入り口でウロウロしている父に送り届けたいのは、靴下の他には今年の正月相撲だよりである。

（季刊「手巾」2号より　1978年4月号）

頼母子講の頃

家の裏の空地で地べたに絵を描いて遊んでいると、遠くの方で正午のサイレンが聞こえ、それが合図であったかのようにそれまで絶え間なく吹いていた浦戸湾からの風が凪いだ。しばらくするとうるめの干物を焼く香ばしいにおいが漂ってき、続いて「ごはんぞね」と祖母の呼ぶ声がした。歯のちびた下駄を引きずって勝手口に入ってゆくと、外が明るかっただけに家の中は洞窟の中のように暗い。

その中を、七輪から白く油くさい煙が上がっている。部屋中にこうも景気よく干物くささをばらまかれては、食べる前から食傷する、とうるめの硬さに手こずりながらぐずぐず食べていると祖母が横目でにらんだ。「今日は昼からうちで講があるきに、さっさと食べないかん」。講と聞いてよし子の眼は輝いた。講のことはよく知らないが、そこであるくじ引きがよし子の興をひくのだった。祖母はあまり講に連れてってくれないけれど、今日はそれがうちであるのなら遠慮なく見物できる。よし子はごはんにお茶をかけてかきこんだ。

昼食の片付けを手早くすませるとくじ作りである。前夜夜なべに作っておいたくじをこよりにひねるだけの簡単な作業なのだが、人数分の倍ともなるとなかなかひねりでがある。

よし子も手伝ってみたが、あいにく寸の短い不細工な出来となってしまい、ほどいて祖母がひねり直した。

くじには二種類ある。ひとつはその月の講をとる者を決める本くじ、もうひとつはハナといって小銭を分け合う副くじである。くじが完成するとハナのための小銭を入れた箱の中を改め、ありったけの座ぶとんを並べて準備は整う。やがて昼食をすませて満ち足りた顔が三々五々集ってくる。全員が揃うまで近所に住む女同士の他愛ないおしゃべりがにぎやかだ。

「あと来ちょらんがは誰ぞねえ」。祖母が声をかけると「中村さんがまだじゃ」と誰かが返事した。「よし子、ちょっと行て、中村のおばさんを呼んで来」。祖母に命じられてよし子は下駄をつっかけ中村家まで駆けていっておばさんを連れもどった。これで全員揃ったことになる。

「ほいたら、始めさせてもらおうかね」。祖母が言うと、みな雑談を打ち切り、輪になって坐ったその輪の内側へ顔を向けた。「ちっと待って。あたしゃあ神さんの真ん前にお腰を向けちゅうきに、しょう具合が悪い。すまんけんど、ちっと寄っとうせ。これやったら来るはずのえいくじも来んなるきに」。最後に来た中村のおばさんは空いていた場所に坐ったのだが、気がつけばそれは床の間に据えてある神棚の真ん前だった。おばさんに促されて皆少しずつ坐ぶとんの位置をずらしたが、はじめからさして広くない部屋、そう動けるものではない。結局のところおばさんは神棚の真正面に腰を据えるバチあたりから免れたとはいうものの、尻の一部は相変わらず床の間をふさいだままである。「めっそ気に入らん場所じゃけんど、仕方ないわ。神さん、これぱぁでこらえてつかぁさいよ」。おばさんは神棚をふり仰いで言った。向かいにいる誰かが「中村さんよ、そう嫌いなさんな。あんた、考えようによったらそこは一等の場ぞね。なんせ神さんが後ろだてじゃもの」と茶化したので皆笑った。講のあいだはちょっとしたことにでも連座から笑いが上がる。

やがて本番のくじ引きが始まった。今回の当番である祖母が一人ひとりの前にこよりの束をさし出す。「どうぞ当たりますように」と口に出して言う人もあれば、合掌の真似をして大袈裟に両手をこすり合わせてから引く者もあり、さまざまである。例外ないのは引く束の間に見せる一種神妙な表情で、このくじが人生の大事を決するそれではないにしろ、さしあたっての幸運のかかった、楽しくもおろそかにできないものであることが分かる。あわよくば、本日持ってきたかけ金の十倍を持ち帰ることができるかもしれないのだから。

全員がくじを引き終わったところで、当番の祖母が当たりくじを発表する。くじの作り方はその時の当番の任意に委ねられていて、単純な○×のもの、数字にするもの、花の名前にするものと個性豊かである。学校には行ってないけれども読み書きの好きなよし子の祖母はこんなところで密かに自らの文学趣味をなぐさめるのか、忙しい家事と内職の合間を縫って百人一首の名歌をくじになすこともあった。祖母よりもさらに文学から遠い暮らしをしている人達は物珍しさもあって、この試みはかなり好評であった。「今日の当たりはこの歌」。祖母は小さく咳払いし声の調子を改めた。「いにしへの奈良の都の八重桜けふ九重に—」ここまで詠じられたところでいにしへの名歌は「あてじゃ、あてじゃあ」と言う非文学的な声に妨げられた。声の主は、開いたこよりを遠ざけ老眼を細めて、ためつすがめつした挙句、さらに隣のこよりを差し出し確認する。「まっこと当たっちゅう。けんど、おまさんのがよりあたしのくじの方が歌は上等ぞね」隣の人は当たりを認めつつも負け惜しみをいうが、意気の上がった勝者の反撃をたちまちに受ける。「なんぼ歌がようたち、当たっちょらな、なんちゃじゃない。あて、どうも今日あたり当たりそうな予感がしちょったがじゃき。よんべの夢見がよかった」。

ひとしきり、幸運をひきあてた者の大得意と、それをさらって行かれた者らのやっかみのやりとりが続くが、これはいわば講におけるお決まりの挨拶であった。これによって勝者の幸福感は倍化し、惜しくも得そこねた者はほかの人の幸運がいずれ自分にも回ってくることを知っているので惜しまず妬みの言葉が言え、講の雰囲気は盛り上がるのである。中村のおばさんは執念深くまだ神棚にこだわっている。「言うたとおりじゃった。バチがあたった。こんどから間違うても神さんに尻向けたりせられん」。また中村のおばさんはワヤにせられてしまう。「中村さんよ、おまん、ハナは後ろ向いて引きや。ほんなら神さんに失礼になるまい」。ハナとはもうひとつのくじのことである。

「ほいたら、ハナへいこうかね」。頃合いを見て祖母が言った。ハナは少額をあてるものだから、くじ引きのスリルとしては本くじの足元にも及ばないけれども、本くじに期待を裏切られた〝口直し〟にはもってこいの手ごろなくじで、もしこれがなかったらデザートのない食事のごとく味気なく後味悪いことだろう。すべてを本くじにつぎこまないで少しばかりハナにとっておくというのは誰が考えたかうまい構成であり、それこそ講に花を添える。

このくじの引き方は先ほどの本くじとまるきり同じで、異なるのは百人一首の代わりに極めて散文的な十円二十円という数字が書かれていることである。多い人で五十円、少ない人は十円の、それぞれハズレなしのくじを引いてその場で現金をもらい、これをもって講は終わるのであった。人々はこの次の機会に幸運を託し、ハナの小銭を手にして帰ってゆく。一人だけ大枚千円を得て、ほくほく顔の人がいるのはいうまでもない。

中村のおばさんは二十円のハナをあて、それをそっくりよし子にくれた。「今日はよし子ちゃんに呼びに来てもろうたきにねぇ」。なんという幸運だろう。よし子は天にも昇る気分である。二十円とは、よし子の小遣いの四日分にもあたるのだから。これだけあればいっぺんにアメ玉五個とニッケイ酒とアイスケーキとボンボンが買える。だから講って好き、よし子は思った。

よし子は長じて講のしくみを知ったのであったが、それはおおむね以下のようなものであった。

十数軒の近隣の家々が講のメンバーを構成する。一軒ごとに、たとえば百円ずつを持ち寄り、その中の一軒が集まった金のうち千円を得る。その幸運な一軒を集まった皆がくじで決める。十三軒のメンバーがあったとすると、全部で千三百円集まる。うち千円はくじに当たった者のものになるのは前述したが、残りの三百円もこれまたくじで分けるのである。尋常に均等割にしたところで知れた額なので、それよりも楽しみのある方をとり、ハズレなし、わずかの多寡のあるくじにて分配する。その副くじをハナと呼ぶ。月に一回の講であるから、ほぼ年に一度は本くじを射とめることができる。一度当たった者は、全員が当たり尽くすまで次にくじをひく権利を失い、全員に公平にチャンスがめぐってくるのが賭博と異なるところである。

発端は、木綿の着物がほしい、ということからだったという。当時、スフ（絹に似せたパルプ繊維）や、人絹（カイコの繭から作る正絹、ではない人工繊維）でない純綿の着物は一反が千円もした。昭和二十五、六年、世の中がどうにか戦後の混乱を収拾し、落ち着きを見せはじめた頃だ。着物に千円というのは、そこいらの庶民にはちょっと手の出しにくい金額だった。そこで、順番に綿の着物を買おうではないか、という主婦数人が中心となり、近隣の家をかたらって頼母子講(たのもしこう)が発足する。こういう組織をつくるのが、内容や動機に多少の違いはあれ、当時全国的にポピュラーだったらしい。借金をしたくてもそうする先のない庶民にとってまとまったお金が入ってくることは願ってもないことで、いわば庶民同士の相互扶助の組織だったといえよう。

よし子の祖母も言い出しっぺの数人のひとりで、最初に「当てた講」で祖母は念願どおり着物を買った。その次は仏壇、その次は柱時計と、やや値のはる家財を祖母は買い整えていった。よし子の家のように講が家具や着物を調達してくれる家というのはまだゆとりがある方で、もっと困っている家では講が火の車の家計の火消し役をつとめたり、栄養不足がちには千円にまで上っていた。

な家族の胃袋を満たすごちそうになったりするのだった。よくよくお金に困ったり、あるいは急に現金が必要になったりした家はくじに当たるのを待ちきれず、特に申し出てその月の講を譲り受けたりすることも珍しくなかった。百円のかけ金でスタートした講は、物価とスライドして、二百円、三百円と、その額を上げてゆき、ついに講がその役目を終える頃には千円にまで上っていた。

講が産声をあげて十年あまり、この国の経済は高度成長期を迎えたとかで、国民の生活全般に一大変化が起きていた。物は量産されてあふれ、それを買う消費者は王様と呼ばれ、ハンコとわずかな頭金があればどんな高価なものもたやすく手に入るようになった。主婦たちもどんどん賃金労働に駆り出され、昼間鍵のかかった家が目立つようになった。アルバイトで小銭をかせげるようになった主婦たちはだんだんと講に頼らなくてもすむようになっていった。また、のんびり「講」に出て無駄話に費やす時間をパートとして就労して得る賃金に換算してみるまでもなく、はじめから講に勝ち目はなかった。かくして人々にささやかな恵みをもたらし、十年と少し続いた講はその役目を終えて歴史から退場していった。

よし子の講体験はほんの数回、わずか五、六歳の頃のことで、記憶はおぼろでしかない。しかし同時期の自分の記憶のなかでそれが抜きんでて印象深いのはなぜか、そのわけをよし子は考えてみる。

通る車の数がいまの百分の一もなかった静かな往来を、割烹着姿のおかみさん達が集ってくる。やりくりに明け暮れる暮らしのなかで、サイフからぬきだす百円札に夢をこめてやって来る。楽しみの少ない時代、しっぽの先に博打(ばくち)の要素を隠し持った講は貴重な気晴らし、娯楽であったかもしれない。近隣社会がいまのようにやせ衰えていなかったあの頃、近所の情報とささやかな夢とをもって集まってくる主婦たちの午後の時間はゆったりと長かった。

もしかしたら、とよし子は思う。もしかしたら、講が記憶のなかでことさら印象深いのは、そのゆったりとした時間の流れのせいであるのかもしれない。物は不足していたが、時間だけはたっぷりと豊かにあった。

それにしても、あの講の午後の長さを思うとき、あれはこの国のたった二十数年前のことだろうか、それともよその星のお伽話だろうかと、近頃よし子は思ってみる。

(季刊「手巾」7号より 1979年8月号)

昭和小学校の思い出

私の家では父、私、娘と三代にわたり昭和小学校に御厄介になりました。父は孫娘が学齢に達する前に他界したので、三代にわたる学校というものにどんな感想をもったのか、わからずじまいですが、三代はともかく、二代で同じ学校というのでさえ特別な感慨があります。

殊に新校舎ができる前はそうでした。樹木も、校舎も、二十余年前自分たちの通っていたときとはほとんど変わっていなかったからです。変わっていたとしたら、せいぜい、窓がサッシになっていたこと、下級生がすべり降りるのに格好のすべり台となっていた階段のぶ厚い手すりにすべり止めのヘソが打たれていたことぐらいで、トイレの簀の子も、渡り廊下の古風なタイルも、水飲み場のさびれた感じもそのままでした。それに比べて変わったのが学校のぐるりで、我々の頃はまだまだ田んぼが多かったのに、いまはぎっしり家が立ち並んでいます。

我が家はその頃の校区ではいちばん遠い部類で、小学生の足で片道半時間かかりました。けれど田んぼや畑の中を通る通学路は四季の変化に富んでおり、退屈しませんでした。小学校一年生の記憶といえば、まず、その傍を通ると酩酊してしまいそうな菜の花の濃い香が浮かんできます。それから、日長けた午後の肥溜めの放つにおいも、そのときの太陽ののんびりした色と共に、私の最もやわらかな日々の記憶箱に入っているのです。冬の朝は黒い土をもち上げる霜柱を踏みつぶしながら通ったものでした。いま、車におびえながら通学する長女たちからみれば夢のように遠い話です。

さて、昭和小の大先輩に作家の宮尾登美子さんがおられますが、この方の文名を高からしめた『櫂』という作品に我が昭和小も登場するのです。ほんの背景ではあるけれども、昭和小を母校とする者にとっては大層貴重な財産であると思われます。たとえば、学校の近くに屠殺場があったことなど私は忘れ果てていたのですが、この作中であの陰気な茶色っぽい建物に再会しました。牛の幽霊が出る、と私たちは怖れたものでした。

昭和小の旧校舎はもうありませんが、この作品の中では永遠に壊されることなく建っています。宮尾さんに一卒業生として感謝したい気持でいっぱいです。

私の在校当時の先生方には、いまもおいでになる下元先生と、それから現校長の平野先生が在籍しておられました。下元先生は、はにかんだような笑顔が初々しい先生で、他の学年の児童にも慕われていました。平野先生は茶目な方で、先生の行くところ笑いが起こっていました。

「こんど、ひょうげの先生が来た」と、私どもは評していました。その先生と、立派な風格の現校長さんが同一人物だと最近まで気が付きませんでした。けれどあの威厳の下には若き日のひょうきんさが在ることは間違いないはずです。

それにしても二代で同じ学校に厄介になるというのは参観日の日だけ浦島太郎になるということでもあるようです。ベビーブームで一学年十クラスもあった私どもの入学時、私は大きな学校で自分の教室をおぼえられませんでした。付き添ってきた母が、「あの木をおぼえちょりなさい。窓の外にあの木があるのがあんたの教室よ」と、一本の木を目じるしにさせたのでした。それはちょっと癖のある枝ぶりの楓でした。二十余年後の入学式の当日、導かれて入った長女の教室の外に同じ木を見つけたとき、目まいを感じました。おどおどした顔つきで小さな机に坐っている、あれは長女ではなく私自身ではないのか？二十数年の時間がカラカラと逆回りし、渡り廊下の向こうから幼かった私自身がふいと歩いて来そうな、奇妙な現実感がありました。

中原中也の「帰郷」という詩のおしまいの二行がこの時ほど心にぴったりはまったことはありませんでした。

　あゝ、おまえはなにをして来たのだと
　　吹き来る風が、私に云ふ

（「昭和小学校五十年のあゆみ」より　２０１３年６月17日）

食物としての母校

母校への想いは、歳を重ねるごとに変わってくる。

在学中はさしていい学校に来たとも思わずにいた。卒業してしばらくたったとき、敬愛する内田先生の解雇問題が起き、脱ぎ捨てたはずの母校にまた袖を通すことになった。このとき母校という広場で多くの人と出会うことになった。

一期生から当時の在校生を含むたくさんの期の卒業生もそうだし、在学中に学科でしかつながってなかった先生方ともまた、言葉の正しい意味で出会うことができた。母校を二度卒業したようなものである。そして二度目の卒業のときは、卒業証書の代わりに人的財産が授与され、それはいまだに公私にわたって私を富ませてくれている。これもまた母校が用意してくれたものの一つにはちがいない。

卒業して26年ぶりに仕事で朝倉に通うことになったが、朝倉の風景は一変していた。浦島の心境とはあれをいうのだろう。土佐道路の出現が朝倉を根こそぎ変えていた。母校の面ざしもまた変わっていた。広々とした敷地に整然と校舎が建ち、名実ともに立派な受験校となっていた。昔の素朴な学園の雰囲気はどこにもなかった。

私たち八期生は学芸中の二期生にあたる。当時、中学校の校舎もできたばかり、先生たちも若く、清新の気にあふれた学び舎だった。中学校の国語の副読本は国語科の先生たちが手作りしたもので、「幾山河」とか「春苑」とかいう名だったと記憶するが、それに収録された漢文の「偶成」や寅彦の「どんぐり」のことはいまも心に残っている。作った人の、生徒たちに何を伝えたいかというメッセージが聞こえてくる、よく選ばれた教材だったことはいまにして思う。この国語科には古典に造詣の深い前記の内田先生、のちに詩作で業績を残すことになる林嗣夫、小松弘愛の両先生、そして生徒たちにスパルタ式と怖がられていたけれど俳句の実作者でもあった高橋恒介先生などが顔をそろえていたのだから、何とも贅沢な話である。

私が母校をありがたく思うとしたら、そこらへんのことである。幼い私たちの胃に食べやすく滋養に富んだ食物を選んで与えてくれた。選び方がやや性急で、消化不良を起こしそうになるときもないではなかったが。

英語の土居成子先生にもこの点でお礼を言いたい。外国語に初めて接するとき、母親が赤ん坊にするように愛情こめて口移しで繰り返し教わることが肝要だと最近読んだ。土居先生のそのやり方のおかげで英語への親しい思いは終生そこなわれることがない。

最後にもうひとつ。当時の先生たちにあった、学びを心底愛する気風にも感謝したい。山中千栄先生は英語の授業を通して比較文学まで学ばせてくれた。さらに、教室の椅子を後ろに片付けて、半分の空間を利用して英語劇までやらせてくれた。小橋安吉先生の世界史や、上田博信先生の日本史は、振り返れば大学の講義よりアカデミズムの香りが高かった。

母校が若い私たちに供された食物だったとしたら、それが現在の私たちの血や肉をつくってないはずがない。


（「高知学芸中学校高等学校創立四十周年記念誌」より　1997年）

まちの海図

ポロンが帯屋町をぬけて中央公園へとやってきたのは、今日もこじゃんと暑かったな、と話しながら人々が家路へつく、とある盛夏の夕ぐれだった。南の浦戸湾の上には痛々しいほど夏痩せした三日月が張りつき、それを囲むようにして入道雲の一家が山なみのカウンターの向こうに陽気な赤い顔を並べていた。夏の主役である入道雲一家は今日一日の仕事をのび上がって片付けるや、はや一杯ひっかけてうちくつろいでいるのだった。

ポロンは公園のベンチに座ってしばらく三日月と入道雲一家のやりとりを眺めていた。ポロンが町にやって来るのは三日月の宵が多かった。満月は足をすくませるが三日月はスキップをさそう。まんまるな、欠けることのない月は、月というよりもまぎれもない一個の遊星で、見上げる者を宇宙の果てのなさの方へ連れてゆき、自らのちっぽけさにくらくらと目まいを覚えさせる。だが、三日月はずっと現世的であって、見るときにより、猫が悪戯して空の障子を爪の形に破ったとも、いましも獲物をねらうカマキリの鎌とも見てとれた。ポロンは三日月を見上げてぼんやりしているのが何より好きだった。今夜の三日月はそれにしてもよく研ぎすまされていて、ちょっとでも手をのばすと傷を負いそうな、精神的ともいえる鋭さが感じられた。

やがて闇が濃くなり、あちこちに灯がともりはじめると朝の早い入道雲一家は打ちそろって寝に行ったと見え、闇のむこうに見えなくなった。代わりに三日月は、誰かが菜種油を注いだのか、菜の花色に輝きながら遥かな上空へ吊りあげられていった。

ポロンの周りで鳩に菓子を与えていた子ども達も去ってしまい、木かげで涼をとっていた失対(しったい)のおばさん達もいつの間にか見えなくなった。ポロンもベンチから立ち上った。ポロンは町に灯がともる、この時刻が一日のうちでいちばん好きだった。道ゆく人々の顔もこの時刻はもっとも柔和に見えた。今日一日よくも悪くも終わったんだ、という解放感が人々の表情をなごませ、その表情を受け入れるように街角の酒を売る店々は夕化粧してゆく。どっぷり夜更けてしまったネオンの洪水の街を厚化粧の中年女だとすると、ぽつりぽつり灯がともってゆく時刻の街は身売りされたばかりの少女のような哀感があった。昼間の衣を一枚ずつ脱いでうすものの夜の衣装をつけてゆく町。少女のからだは夜という水槽に少しずつ沈んでゆき、沈んだ分だけの浮力を受け、重さを落としては瀟洒になってゆく。

あのまちこのまち日が暮れる、と下手くそな口笛をならしながらポロンは夜の街へ繰りだしていった。やがて建物と建物に囲まれて肩身せまそうにしている小さな公園にたどりついたとき、彼はかなり酔っぱらっていた。酔うと感傷的になり涙もろくなるポロンであったが、今夜は特別に涙がでる。そこで闇に涙を隠すべくこの公園のベンチに腰かけたのだった。涙が目の中にふくれ上ると視界は一面まるで水中のような不鮮明でやわらかな像になる。二の腕を惜しげもなく露出し、原色のTシャツの胸をつきだして歩いてゆく健康な腰つきの女の子たちは水槽の中の金魚を思わせる。「ポリリン……」ポロンがそうつぶやくのと、目からふくれ上った液体が落ちるのとは同時だった。

ポリリンというのはポロンが前に一緒に暮らしていた女の子の名前である。ポロンとは大層うまくいっていたのに、その女の子はある日突然姿を消した。ポロンはあらゆる方法でポリリンの行方を捜したのだが不首尾に終わった。なんの痕跡も残さず失踪したそのやり方はSFじみていて、ふいにこの星からかき消えたとも思わせた。

万策つきたポロンは諦めざるを得なかった。もう何年も前の話だった。ありがたいことに、日々の忙しさはポリリンのことを忘れさせてくれたが、情けなくも酒を飲むと必ず心は彼女のことへと帰ってゆくのだ。ポロンはよろよろとベンチから立ち上り、電車通りの方へと歩いていった。まだ湿っぽいポロンの目には、路面電車は夜という水槽の中を這う触覚のみじかい昆虫のように感じられた。と感じたとたん、ふと思い出したことがあった。ポロンが昆虫と見たそれを、ポリリンは「ランチ」と感じていたのだった。「路面電車という小さな揺れるランチ」ポリリンはそう書いていた。彼女のスケッチブックのなかに。

ポリリンは町が大好きで、お天気のときは白い帽子を被り、雨降りには赤いゴム靴をはいて町を歩きまわるのだった。そのときには必ずスケッチブックを持参して、町のいろんな表情をすばやくスケッチするのだった。ポリリンの失踪のあと、残されたスケッチブックをポロンは何度も見返したものだった。電車、街路樹、ビルディング、遊園地、船着場、無人のヨットなどがいかにもポリリン風な素朴なタッチで描かれており、それらの最後に詩がひとつあって、あとは白紙のページが続いていた。その詩はこうだった。

まちの海図

降りてゆこう
夕暮れのまちへ
路面電車というちいさな揺れるランチで
くすんだビルディングたちは座礁した巨きな廃船
舟出する方角を見失ったまま路上に停船しつづけ
舵もスクリューも錆(さび)ついちまったよ
わたしだって羅針盤も櫂もないけど
よかったら私と一緒に出発(たびだ)たないか
足元にうずくまり続ける町よ
錆びついた錨をあげ
高くそびえる広告塔にすすけた帆を張って
舟出しよう
無垢な生きものにひっかかれたかさぶたのような今夜の三日月を天の壁からはずし
水先案内のランプ代わりにもってゆこう

何回となく読むうちにすっかりおぼえてしまったその詩をいまもそらんじながら、ポロンはひとつのことに初めて気が付いた。この詩はポリリンの置き手紙ではなかったか。さよならのあいさつ代わりではなかったか。ポロンはこの町の中ばかりでポリリンを探していた迂闊さにやっといま気付いた。

ポリリンは、この町ごとどこかへ行ってしまったのだ。すすけたビルディングに帆を張って、どこかに舟出したのだ。

ポリリンが水先案内に持っていったという三日月と今夜の三日月とは違うのだろうか―そんなことを考えながら三日月を打ち眺めているポロンの横に、そのときガタピシ音をさせて電車が近付いてきた。ふと行き先の表示を見れば、赤い字幕の最終電車である。字幕の赤は夕焼けの赤より朱が勝っていて、むしろ朝焼けの赤に近かった。気がつくとポロンはいつの間にかその電車に乗りこんでしまっていた。

路面電車がランチなら、きっとポリリンのいる巨きな船までつれていってくれる。そしてこの字幕の赤は、きっと明日の朝ポリリンと二人して見る朝焼けの色だ。ポロンはそう信じてしまった。

乗りこんでしまった電車から暗い窓の外を眺めると、ひっきりなしにすれちがう車のヘッドライトがポロンの出発を見送る夜光虫の行列のようだった。

（季刊「のばのば」1977年夏の号 より）

「朝風のすがしき国」はいずこへ

十九で教師となったその青年は、教師としていちばん脂の乗り切った頃、彼の理想をこめた「朝風のすがしき学園」を創った。彼は教師としての最後の情熱をこの学園に注ぎ込んだ。いま、60歳を過ぎた彼は、石もてこの学園を追われた。彼の著わした書物が学園の経営者たちの逆鱗にふれたからだ。——

これがギリシア悲劇なら、私たちは彼の挫折した正義に涙し、彼を追放した者どもを憎み、その顛末を描く叙事詩にうっとりすることだろう。しかしながら、驚いたことに、これはこの国の憲法が施行されて二十数年もたった、ごく最近の話なのである。土佐という土地にはまだまだ野蛮な風が吹いているらしい。

内田先生がクビになったと聞き及んだとき、私共かなり前の母校しか知らない人間は思った。歌の文句ではないが、「まさか、それは嘘でしょう」と。あの、朝礼で、授業で、日常学校生活で、入学式で、卒業式で、学芸の中を吹く風はいつも内田先生の匂いがしていたものだった。現役を退いたら次期校長になる方だとばかり思っていたのに。

その「内田先生を守る会」というものが結成されるそうである、というので行ってみた。そして内田先生の挨拶の言葉や、ものものしく壁にかけられたスローガン等々で初めて内田先生が斬首されたことが実感となって一卒業生たる私の内部に広がっていった。

会場に駆けつけたのは私のようにびっくりした卒業生や同僚の先生方、支援の組合の方々、その他教育にかかわる人々で、席は、はちきれんばかりだった。その一人ひとりがどのように感じていたかは知るすべもないけれど、私個人の感想をいわせてもらえば、内田先生はかような場にいちばん相応しくない方だ、ということだった。

私の知っている内田先生は、私たちと混じって掃除に精出す方、毎日が入学式のようにきちんと身だしなみを整えて教室に入って来る方、かと思えば素っ頓狂なことを言われて、やんわりと私たちを諭す方、であった。先生は、すがすがしい学園にいちばん似合う方、このようなことごとしい場とはいちばん縁遠い方のはずであった。私は壇上にいる先生の姿に、我にもなく涙ぐんだ。いったい先生はどんな悪いことをしたというので、かくも場ちがいな処に上がらなければならなくなったのか。

集会が終わって、やはり、そこに駆けつけた母校のなつかしい先生方の顔がこれほど頼もしく見えたことはなかった。

さて、私はその問題の書物を買ってきて読んでみた。これが新聞に掲載されていた時期に、やはり教師をしている知人にその切りぬきを送ったりしたこともあった。で、内容はすでに知っていたのだが、どこにそんな悪いことが書いてあったのか思い当たらないのである。再読してみるに、結果は前にも増して内田先生の教師として生きる姿勢に頭が下がる、それ以外のものではなかった。精神主義的な旧い処もあるが、それも彼の精神のしなやかさを阻み過ぎず、しかし許せないことに対しては断固そう主張する。

教育論議が巷では盛んであるが、現代の教師に課せられる諸々は重すぎるほどである。そのために無気力になったり、あるいは消極的に唯々諾々と知識伝達するだけになる教師もいるだろう。そんななかで、「これは教師としての良心が許さない」ということを公言できる教師というのは、そうそういるわけではない。そのまれな良心的教師をいちいち追放していたら教育の現場に何が残るのか、考えればそら恐ろしいほどである。

教育は、ますます荒廃してゆくだろう。そしてまた、この国の憲法は内側から骨ぬきになり、教師は単に条文の字づらだけを教えることになるだろう。

私は、この内田先生の問題を素通りしていったら、やがて学芸の先生方は伸び伸び教えることさえ出来なくなるのではないかと憂えるのである。私の耳には太陽を失った母校の教室教室の呻きがきこえるようである。

ちなみに、「朝風のすがしき国」というのは、先生が創った校歌「学芸讃歌」の冒頭の一行である。

八期・山木寿万子（旧栗山）

（内田先生を守る会事務局会報No２　１９７４年６月28日発行　より）

自主講座「八朗学級」と、高知の卒業生の運動

本日私に与えられた役目は、自主講座「八朗学級」と、高知の卒業生の運動を報告することのようです。まず、「八朗学級」から。

「内田先生を守る会」の運動がスタートして1年後に自主講座が始まりました。最初は、教壇を奪われた内田先生に話をしてもらう会、先生の専門の中国の古典を中心に、ということでスタートし、その前座として、卒業生たちが彩りを添えようという思い付きで始まりました。のちには、前座が独立して一晩一講座となります。前座のバラエティーが面白かったからでしょうか。

申し遅れましたが、私はこの自主講座を最初に言い出した、言いだしっぺであるがあまり、この会の雑用を仰せつかっている山木と申します。月に1回開いている「守る会」事務局会だけでは味気ないと感じたので、せっかく集まって来る皆さんに何か話をしてもらい、それをシェアして、潤いたいと提案したのでした。

ところが、5回6回と「八朗学級」の回を重ねていくうち、「こんな、ちんたらしたことをやっていていいのか。自主講座というからには、内田問題の本質を抉り出す思想的営為の場でなければならないはずだ。お遊びじゃない」という深刻な反省が若い卒業生のなかに起こって来ました。考えてみるに、「守る会」が自主講座をやりだしたというだけで、どんな勇ましくラジカルな講座か、と思うらしい。ところが、いざ来てみれば一見まるきり内田問題と関わりのないことを話している。あてが外れた、という印象を持たれたとしても無理はないでしょう。「八朗学級」が外ならぬ八朗の首切りが原因となってできた講座—であるからには、これは当然の反省として受け止める必要があります。

しかし、開き直った言い方をするならば、「内田問題」は現代社会のなかで一つだけ切り離されて出てきた問題ではないのです。複雑に絡みあった現代において、「内田問題」という池にそそぐ小川には、それこそ様々な流れがあります。私たちは「内田問題」以外の諸問題に無関心でいて、果たして「内田問題」への正しいアプローチができるのでしょうか。

というのが私の独り言なのですが、本音をいえば、一つの使命感だけでこの講座をやりたくなかったのです。愉しみながら、討論しながら学ぶという、いまの学校教育が失っている、学ぶ楽しさをここでは確保しておきたかったのです。

さて、その結果はというと、何とも言いにくいのですが、率直に報告します。

とにもかくにも月に1回、足かけ3年続きました。しょっぱなの開講第1回目は、三十数人が来てくれました。3年たって、ほんのこないだの最終回は十人足らずでした。三十数人をずっと続けられなかったのはとても残念だし、言い出しっぺの私としては、毎回潰れかけた劇場の支配人よろしく「今日は何人来てくれるろう?」と舞台のソデから客の入りを伺う心境でした。しかし、この劇場、潰れそうでいて、なかなか潰れない。「内田問題が解決をみた」今からでも、まだやると言っている人さえいます。この先どんなになるか、そこまでは私にも分かりませんが、内田問題に関わって4年を過ごした人々の間にある和が存在する限り、細々と一人歩きしていくのではないでしょうか。

それにしても、延べ三十数人の方やグループが講師に来て下さったわけですが、その方たちに心より御礼を申しあげたいと思います。ささやかな規模の会ですのに、何日もかけてレジュメを準備してくれたり、重たいスライドや8ミリ持参で来て下さったり、重たいのでと、タクシーを雇って何冊ものアルバムと共に来て下さった方もありました。「守る会」のお手伝いになるのでしたらと、どなたも喜んで講師を引き受けて下さいました。

それから、弱気になる私をいつも励まして下さった内田先生と、毎回何をおいても来て下さった事務局の三人の先生方。こうした人々の支えがあって継続できたことです。

さらに、もう一人、忘れてはならないのが、卒業生のOさんです。彼女はみんなにお茶を出してくれたり、お菓子を差し入れしてくれたり、場を潤わしてくれました。会場を予約し、当日には会場案内の貼り紙をしてくれたのも彼女でした。また、彼女は卒業生から在校生への通信「いちまいの風」のガリ切り、印刷、ビラまき等、卒業生の運動の最もしんどいところを担ってくれました。「いちまいの風」という、学校の門の前で登校してくる在校生たちに配ったビラが、いま振り返ると20号を重ねたと聞いて、「そんなになったか」と感慨がありますが、Oさん曰く「ほんなら、あたしは20回も朝倉に通ったわけやね」と初めて気づいたように振り返ります。

彼女はビラまきを一度も休まず、あるときなどは、自動車部隊が寒さのため車がエンストを起こして来られなかったのですが、仕方なく、彼女は一人ぽっちで校内に乗り込んで教室を一室一室訪ね、一重ねづつビラを置いて来たそうです。日頃おとなしくて淑やかな彼女のどこにそんなエネルギーが潜んでいたのかと、びっくりさせられました。信念に基づく行動だから、勇気をもってできたのでしょう。

最近、彼女は『わたしの小さなくに』という本を出しました。その中に「私の中の内田問題」という章があり、校門でのビラまき体験を書いた「朝倉辺境国物語」という箇所もあります。

高知の卒業生の運動といっても、「守る会」の先生方の運動とほとんど一緒にやってきて、東京の卒業生の運動のように卒業生という立場の独自性を強く打ち出した運動をしてきたものではありません。強いて挙げるとすれば「八朗学級」とこのビラまきぐらいでしょうか。

この運動の4年間は、ほかのどの4年間よりもしんどかった。でも、それだけ内容の濃い4年間でした。

内田先生を守るのではなく、内田先生に守られて、それまでにしたことのない心の冒険のできた4年間でした。

支えて下さった多くのみなさんに感謝しつつ、私の報告とさせていただきます。

八期・山木寿万子（旧栗山）

（「内田先生を守る会」報告集会での報告　1977年12月13日　高知県教育会館で）

若竹グループとの一夜・原田さんの辻説法

「八朗学級だより」から

原田道治さんのことから報告させてもらおう。

原田さんが、高知における数少ない自然農法実践家の草分け的存在であることはつとに有名であるが、たまたま「八朗学級」にいつも参加するメンバーの一人が原田農場に手伝いに行く機会を得て、その人を介して八朗学級に話に来てもらうよう話がついた。

同じ頃、いまや公害に関する研究では世界的な東大の宇井純氏が高知に来ることがあり、「宇井さんを囲む会」が「浦戸湾を守る会」を中心に催され、そこに出席を予定していた原田さんが八朗学級にも声をかけてくれ、座談の末席に山木が連なることができた。

そこで従来の学者のイメージからはかなりはずれた、地球上ならどこでもこまめに走り回る機動力の人である宇井さんの闊達な話に接することができたのだが、同時にもう一つの幸運に出くわした。

すなわち、土佐市戸波の被差別部落に住み込んで「解放運動と一緒になった環境整備」という課題に取り組んでいる、東洋大学工学部都市工学科の学生・院生からなるグループに会えたのであった。座談会だから詳しくは聞けなかったが、彼らの発言をほんの少しばかり聞きかじっただけで、なにやらいままでの運動にはない匂いがする。帰り際にそのグループの一人をつかまえて連絡先を尋ね、林嗣夫著『学芸高校内田先生解雇事件』を送り、八朗学級のことを説明、話に来てはもらえないかと打診したのであった。折り返し快諾の返事を得た。

さて、当のその夜は寒い夜だったにも拘わらず、若竹グループ（彼らのグループ名）は、四人も来てくれた。会場狭しとばかり地区の地図やら資料やら張りめぐらし、スライドまで持参、解放運動にも都市工学にも無知な我々の初歩的な質問にもあきれることなく、明瞭にして親切な説明をしてくれ、会場の暖房が9時で切られた後も話は熱っぽさを帯び、気づけば10時近くなっていたのであった。十人の聴衆にはもったいなく、願わくば全国放送にでも流せないのが残念であった。

数年前、学園紛争の嵐が全国の大学に吹き荒れたとき、「人民の側に立った学問」なるスローガンが連呼されたのであったが、結果としてそれはせいぜいで象牙の塔内部の制度の改良にとどまった。あれから10年近くたって、片や爆弾作りという不毛な極に追い詰められる輩が出てくる一方で、こんなにも地道で積極的な若い人たちが育っているという現実を目のあたりに見て、その夜は眠り難いほどの感慨があった。

土佐市という公的な機関からの委託とはいえ、極めて薄い予算的保証しか得られぬ彼ら、たいへんだろうけど「学問」と「現実」という極めて相性の悪い二つのものの最大限幸せな結婚の可能性、つまりは学問の実践的可能性をめざして頑張ってほしいと、心から思う。

原田さんに関するスペースが少なくなった。原田さんは自分のことを「ホラ吹き」という。しかし、この人は自分の吹くホラの後始末をするホラ吹きである。あるいは、できるだけ大きなホラを吹くことによって自身を叱咤激励しているのかもしれない。

奥様のゆかりで戦後高知に住むことになったというこの方の、ポキポキした江戸っ子の語り口は古典落語を想わせて、決して人を飽きさせない。これは一つの才能であるに違いない。たいへんな毒舌家であり皮肉屋でもあるが、真実に打ち込んだ錐の鋭さにおいて、聴くものをひやりとさせ、聴き手を思わず引き込む説得力ある話術と、相手におもねることをしない高潔さにおいて原田さんは現代における無冠の高僧である。そして、この厳寒の夜の八朗学級は、その貴重な辻説法であった。

（内田先生を守る会「八朗学級だより」第18号　1977年3月25日発行　より）

「八朗学級」の日々

いまはむかし、ある学校にこんなことがありました。

その学校の創立メンバーの一人でもあるベテランの先生が、教師生活をテーマに『私は教師』という題の文を高知新聞に連載しました。連載を好評のうちに終え、加筆して出版しました。

ところが、当時の学校当局には不評で、あろうことか、学校の名誉を傷つけたという理由で、先生に解雇を言い渡したのでした。昔むかしと言っても現憲法下でのことですから、聞いた人は驚き、卒業生と教職員の一部は「守る会」を作って裁判に訴えました。数年後、裁判所から和解勧告が出て、和解が成立、先生は復職できました。

先生が復職するまでの間、「もう一つの学校」を作って月1回先生の授業を続けました。授業の前に、卒業生が前座を務め、「もう一つの学校」を盛り上げました。その学校は、先生のペンネームから「八朗学級」と名付けられていましたが、先生の復職と同時に役割を終え、終了しました。

ところが、それから数年たって、ある卒業生が「21世紀八朗学級」をやろう、と言い出したのです。12期の元吉仁志君です。先生はとうに故人になられています。「21世紀八朗学級は、学芸にこだわらず、自由な勉強会にしよう」との趣旨で、ほぼ1学期に1回、学芸関係以外の市民も交えて、さまざまなテーマで語りあい、何年も続きました、去年の秋までは。

去年の11月、主催者で世話役でもあった彼が亡くなりました。ヒマラヤにも行った頑健な山男が、白血病にかかって、あっけなく去っていったのです。最後の八朗学級は、11期の山沖素子さんが自著について語る「風へV」でした。年が明けて、この本が、高知県出版文化賞と椋庵文学賞をダブル受賞したことは、皆さんご存じの通りです。八期・西山壽万子（旧栗山）

（卒業生だより　Box学芸 第29号　2023年7月発行　より）

誠和園の思い出

34歳から42歳までの8年間そこで働いた高知市誠和園のことを振り返ってみる。

この国に「社会福祉」の概念が初めて登場するとき、最初にできた施設が「救護施設」だった。誠和園は救護施設である。そこは、文字どおり窮民を救護するための場で、「収容」という概念で入所者に命の場を与えていた。昭和4年に「救護法」という法律が出来、それに伴う施設として整備されたもので、戦後それぞれの法律の目的によって、老人・児童・障害者などの施設に分化される前の原初的な施設だった。現在は、生活保護法下の施設として生き残っている。

「行路病」といってもピンとこないが、いわゆる「行き倒れ」のことで、身元も分からない行き倒れは、まず救護施設に預かることになっていて、今はどうなっているか知らないが、私の入った頃は、いつ何時でも食事が提供できるよう、残りご飯が確保されていた。

入所者は、ほぼずっとこの施設に在園し、高齢になって園の職員配置では看られないほどの介護度になると、高齢施設に移って最期の日々をそこで迎えた。さまざまな入所者のなかで、印象の強い二人を思い出す。

●たみちゃん

園での女性スターだった。箱が大好きで、いくつもの箱を大事に胸に抱えて園内を忙しそうに行き来していた。会話は成り立たないが、大きな声で一方的に言葉の断片をしゃべった。十八番は「ねえさん、ましかよ?」で、これはきっと郷里の人々の会話の一部を記憶していたのだと思う。それにしても、なんとコミュニケーション力のある言葉だろう。祖母たちが日常よく使っていた表現で、ほかにも言葉があろうに、これを憶えて語るたみちゃんが、地域の中で愛されて育ったことを思わせた。

こんなこともあった。或るとき病気になって長く入院していたたみちゃんが園に帰って来た。体重が半分ほどに痩せて。

拒食症という診たてだった。重度の知的障がいの人も拒食症にかかることを知って、人の心の深淵を覗いた思いがした。

ベテラン寮母のMさんが、小指の先ほどのちっちゃなお結びを作って、たみちゃんの視線のはじっこにそれとなく置いてみることから始めて、徐々にたみちゃんを食べる方に誘導していった。誰もたみちゃんの食べるところを意識的に見てはいけない、と言われていた。そおっと、そおっと。誰も気づかないよう配慮されるうちに、たみちゃんの体重は戻っていた。

●サカエさん

「また来いよ！」

たみちゃんを女性スターとすると、男性のそれはサカエさんだった。ほかの言葉は「うん」とうなずいたり、かぶりを振ったりしてイエス・ノーを表現するのがやっとなのに、この言葉だけは、はっきりと大声で発語した。片手を大きく振る仕草とともに。園に来る人、誰にでも、玄関まで見送って、この挨拶をするのである。言われた人は例外なく笑顔になって帰る。その意味で、サカエさんのホスピタリティにかなう人はいなかった。

現在、誠和園は民間に経営運営ともに委託され、その中身は昔とは違っているだろう。以前の救護施設の面影は残ってないかもしれない。

施設が分化・専門化する前の、おとぎ話に出て来るような時代の園を懐かしんでみた。

（未発表　２０２４年３月）

かなばの手紙

かんなくずのことを当地では「かなば」と呼ぶ。家のあちこちにガタが来て、一日大工さんを頼んだ。その後片付けをしていてきれいなかなばに出くわし、旧知の人に久々に出会ったようななつかしさを感じた。そのかなばは厚さが一ミリの十分の一以下の薄いもので、西洋の子どもの巻毛のようにくるくると威勢よく巻いている。ほどいてみると思いのほか長く、ちょっとした手紙でも書けそうである。桧のにおいがぷんと鼻に来て、捨てるのがためらわれる。ほうきを投げ捨てて台所からビニール袋をとってきてかなば採集を始めた。

昔々の小学生の頃、我が家は共働きだったから、子どもの私も家事を分担した。その一つが母の帰るまでに火をおこしてお湯をわかしておくことで、いまのように一瞬にしてガスに点火できる時代ではないからこれも一仕事だった。おくどに古新聞をつっこみ、たきぎの中から薄い木片をよってその上にのせ、マッチをする。一回で燃え上がればしめたものだが、新聞はしばしば空気の通り道を塞ぐのでいったんついたに見えてもすぐ消え、難渋した。その点かなばは頼もしい助っ人で、くるくる巻の中に空気をたらふくくわえこんでいるからすぐ火がつくし、やせたりといえども元々は木だけあって予想外の火力を見せ、ごおっといって空気をエントツの方に吸い込みざま、勢いよく燃え上がるのであった。

おくどには「はがま」がすえてあって、その中でじきにお湯がわいた。このお湯をやかんに移し、別に七輪に火をおこす。おくどの熾（おき）を取り、炭を乗せると火がいこってくる。おくどの中の燃えさしは七輪だけで火をおこす時のために火消しつぼに入れて消し炭にしておく。こうやっておいて母の帰りを待つのであった。

かなばとは無縁になった今の暮らしだが、子どもの頃のお勝手の様子がかなばの巻手紙の中に書かれてあった。

（高知市職員労働組合　福祉分会機関誌　Well Being 掲載号不明　1980年代）

あとがきに代えて

「これまで発表した文をまとめてみませんか」と声をかけてくれた友人がいた。10年から前のことである。友人は編集者である。死ぬまでに本を一冊出したいという夢は持っていたが、具体的ではなかった。定年後に時間ができたら、と漠然と思っていたが、なかなかアクセルを踏めないままに、人生の残り時間が見えてきた。

重い腰をあげて取り掛かってはみたが、いざ始めてみると、これがなかなかのことであった。

発表原稿のほとんどは新聞の投稿欄へのそれであるが、広い紙面のほんの一部を占めている小さな投稿文を切り取ってスキャナーでスキャンし、本にするためのデジタル文書として整える、これだけのことが捗(はかど)らない。

これを自前でせずに出版社に委ねると、活字の入力だけでかなりの人手がかかり、本のコストは高くなる。本はできる限り廉価にして、その分多くの人に読んでもらいたい希望がある。

この作業を簡単にするためのスキャナーを買って準備したものの、なかなか稼働に至らないまま3年目に入った頃、「入力のお手伝いをしましょう」という奇特な友が現れた。

その頃には、投稿文をスキャンしてワード等のデジタル文書にするという作業にうんざりし、我が生前では無理、もう自分が亡くなってからの遺稿集を待ってもらうしかないと半ば諦めていたので、飛び上がらんばかりに喜んだ。

そのときから具体的な作業に取り掛かる。

まず、発表した150を超える投稿文から、これを本に残したいという切り抜き文を彼女に送る。彼女はそれをスキャンしてUSBメモリースティックで私に送り返してくれる。この文はスキャナーという光学機械が活字を読んだものなので、読み違いがある。読み直して整理し、デジタル文書として完成させる。

お互い日常生活を抱えているので、それほど捗らない。

そのうち恐ろしいことが起きた。私のところに友人から来ているスキャン済み文と、それを私が完成させたデジタル文書両方の入ったパソコンが、ある日なんの予告もなく、壊れたのだ。あぁ、万事休す。

一人でこの作業をしていたら、きっとこの時点でやる気を失い、仕事は宙に浮いていたろう。

だが、「いまやめたら、これまで支えてくれた彼女の労苦は一切無駄なものとなる」という思いが私を想い止まらせた。苦し紛れに、あらゆる手段を講じて、この苦境を切り抜けた。

幸いなことに、完成デジタル文書はすべて紙にプリントアウトしてあった。これを元のデジタル文に復元してくれたのが、古い友人だ。パソコンに長けたこの友人の存在を思い出してトラブルから救ってもらえたときは、彼がまるで神様のように見えた。

思えば、当書籍の完成に当たって、神様や天使級の助っ人が三人いたことになる。

一人目は、「投稿をまとめませんか」と提案してくれた友。次には、「入力のお手伝いしますよ」と申し出てくれ、一個一個の文を根気よくスキャンしてくれた友。そうして、最後はパソコンアクシデントという急場を救ってくれた友。その三人のうち、どの一人が欠けてもこの本は出来てなかった。この友情のリレーのおかげで、やっと形を得ることができたのだ。心から感謝したい。

それから、「私の生きているうちに本を出してね、命ある間に読みたいから」と会うたびに言ってくれる人生の先輩の存在。90歳を越した最年長の読者にお届けできることも、こよなく嬉しい。

ながなが書き散らしたが、人の力にまっこと支えられてこの本ができたのだ。これら友と出会った僥倖を想う。

これまでの半生に発表した、少なくない数の投稿文のなかから当書籍に掲載する文を選んだ基準は、
①高知の町にかつてあった、懐かしくも得難い風景
②直接間接に私の人生で出会ったすてきな人々
などである。

私のいなくなったあとで、図書館などでそれらをふと読んだ読者が、時というページの間に挟まった押し花のように私の記憶を楽しんでくれたら、こんな嬉しいことはない。

西山　壽万子（にしやま　すまこ）
1948年高知市若松町生まれ。
高知学芸中学高等学校、
東京都立大学卒業。
1983年高知市誠和園、
1991年4月～高知市役所。
2014年3月退職。

よくばり雑記帖

定　価	1,364円＋税
発　行	2024年7月24日
著　者	西山　壽万子
編　集	ぷちてらす編集室　坂本乙女
印刷所	株式会社　飛鳥 高知市本宮町 65-6 (Tel:088-850-0588)
ISBN 978-4-88255-199-7	